COLLECTION ITINÉRAIRES

Amériques de Jean Morisset et Éric Waddell
est le quarante-deuxième titre de cette collection
dirigée par Jean-François Nadeau.

D0981269

Les textes rassemblés dans ce recueil ont déjà fait, pour la plupart, l'objet d'une publication et les auteurs ont bénéficié d'une subvention du Conseil de recherches en sciences humaines du Canada pour la réalisation de leurs travaux.

Jean-Richard Laforest a accompagné, depuis le tout début, cette mise en rencontre textuelle, avec un enthousiasme chaleureux, une intelligence libre et profonde qui ne s'est jamais démentie.

J. M. et É. W.

L'Hexagone bénéficie du soutien de la Société de développement des entreprises culturelles du Québec (SODEC) pour son programme d'édition.

Nous reconnaissons l'aide financière du gouvernement du Canada par l'entremise du Programme d'aide au développement de l'industrie de l'édition (PADIÉ) pour nos activités d'édition.

Nous remercions le Conseil des Arts du Canada de l'aide accordée à notre programme de publication.

Amériques

Jean Morisset et Éric Waddell

Amériques

Deux parcours au départ de la Grande Rivière de Canada

Essais et trajectoires

l'HEXAGONE

Éditions de l'Hexagone
Une division du groupe Ville-Marie Littérature
1010, rue de La Gauchetière Est
Montréal, Québec H2L 2N5
Tél. : (514) 523-1182
Téléc. : (514) 282-7530
Courriel : vml@sogides.com

En couverture :
Bois de caribou, Mittimatalik
(Pond Inlet, Haut-Arctique).
Photo : Jean Morisset

Données de catalogage avant publication (Canada)

Morisset, Jean, 1940-

Amériques : deux parcours au départ de la Grande Rivière de Canada

(Collection Itinéraires)
Comprend des réf. bibliogr.

ISBN 2-89006-635-5

1. Métis - Amérique du Nord.   2. Métis - Canada.   3. Amérique du Nord
francophone.   4. Saint-Laurent (Fleuve).   5. Québec (Province).   6. Canadiens
français.   I. Waddell, Eric.   II. Titre.   III. Titre : Deux parcours au départ de la
Grande Rivière de Canada.   IV. Collection : Collection Itinéraires (Hexagone
(Firme)).

E99.M47M67 2000   · 970'.00404 C00-941694-3

DISTRIBUTEURS EXCLUSIFS :

• Pour le Québec, le Canada et les États-Unis :
LES MESSAGERIES ADP*
955, rue Amherst, Montréal, Québec H2L 3K4
Tél. : (514) 523-1182
Téléc. : (514) 939-0406
* Filiale de Sogides ltée

• Pour la France :
D.E.Q.
30, rue Gay-Lussac, 75005 Paris
Tél. : 01 43 54 49 02
Téléc. : 01 43 54 39 15
Courriel : liquebec@cybercable.fr

• Pour la Suisse :
TRANSAT S.A.
4 Ter, route des Jeunes
C.P. 1210, 1211 Genève 26
Tél. : (41-22) 342-77-40
Téléc. : (41-22) 343-46-46

Pour en savoir davantage sur nos publications,
visitez notre site : www.edhexagone.com
Autres sites à visiter :
www.edtypo.com • www.edvlb.com • www.edhomme.com
www.edjour.com • www.edutilis.com

Dépôt légal : 4e trimestre 2000
Bibliothèque nationale du Québec
Bibliothèque nationale du Canada

À tous les peuples qui continuent d'exister à travers l'immense métissage venant secouer la planète en ce début de millénaire et au nom d'une solidarité renouvelée pour « la suite du monde » et ce grand périple qui nous concerne tous… celui de la libération !

AVANT-PROPOS

Partance géographique
à travers l'Amérique québécoise

Nous sommes géographes.

Nous appartenons à une géographie vieille comme le monde et qu'on ne fréquente plus guère. Cette géographie n'est pas celle de l'aménagement du territoire et de la gestion des ressources, ni non plus celle des « bases de données à référence spatiale » ou celle du développement durable. À moins que, par développement durable, on veuille faire allusion à l'esprit qui circule sur la planète, interrogeant l'espace depuis l'origine des temps...

Cette géographie est celle de la route et des navigations, du rêve et des grands espaces. Celle du silence aussi et de la contemplation du monde, malgré ce bavardage incessant devant l'univers. Une certaine géopoétique, en fait, une géopiété, comme on dit si bien dans le monde anglo-saxon.

Déambulation sur la terre et parmi les hommes, cette géographie veut prêter entendement à la parole qui vient de loin : loin dans l'ici et près du là-bas, s'attardant volontiers à toutes les cartes de tous les pays et de toutes les époques. Cette géographie cultive toujours l'ambition de débusquer les lignes et les frémissements du monde et toujours reprend chemin pour mieux ressentir la beauté.

Certes, nous avons été doctorisés et il nous en reste mille séquelles ; certes, nous appartenons à une discipline, mais cette discipline reste profondément indisciplinée, sauvage. Et sauvageonne, aussi, accompagnée d'une boussole un peu délinquante, faisant migrer le pôle Nord magnétique jusqu'au tropique baroque sans fuir les méridiens éclectiques !

Il s'agit de la dernière discipline, peut-être, à oser résister à toute forme d'apprivoisement, à toute tentative de définition et de corporatisme académique. Une discipline que le savoir institutionnalisé n'a jamais réussi à pleinement dompter grâce, justement, à sa pratique du terrain et à son goût du voyage. Ainsi elle va cheminant par les sentiers de l'humanité et les franges du temps. Sa matière première consistant beaucoup moins dans le texte écrit, déposé dans les archives des États et les bibliothèques des nations, que dans la mémoire orale et la tradition migrante, les parchemins incrustés sur la terre et inscrits dans le visage des êtres.

C'est pourquoi nous n'avons guère ni maîtres à penser ni objets d'étude encastrés ; c'est pourquoi, aussi, les discours de la méthode nous rebutent, nous invitant plutôt à bifurquer vers d'autres rivages, à appareiller vers d'autres visages. Nous nous méfions joyeusement de la théorie sans même nous attarder à l'écarter ; et les mots paradigme, problématique, nomothétique ou théorétique nous font sourire, sans autre jugement. Nous préférons l'hypothétique à l'hypothèse et les émanations parfumées de la terre aux engrais de l'âme. Comme tous, cependant, nous nous laissons courtiser et souvent piéger par les rets du transtextuel et les stratagèmes de la postmodernité, mais tout cela a tôt fait de vaciller, tel un clown dégonflé pris en flagrant délit de démonstration, depuis les promontoires englacés du Haut-Arctique ou les collines bleues de Papouasie-Nouvelle-Guinée, quand sur les mornes sacrés s'éveille l'aube en transe, un matin d'hiver tropical.

Nous sommes géographes.

Nous ne sommes pas des experts. Ni d'ici ni d'ailleurs. Nous avons parcouru cent fois, nous avons imaginé mille fois ce continent et une autre fois encore les océans qui le circonscrivent. Et jamais n'avons-nous songé à apprendre les techniques de planification des bancs de neige ni d'ailleurs les mécaniques d'aménagement de l'horizon ou du soleil de minuit. Nous n'avons aucun conseil à donner, aucune posologie à offrir, aucun règlement à imposer à tous les gardes-frontières et autres sécateurs de géologie travaillant de concert avec les gardes-chiourmes de la pensée.

Quelquefois, cependant, par simple oubli ou complaisance, un pied dans le jeu des coquetels compassés et l'autre dans la boue orangée des latérites ou la sloche argileuse du pergélisol en fonte, quelquefois nous nous racontons que nous sommes des scientifiques non scientifiques. Mais cela n'est pas vrai non plus. Nous sommes plutôt des arpenteurs de l'imaginaire géographique en quête de mondes millénaires nouveaux. Et voilà que nous crions notre révolte contre les gourous des banques mondiales, les inféodés de la statistique et tous les exégètes des recensements transformant les êtres de chair en matières premières de l'expertise cartographique, venant inéluctablement servir de frein à toute libération. Ce sont ces gens-là qui détruisent la planète et se nourrissent de la faim du monde qu'ils ne cessent de provoquer.

Car derrière toute mise en cartes, il est une grande fenêtre appelée géographie, qui s'ouvre sur le monde et sa mémoire, quel qu'il soit et quelle qu'elle soit. Tout peuple minoritaire et « minorisé » – ce qui est là notre seul titre de gloire sur ce navire incertain appelé Amérique –, tout peuple qui exclut de ses fondements l'oralité de l'espace est tôt ou tard condamné à passer à côté de ses titres de noblesse géographique.

Nous sommes géographes, soit, mais nous venons évidemment de quelque part sur ces continents sans bornes et sans limites flottant sur les plaques tectoniques.

Jean Morisset est d'ici. Depuis toujours. Tentant de retrouver son passé précambrien à travers la trajectoire du désir. Éric Waddell est venu d'ailleurs plonger ses racines dans cette terre d'ici. Tentant de retrouver et d'incarner son ailleurs dans la révélation de cette grande errance « franco » ancrée à jamais dans la mouvance.

L'un est venu au monde sur les battures, face au fleuve et au chenal menant droit à l'Arctique, à la Caraïbe, au Brésil et aux sept mers. L'autre est né sur les vieilles falaises schisteuses préocéaniques, face à la mer lui aussi... la mer du Nord, l'Europe, le Pacifique.

11

En amont et en aval de toute navigation, cependant, notre maison commune est le Québec. Et notre fenêtre donne sur ce Canada emporté sous la dérive des siècles, la Grande Rivière de Canada, sans commencement ni fin, ayant puisé ses origines dans la profondeur de ses confluences. Fleuve des profondeurs de l'Amérique première, venu s'épanouir au Québec à la recherche continuelle d'autres rivages et débouchant depuis toujours sur une invitation à la partance ou à l'enracinement.

Car c'est d'ici qu'aura émergé notre regard, riche d'un héritage infini roulant sur la crête du dedans-dehors, entre la cuisine d'hiver et la cuisine d'été, et se voyant offrir tous les choix des Mondes Nouveaux.

Québec aux marées mouvantes, seul et parmi le monde, venant se confondre avec l'origine et le destin de l'Amérique, l'au-delà de l'Amérique… pour former cette Amérique québécoise toujours en attente de son accomplissement et de sa rédemption ! Infini-Québec habité de neiges, de tourbières, de lacs et de rivières, où se conjuguent mille secrets oubliés. Immensité-Québec sertie d'une grande mosaïque première qu'on a trouée de toutes parts ; immense Québec à l'écologie blessée. Québec incertain, entouré de peuples-frères et modulé d'expériences solidaires dont il n'arrive pas toujours à entrevoir la présence. Québec martelé par la débâcle des renaissances ou les grandes marées d'automne, à travers une histoire animée par le va-et-vient des appartenances et des « désappartenances », de la résistance et de l'assimilation.

C'est ce grand jardin de rêves et de dérêves, de givre et de dégivre, de campements et de dérouines, de refus et de libérations que cet ouvrage souhaite partager.

Les pages qui suivent sont une invitation… une invitation aux voyages et aux bivouacs, à l'invocation et à la réflexion.

Voyages entrepris seuls ou en expéditions, depuis une trentaine d'années déjà ; voyages où la découverte s'entremêle parfois de nostalgie sinon de mélancolie ; voyages à la recherche du Québec en Amérique, du Québec dans le monde et, aussi, du Monde-Amérique dans ce Québec cherchant si ardemment, si désespérément, sa propre mythique. Voyages entrepris pour trouver notre vie et courtiser notre destinée – les nôtres, bien sûr… mais aussi celles d'un pays et d'un peuple cherchant espoir et renouvellement sur les marges du monde par les marges des grandes périphéries de la planète.

Les pages qui suivent sont une invitation à sortir du trécarré qui nous a été imposé et qu'on nous impose encore, parfois avec hargne et mépris, une invitation à nous libérer des histoires répressives forgées à rebours de la géographie-lumière du Grand Fleuve.

Une invitation, aussi, à sortir de ce trécarré serré auquel on s'est habitué au point d'y vivre, à moitié heureux, à moitié précontraint. Sans plus savoir que le fleuve géant conduisait directement au cœur même du continent, sans plus savoir qu'il s'était métissé avec des peuples-frères et des instances aborigènes animés d'une même interrogation devant l'univers et d'une même plénitude spirituelle face au défi de la Déconquête. Ce Québec qui aura essaimé au point de faire germer branches et rhizomes, de l'Arctique au Mexique, de la Caraïbe au Pacifique, qui aura donné naissance à un peuple nouveau, le peuple métis, participé à la création de nouveaux créoles – le jargon chinook et le métchiff –, et qui oublie tout cela, quelquefois, lorsque ses alliés d'une autre époque et ses héritiers d'un avenir pourtant commun viennent frapper à sa porte !

Fruits de ce double héritage à double engeance – de Géographe et de Navigateur – ayant voulu côtoyer la rumeur du monde pour tenter de s'y reconnaître, les pages qui suivent se veulent aussi une invitation à franchir de nouveaux bassins-versants, à emprunter une trail et à partager un portage… Non seulement pour aller voir ailleurs si nous y sommes, comme le veut l'adage courant, mais aussi pour supputer notre propre solidarité, tendre la main à d'autres peuples, y reconnaître notre propre combat, arpenter nos rêves réciproques afin de prendre conscience d'une histoire qui se continue « pour la suite du monde », depuis les rives de la Grande Rivière de Canada et de tous les chemins qui marchent…

Pour rappeler à tous, enfin, et rappeler à ces voisins qui nous convoitent que notre pays n'a jamais été un refuge construit pour des gens cherchant à s'abriter derrière des frontières forcées, mais une vaste maison habitée par le vent et le soleil des indépendances, une vaste mémoire composite nourrie de la double tradition aborigène et européenne, d'une vaste écriture géographique où jamais ne s'est éteinte la parole issue de la gélivure de l'espoir et de l'attisée de la libération.

*

En ce qui regarde la toponymie, nous avons tenté de respecter, sinon de faire revivre, dans cet ouvrage, la graphie canadienne ou « franco » d'origine qui a été systématiquement évincée de la Nord-Amérique avec le processus de recouvrement territorial et linguistique imposé depuis l'achat de la Louisiane et de l'Alaska par les États-Unis, et aussi la disparition du Nord-Ouest et du territoire de l'Orégon.

Les noms de lieux autochtones n'ont pas plus de rapport, *a priori,* avec la langue anglaise qu'avec la langue française, sauf que cette dernière est arrivée sur presque tout le territoire nord-américain un siècle et demi avant l'anglais, et s'est métissée, de surcroît, aux langues autochtones. Ainsi, des noms comme Yellowknife (Couteau-Jaune), Moose Jaw (Mâchoire d'Orignal) ou Pend'orille (Pend d'Oreille) ont tous été traduits du canadien ou du français et non pas l'inverse. Et le lecteur a le droit de savoir. Si, pour respecter l'usage établi par la Conquête, il faut absolument écrire monts Ozarks (« aux arcs »), village de Low Freight (« l'eau frette ») ou Bay Despair (d'espoir), sans jamais mentionner qu'ils viennent du canadien, ou du québécois, à quoi bon s'interroger sur sa présence à l'Amérique ?

De fait, au contraire de l'espagnol et de l'anglais, le français fait usage de l'accent aigu sur le *e*, comme dans Montréal et Québec – ou Boisé, en Idaho –, et le *u* se transcrit généralement par « ou », comme dans Chibougamau. Si nous est refusée la licence d'écrire, par exemple, Ouichita ou rivière Ouabache, à la canadienne, on se demande de quel droit on peut écrire Chicoutimi ou Témiscouata et non pas Chicutimi et Temiscuata. Pourquoi les Québecois refuseraient-ils pour un territoire que ses ancêtres métis ont occupé et parcouru de part en part ce qu'ils s'autorisent par ailleurs dans le cas exclusif du Québec ? Nos ancêtres ont nommé ce continent, généralement en transcrivant phonétiquement les langues autochtones avec lesquelles ils sont venus en contact ; faudrait-il, après coup, effacer nous-mêmes leurs traces, sous prétexte de respect envers ceux qui ont usurpé leur présence ?

Bref, nous ne voyons pas pourquoi le Québec contemporain imposerait à l'intérieur du tout petit rectangle frontalier qu'il considère comme sien des règles toponymiques qu'il refuse pour le reste d'un territoire qu'il a occupé et qui fait toujours partie de son imaginaire.

JEAN MORISSET et ÉRIC WADDELL,
entre isles et continent,
entre fleuve et mer océane.

Amérique-America :
entre l'appel et le désir

Une Amérique sans nom : post-scriptum pour un cinquième centenaire*

> Il y avait une surprise qui, malgré notre appétit, nous fit presque oublier le dîner somptueux qu'on s'apprêtait à nous servir. Parut à l'improviste une jeune femme qui nous coupa le souffle : un des plus beaux spécimens de brune dont un lieutenant de vaisseau puisse prétendre rêver. Une silhouette ravissante aux lignes pleines et voluptueuses, des traits d'une beauté parfaite, des yeux noirs geais au regard alangui, et la plus luxuriante des chevelures qui aient jamais frisé sur terre. Bref, tout ce qu'il fallait pour conduire une escouade à la poésie ou au suicide.
>
> MCKENNY[1]

Nous décidâmes d'opter pour la poésie, n'aura nul besoin de préciser le narrateur, et appareillâmes bientôt pour l'embouchure du Mississipi pendant que cette vision s'évanouissait à jamais dans la nuit des temps.

C'est ainsi que l'unique mention qui ait jamais été faite de la fille du célèbre écumeur de mer Jean Lafitte disparut elle-même à son tour. Remercions le hasard de nous avoir permis de la découvrir, enfouie au fond d'un tiroir au-dessous d'un rayon vermoulu de bibliothèque, en plein centre du Brésil. Mais le lieu importe-t-il vraiment ?

---

* Ce texte est publié ici pour la première fois en français. Sous le titre de « An America that Knows no Name (Postcript to a Quincentenary Celebration) », une traduction en anglais a paru dans *French America : Mobility, Identity and Minority Experience Across the Continent*, sous la direction de Dean R. Louder et Éric Waddell, Bâton Rouge, Presses de l'Université du Sud-Ouest de la Louisiane, 1992, p. 337-347.

Ç'aurait pu être aussi bien à Saint-Louis du Missouri, au Cap-Haïtien, en Haïti, à Valparaíso du Chili, à Santiago de Cuba ; au Fort-Providence, dans les Territoires du Nord-Ouest. Ou alors, au fond des archives inconscientes des missionnaires oblats de Marie-Immaculée, au large du Grand Nord canadien.

Ç'aurait pu être n'importe où, en effet – à l'infini, derrière l'ouverture de la parenthèse de l'oubli (à quel moment se refermerait-elle ?). Ou ne serait-ce qu'entre deux psaumes, là où aurait pu surgir de nouveau la plus belle fille « franco » de tous les temps : mulâtresse, chabine, grimelle, métive, marronne, sauvageonne, sauvagesse, *half-breed* ou bien créole.

Et vive la Franco-Amérique !

« *I'm French, but I don't speak it, do you want another drink*[2] *?* », disait un jour la *waitress* au poète Patrice Desbiens, quelque part dans un des bars maganés de la Nord-Ontarie.

« *Sí, sí, soy pocha de origen canadiense, pero ya se ha perdido la lengua, hace tiempo, quieres bailar otra vez*[3] » de suggérer câlinement à mon adresse, un soir d'étape sur la route de partout, la belle franco-chicana, dans un bar interlope du Nouveau-Mexique.

Quelle question ! Bien sûr que je voulais danser encore avec elle !

Mais je désirais aussi me précipiter d'un grand élan à l'abordage de la carte du Monde Nouveau. De tout le Monde Nouveau ! Car je n'ai que faire d'une Amérique dépourvue de sa géographie (et ne veux surtout pas d'une souveraineté tronquée).

« Je suis souverain de moi-même », proclamait le poète Gaston Miron dans une grande envolée, un bond lyrique entraînant tout aussitôt, dans un élan irrésistible, l'adhésion de chacun autour de lui.

Mais comment accomplir l'indépendance au présent, sans réaliser, conjointement, l'assurance de la souveraineté pour les temps à venir ? Et comment édifier l'avenir sans avoir d'abord accompli l'unité de son passé territorial aux frontières ouvertes sur toutes les navigations ?

Si je fais appel ici aux filles de la flibuste, aux filles de La Rochelle et de la Caraïbe, pour appareiller en leur compagnie vers la souveraineté géographique de notre Amérique ; si je fais appel aux filles du grand large et aux filles de la réserve, en guise de figures de proue et de « post-scriptum » au navire de tous les siècles qui nous ont vus naître, c'est qu'il y a un centenaire qui rôde déjà quelque part parmi nous et risque fort de nous « by-passer ». Cela sans la moindre vague, sans le moindre mouvement de résistance et sans, du moins, la moindre consolation.

Au moment où se joue, en British America/Canada et à grands coups de commissions d'enquête et d'impératifs juridiques, l'une des dernières grandes « rondes politiques » se flattant de fixer le destin d'une Franco-Amérique toujours contrainte de rester en marge ou en deçà de son avènement, qu'avons-nous à déclarer ?

Voici pour que l'on s'en souvienne :

1492-1992 : cinq centième anniversaire de la découverte du Nouveau Monde !

1492-1992 : cinq centième anniversaire du « génocide fondateur » qui fera des aborigènes ses victimes fondatrices !

Mais dans tout cela, la Franco-Amérique elle-même, où se situe-t-elle au juste ?

Ainsi, lorsque l'Europe se célèbre, aujourd'hui, à travers nous, convient-il de nous demander d'abord qui étions-nous et que sommes-nous ? Qu'avons-nous été précisément, et vers quel concordat historique paraissons-nous inéluctablement nous diriger ?

Si la Franco-Amérique s'est retrouvée complètement absente, jusqu'à maintenant, aussi bien des célébrations de la découverte que des contre-célébrations de la conquête, il y a des raisons à cela. C'est, en effet, l'Indien pur de la fiction occidentale ou le héros de l'Europe biblique et expansionniste qu'on s'évertue de célébrer. Pendant que le franco, invisible, encombrant et ubiquiste, demeure un personnage de l'entre-deux, éternel métis dont on ne sait plus – ou dont on n'a jamais su – que faire.

Pourtant, depuis Pontiac jusqu'à Kérouac, en passant par Toussaint Louverture et Louis Riel, les plus grands personnages de la Franco-Amérique – héros transcendants d'une géographie composite, dans la mouvance et le marronnage, sur la rail et sur la route – auront sans cesse servi de ferment aux autres Amériques.

Mais, née de sa propre disparition, la Franco-Amérique aura toujours été une aventure de l'*in-between*. Ainsi aura-t-elle eu beau incarner, d'Haïti jusqu'à l'Athabaskie, et de l'Isle-à-la-Crosse jusqu'à l'Isle-à-la-Tortue, la plus grande manifestation (occultée) de la Renaissance, la fête ou l'anti-fête semble se produire et se situer, sans elle, et ailleurs.

Durant toute la période coloniale française émergeront, en effet, une multitude d'Amériques se croisant et se chevauchant, mais sans pour autant advenir véritablement à la conscience américaine : l'Amérique autochtone, l'Amérique des Français, l'Amérique des esclaves, à quoi il faudrait ajouter l'Amérique d'une quatrième instance, majoritaire, ambivalente et imprécise, procédant des unes et des autres.

On nous a appelés et on continue à nous appeler *French* ou *Frenchey*, mais nous savons très bien que nous ne sommes pas et n'avons jamais été ni des Français ni des Français d'Amérique, mais bien autre chose et au-delà : des Métis sans désignation précise et portant, de ce fait, tous les noms possibles. Bref, une espèce d'Amérique sans nom ayant pourtant donné son âme à l'Amérique entière.

N'ayant jamais réalisé son indépendance par rapport à l'Europe ailleurs qu'à Saint-Domingue (ce pour quoi Haïti continue de payer fort cher jusqu'à ce jour), la Franco-Amérique n'a pas accompli la révolte émancipatrice et fondatrice qui bouleversera l'histoire de tant d'autres pays du Nouveau Monde.

Alors que nous allions constituer, tout au cours des XVIIIe et XIXe siècles, l'une des expériences géographiques qui auront forcé l'admiration de tous les chroniqueurs et des voyageurs du temps, pourquoi faut-il que nous nous retrouvions en manque chronique d'identité ? Que s'est-il passé pour qu'une aventure – la nôtre –, auréolée d'une telle gloire par les auteurs anglo-saxons, arrive aussi mal à nous inspirer, nous-mêmes, collectivement ?

Pourquoi avoir maintenu, à travers les manuels scolaires et les discours de l'histoire, ce qu'il faut bien appeler une conspiration du silence à propos de la géographie de la Franco-Amérique ? D'où vient cette honteuse censure au moment où les Francis Parkman et bon nombre d'écrivains – de James Fenimore Cooper et Henry Wadsworth Longfellow à James Albert Michener et Brian Moore – allaient puiser dans cette réalité qui est nôtre pour en faire surgir les héros et les héroïnes que nous refusions d'y découvrir nous-mêmes ?

Parallèlement, les Français (qui ont perdu l'Amérique) aiment bien se consoler en répétant :

Voici 468 ans que le nom d'*Amérique* a été prononcé et écrit pour la première fois. Et ce fut en France[4].

Mais, à la vérité, que s'est-il passé ? Voltaire a fait célébrer par une messe la conquête du Canada, Napoléon a vendu la Louisiane, Choiseul a échoué dans son projet d'un pays franco en Amérique du Sud, tout comme Maximilien au Mexique. Et lorsque Pontiac au large des Appalaches, Toussaint Louverture à Saint-Domingue, Louis Riel dans le Nord-Ouest, lorsque tous ces libérateurs ont fait appel à leurs frères afin de réaliser le rêve d'une grande Amérique, pourquoi avons-nous refusé de leur tendre la main, d'un bout à l'autre d'un continent que nous avions pourtant parcouru sans relâche ? Beaucoup de Francos sont morts non pas de la main des Anglais, mais par épuisement à la suite de la démission de leurs propres compatriotes. Tant que la Franco-Amérique n'aura pas assumé un tel héritage, pour mieux le dépasser, la question identitaire perdurera.

On t'affirme que tu es québécois, on déclare que d'autres sont fransaskois, martiniquais, louisianais, cadjuns, canucks, haïtiens, franco-ténois, *French-Cree,* etc. Mais pourquoi au juste un si grand nombre de tribus sans que jamais se soit présenté un seul grand chef – un unique

Sachem – ayant eu la capacité de faire miroiter, à travers l'espace et au-delà du temps, un destin commun en vertu d'origine commune ? Serait-ce qu'il n'y aurait vraiment jamais eu d'origine commune, à partir de laquelle aurait pu se rassembler sous une même bannière, tout au moins symboliquement, cette Amérique *in the making*.

Malgré tous les efforts des historiens officiels pour définir un *pure breed French-Canadian* au-delà de tout soupçon, nous n'avons toujours procédé, et depuis les débuts, que d'une origine « mouvante ». Comme les tribus qui nous ont reçus dans leurs wigwams et leurs tipis, nous portons les noms des géographies que nous avons empruntées et les prénoms des rivières que nous avons parcourues. Fleuves et cours d'eau qui seront devenus, les uns après les autres, le patrimoine de l'Amérique entière, sauf le nôtre ! La belle affaire !

Nés précisément de toutes les Amériques qu'on aura voulu inventer à même notre trajectoire géographique, nous demeurons le peuple hors célébration de tous les centenaires. Mais, au fait, nous ne pouvions certainement pas découvrir le Nouveau Monde puisque nous sommes le Nouveau Monde !

On a, de toute évidence, peur de se l'avouer, mais un minoritaire est effectivement investi de trois langues. Une langue maternelle à moitié égarée, une deuxième langue à moitié inventée et une troisième à cheval sur les deux. Sauf qu'il y a toujours risque que le cheval s'affole et prenne le mors aux dents.

Si bien que le Franco ne se trouve vraiment bien qu'entre deux chaises, là où tous les autres ont mal. Ce lieu inconfortable finit tôt ou tard par se transformer en espace de création idéal. Ce n'est ni en Virginie ni en Californie que le jazz est né, mais à La Nouvelle-Orléans, après l'arrivée des créoles haïtiens, qui fuyaient Saint-Domingue[5]. Alors, que dire ?

C'est faute d'avoir inventé la caravelle maritime, la nacelle des aéronautes, ou la sarcelle à quatre ailes, qui auraient pu servir de désignation au projet Franco-Amérique,

que nous n'avons jamais pris conscience de notre force. La grandeur de l'Amérique française, les vestiges de l'Amérique française, le je-ne-sais-quoi de la French America, etc., tous ces mots qui relèvent d'un vocabulaire tellement éculé, s'ils continuent à être utilisés, c'est justement parce que la France a perdu son Amérique qui aura toujours été moins la sienne que la nôtre.

Il y a quelque chose de pathétique dans cette recherche désespérée de l'Amérique sans nom qui nous a donné naissance. Si nous avions pu réussir à inventer une Amérique canadienne, une Amérique louisianaise et une Amérique haïtienne qui nous appartiennent pleinement et sans équivoque, quels que soient nos effectifs incertains, nous serions tous canadiens, louisianais ou haïtiens. Et nous pourrions le lancer à la face du monde. *Take it or leave it, but it doesn't matter. I know who I am. I am what I know : I am what I am. But do I am what I know*[6] ?

Je ne crois pourtant pas, du moins pas pour le moment, à la naissance d'une Amérique québécoise, parce que l'identité « Québec » a été paradoxalement fondée sur l'établissement de nouveaux liens avec l'Europe plutôt que sur la réinvention de ses fondements « amériquains[7] ».

Le refus d'Amérique et le refus du métissage qui s'ensuivent ne sauraient alors servir de lieu de rencontre à des peuples que le Québec a rejetés d'emblée dans son propre projet identitaire.

Au moment précis, en effet, où le Québec, en tant qu'instance résiduelle de la Franco-Amérique, prétend faire sa souveraineté, la fermeture du Secrétariat permanent des peuples francophones, à Québec, en révèle long sur tout cela[8].

Quand je songe à tous les noms d'emprunt qu'on se donne pour mieux se cacher le fait qu'on n'a pas su, ni même essayé de le faire, imaginer un nom qui soit commun à tous les Francos. Mais pourquoi donc ?

J'ai constamment employé, pour ma part, l'expression Franco-Amérique pour tenter de renverser le courant européocentrique que véhicule forcément l'idée d'Amérique française. Et aussi pour faire avaler, dans un grand banquet anthropophage, le franco par l'Amérique et projeter ainsi une désignation qui ne soit pas d'outre-Atlantique. Mais je suis loin d'être dupe et je sais que ça ne va pas tout à fait.

J'ai trop conscience que quelque chose manque, et de façon peut-être tragique. Faute d'avoir jamais trouvé l'appellation susceptible de faire émerger une destinée commune, nous avons raté notre diaspora. (Du moins jusqu'à maintenant.)

Des amis de la Caraïbe ont souvent exprimé, au cours de conversations que nous eûmes sur ce thème, la pensée que voici : « Si vous n'aviez pas été "blancs", vous, les Québécois, mais bruns, marron ou gris, il y aurait eu un signe distinctif auquel vous reconnaître vous-mêmes, en deçà et au-delà de toute origine et de toute assimilation. En conséquence, vous auriez réussi à imposer cette reconnaissance aux autres, comme ce fut le cas du *black power* et présentement du *poder chicano-latino*. Votre drame, c'est de vous être perdus dans la masse anglo sans possibilité de rémission et d'identification spontanée par les autres. »

Je pense qu'ils ont passablement raison (tout en me refusant à pleinement le croire). Je sais bien qu'il y a, dans la Caraïbe et ailleurs, des « Noirs » qui emploient des « détergents » et autres lotions pour se blanchir, tandis que nous, nous employons des dictionnaires et des « offices de la langue française » pour blanchir notre langue. Cela pourrait revenir au même, n'est-ce pas ?

Quand on a comme critère distinctif, plutôt que la couleur de la peau, la couleur d'une langue – chiaque, cadjun, joual ou créole – que tous combattent avec violence, à commencer par la France et tous les Anglos dont le modèle demeure la France, il n'y a guère d'autre choix que de faire de la musique. C'est ce qu'un André Gladu a fort bien compris en allant chercher dans son cinéma *Le Son des Français d'Amérique*[9]. Il a réussi là quelque chose d'extraordinaire : faire surgir des tréfonds de l'Amérique le reel-jazz transcendant des ruine-babines du Nouveau Monde.

Vive donc l'Amérique sans nom !

I'm not speak French anymore, baby, but I do play it[10].

Pourtant, il y a toujours eu des Canadiens pour dire que l'Amérique ne s'est pas faite en français. Ce n'est pas qu'ils ne connaissaient pas leur langue, c'est tout simplement qu'ils ne connaissaient pas ou n'ont pas voulu connaître l'Amérique.

Il était une fois une vieille Indienne de la *Saskatchéouanne* qui entreprit un jour de raconter sa vie en commençant par ces mots : « Oh ! vous savez, en ces temps-là, il n'y avait que des Sauvages et des Canayens, les Blancs sont arrivés ben après. » Si un tel témoignage se passe de commentaire, il renvoie à une réalité sur laquelle on ne saurait trop insister.

> L'appellation *French* est utilisée indifféremment pour désigner les Canadiens [c'est-à-dire les Francos], les Métis de toutes teintes et même des Indiens purs qui s'associent avec les Métis et parlent leur patois […]. On peut affirmer, de façon générale, qu'au nord du 40e parallèle, de Québec jusqu'à l'île de Vancouver, il n'existe à peu près aucune tribu autochtone, des Sioux jusqu'aux Esquimaux, qui n'a pas été teintée de sang franco[11].

Si les Autochtones se retrouvent donc tous un peu « frenchés » sur cette terre de liberté appelée Amérique, quel avenir était-il réservé aux uns et aux autres, au terme d'un mélange aussi prometteur ?

> Ils disparaîtront comme une vapeur de la surface de la terre, leur histoire se perdra dans l'oubli et les lieux qui les connaissent encore en perdront pour toujours le souvenir[12].

> Voilà tout ce qui reste d'une nation jadis puissante [les Montagnais] ; on peut dire que, prochainement, on verra disparaître ses derniers représentants, mais, si un destin aussi triste est inévitablement réservé à cette race, on peut ajouter cependant qu'elle fait une belle mort[13].

Encore un peu de temps et l'homme blanc aura cessé de nous persécuter, car nous aurons cessé d'être, de confier l'aïeul au dernier quart de lune ! Et pourquoi donc font-ils une aussi belle mort ? Parce que le missionnaire aura eu le temps de les christianiser au moment de l'arrivée de la petite vérole et autres cadeaux de la cérémonie baptismale ! Qu'est-ce à dire ? Le message-génocide des Blancs paternalistes serait-il allé si loin que les ressortissants eux-mêmes en seraient venus à accréditer leur propre disparition comme pour mieux respecter une histoire dont on les avait bannis ?

> Un Canadien errant, banni de ses foyers,
> parcourait en rêvant des pays étrangers
> Un jour triste et pensif, assis au bord des flots,
> au courant fugitif, il adressa ces mots :
> si tu vois mon pays, mon pays malheureux,
> va dire à mes amis que je me souviens d'eux.

Viendra un jour où personne, pas même la perspicace géographie, ne saura si le pays avait existé ou pas !

En guise de pied de nez à toute assimilation, et pour faire émerger la géographie sous-jacente à l'Amérique anglo, je m'en voudrais de ne pas rapporter ici un extrait d'une lettre du Métis Gabriel Dumont, que mon collègue Pierre Anctil a sorti des combles et des décombres de l'histoire et qu'il présentait – non sans émotion – en ces termes : « [De la narration que fait l'ex-stratège métis de son dernier voyage dans le Nord-Ouest] il se dégage une singulière poésie de tant de noms aujourd'hui anglicisés : Yellowstone River, Sun River, St. Peter's Mission. Étrange itinéraire surgi tout d'une venue, parcouru, on dirait, à bride abattue, tant les toponymes se succèdent rapidement » :

> Je vous raconterais tout au long mon voyage lorsque j'aurais le plaisir de vous voir, je vous citerons seulement ici, les places où j'ai passé ; en partant d'ici – je suis passé à Lewiston, Montana, où j'ai rencontré les premiers Métis, de là j'ai été à la Dépouille et de là voir les Piedgoms à la rivière aux Boullets après les avoir vu j'ai filé le long de la Montagne comme en revenant d'Orcha, les bords de la rivière au Soleil jusqu'à la Mission de St-Pierre, de là je suis revenu à Lewiston, Montana ; j'ai mis deux mois à faire ce voyage pour revenir à Lewiston, de là je suis passé à Claquette dans le Missouri et de là au fort Assen-

neboin sur la frontière Américain, de là j'ai filé le long de la rivière au Lait jusqu'à l'entrée du Missouri, c'est-à-dire où la rivière au Lait entre dans le Missouri jusqu'aux réserves Indiens, que j'ai suivi, d'abord les Sioux et ensuite les Assenneboins le long de la frontière ; j'ai omis de vous nommer le Fort à la rivière aux Trembles et de la Roche Jaune, je suis revenu dans le Dakota, à la Montagne aux Tortues et à Saint-Jean où il y a davantage de Métis, là se trouvent les réserves de Métis et de Sautteux après la Montagne aux Tortues, je suis arrivé à Olga, Cavalier County, Dakota, de là à Neche Dakota où j'ai pris les Chars pour m'en revenir à New York[14].

« À elle seule, commente Anctil, cette lettre fait basculer l'univers des Métis ; elle rompt la conspiration du silence qui les entourait à l'époque aux États-Unis. » Il est donc un fait qui saute aux yeux. Cette Amérique mi-indienne, mi-franco, qui devait toujours mourir, inexorablement, est en train de revivre d'un bout à l'autre du continent, de l'Alaska jusqu'à la Patagonie.

Alors que l'aube du XXIe siècle se veut un lieu de renaissance, on se prend à rêver. Et si notre dépossession, par un jeu de reconquête imprévu, allait se transmuter en triomphe, pour jeter les bases d'une identité aussi inattendue que nouvelle, susceptible de renouveler l'Amérique du troisième millénaire ! J'écris ces lignes sans restriction. Et que tous les pourfendeurs d'utopie, qui n'ont jamais manqué l'occasion de décocher leurs dards, soient renversés par leur propre défaitisme.

Nous sommes, avec et après les Autochtones, la dernière Amérique à ne pas avoir accompli sa souveraineté au siècle passé ; nous serons la première à marquer le nouveau millénaire.

Que conclure ?

Combien de cheveux bouclés, emportés par-dessus le bastingage de l'histoire, sont allés chercher, sous d'autres cieux et chez d'autres manitous, l'inspiration et les matous que le pays ne pouvait produire ! Et pourquoi pas !

Lorsqu'on parcourt la carte de la Nord-Amérique, on y rencontre soudain, du côté du XVIIIe siècle et du Missouri, un arbre sur lequel sont gravées des fleurs de lys ainsi que les armes de la France. J'ai retrouvé cet arbre, que l'on disait mort depuis des décennies. Des gens en uniforme s'étaient amusés à tirer dessus, mais sous les cicatrices de son écorce il vivait toujours. S'il est difficile de faire pousser des tiges à partir de l'écorce d'un arbre décédé, eh bien, il appert que nous avons fait plus que cela. Nous avons construit un immense canot appelé *rabaska* pour inventer un monde nouveau en chantant :

C'est l'aviron qui nous mène, mène, mène,
c'est l'aviron qui nous mène en haut !

Peuple non prévu à l'ordre du jour, ai-je dit !

Mais pas du tout.

Peuple de l'en-haut jusqu'aux bayous les plus secrets du Mississipi et aux campements les plus insoupçonnés du Grand Nord.

Peuple de rapides et de méandres, peuple de l'arbre dont on croyait avoir coupé le tronc, mais qui est revenu, au-dessus de nous, s'épandre par mille branches et mille affluents.

Voyez ce peuple qui coule lentement vers sa source depuis l'embouchure du Nouveau Monde !

Derrière la bannière des États-Unis et les irruptions volcaniques de la Caraïbe, sous les sédiments de la liberté, il existe une couche indélébile dont je suis aussi le ressortissant triomphant.

C'est là que je suis né et c'est là que je vais perdurer. Quelles que soient les langues que je parle, que j'ai parlées ou que je cesserai peut-être un jour de parler !

C'est là que je suis né, entre le Katarakoui (Saint-Laurent) et le Mississipi, la rivière enfouie et la grande rivière, le Dèh-Tcho et l'Artibonite.

Alors, aussi bien me l'avouer et m'en prévaloir une fois pour toutes.

Après avoir été vendue par la France, vaincue et déportée par l'Angleterre, assimilée par les Yanquis, poursuivie par l'Espagne, par saint Jean-Baptiste et par Dieu le Père, mais défendue par le carnaval de La Nouvelle-Orléans, il est temps pour la Franco-Amérique de revenir à la vérité du Mississipi.

Si certains peuples remontent vers leur origine, nous, Francos, descendons vers notre source !

Nous sommes la découverte que tous recherchent sans le savoir.

Au moment où l'absence haïtienne renaît de ses béances et de ses cendres, au moment où le Métis Léonard Pelletier, en prison depuis le Dakota, revient hanter la conscience *wasp*[15], que reste-t-il d'autre que le Mississipi, que reste-t-il d'autre que notre réalité autochtone, mulâtre et créole, sinon un poème à double identité qu'on me permettra d'intituler, telle une goélette ou un bateau pirate :

La Denise-Jeannette *ou la Franco-Amérique*

elle est là *she is there*
seins en rêve
bras en sursis
elle est là

elle est *there*
à moitié assoupie à moitié submergée
un sourire flottant sur l'échine
une paire de jeans sur ses pattes endormies

cheveux épars sur épaules brunes
mains couchées entre les cuisses
yeux en ovale
lèvres en lippe

she is là
son souffle murmure un son transparent
son ventre ondule sous l'embrun du temps

she is there elle est là
à moitié indienne à moitié frenchée
rien qu'une palpitation au détour de l'histoire

Mais avant que la *Denise-Jeannette* disparaisse de nouveau derrière le bastingage de la géographie, faut-il savoir ce que nous avons perdu à défaut d'identifier ce que nous avons trouvé !

Comment expliquer pourquoi la Franco-Amérique a tellement joué à la généalogie, si ce n'est pour tenter de se prouver qu'elle était bien blanche et « pure laine », malgré les témoignages répétés des voyageurs européens. Mais, une fois qu'on aura tous découvert de quel coin de Surgères ou de La Rochelle ou de quelle emblavure de Normandie on vient du côté paternel, il faudra bien trouver un jour notre ascendant maternel. Ou, à tout le moins, s'avouer que, derrière cette Amérique sans nom cherchant à s'inventer un passée européen glorieux et sans tache, se trouve une Huronne, une Natchez, une Algonquienne, une Noire esclave, une Panisse ou une Pas-Pareille ayant servi de préambule dans la hutte amoureuse d'un poème, d'un sapinage ou d'une confluence nommée Amérique.

J. M.
Côte-des-Neiges (Montréal),
29 février-1er mars 1992

Notes

1. McKenny, « The Cruise of the Enterprize. A Day with La Fitte », *The United States Magazine and Democratic Review*, vol. 6, n° 19, juillet 1839, p. 40. Rapporté par Georges Blond, *Histoire de la flibuste*, Paris, Stock, 1969.

2. « Je suis franco, mais ne le parle pas, tu veux un autre drink ? » À la différence des Noirs (« Blacks ») ou des « Chicanos » (et on n'a pas à parler espagnol pour être qualifié de Chicano), il n'existe aucune appellation générale pour désigner les francophones de la Nord-Amérique, qu'ils parlent toujours le français ou pas. Dans un mouvement similaire, nous avons donc résolu d'employer le mot « Franco », à la fois comme substantif et adjectif. À ce titre, tout comme il en est également des Autochtones, les Francos constituent donc un peuple – le peuple franco –, peu importe qu'ils aient conservé leur langue d'origine ou se soient vu assimiler dans le courant de la *manifest destiny*.

3. « Si, si, je suis d'origine canadienne mélangée, mais la langue s'est perdue, il y a longtemps, on s'offre une autre danse ? »

4. Jacques-Donat Casanova, *Une Amérique française*, Paris et Québec, La Documentation française et Éditeur officiel du Québec, 1975, p. 7.

5. Je me permets, là-dessus, de renvoyer à une contribution, qui ne faisait pas partie des références originales accompagnant ce texte. Voir « Jazz, jase, glace et battures… », dans *Jazz et blues magiques*, Montréal, Les Heures bleues, 1999, p. 27-35.

6. « Que tu le veuilles ou non, ça ne fait aucune différence. Je sais ce que je suis. Je suis ce que je sais : je suis ce que je suis. Mais suis-je ce que je sais ? »

7. Le mot « amériquain », suivant la graphie française d'origine pour faire référence au continent, nord et sud, dans son ensemble, et aussi pour établir une distinction avec le mot « américain » que, sans en détenir aucunement l'exclusivité, les États-Unis se sont approprié pour s'autodésigner. En pratique, cependant, une telle politique présentait des difficultés vites jugées insurmontables : l'Alaska devenant, par exemple, américaine par droit d'achat et de conquête, tandis que le « Youkon » ou le « Youcatan » demeuraient « amériquains » pour avoir résisté à l'empire yanqui. La lecture géographique et toponymique du continent ayant échappé à la Franco-Amérique, comment la reprendre sans la transformer, seule façon de résister à l'emprise de l'Autre.

8. Durant plus de dix ans, le SPPF aura été le lieu où parvenait pratiquement l'ensemble des journaux et périodiques de la Franco-Amérique. Eh bien, comme cela a été fait pour les codex aztèques et mayas, on a détruit tout ce matériel, ayant jugé que le corpus franco de toute la Nord-Amérique ne valait pas la peine d'être conservé. Difficile de trouver exemple plus éloquent pour le Québec du divorce avec sa mémoire américaine sur laquelle prétendait s'appuyer son projet !

9. Sous ce titre, c'est une série de 27 films (dont quatre sur la Louisiane) qui ont été coproduits et coréalisés par André Gladu et Michel Brault, avec la collaboration de la Société Radio-Canada.

10. « Je ne fais plus dans le "parlez-vious-français", ma nouère, mais je le joue. »

11. « *The designation of French is often indifferently applied to Canadians [c'est-à-dire Canadiens], Métis of all grades, and even pure Indians who associate with métis and speak their patois [...]. In a general way it may be asserted that, north of the fortieth parallel, from Quebec to Vancouver's Island, there is scarcely a native tribe, from the Sioux to the Esquimaux, that has not been tinctured with French blood.* » (V. Havard, « The French Half-Breeds of the Northwest », dans *Report of the Smithsonian Institution for the Year 1879*, Washington, 1880, p. 314, 317 et 318 ; traduction libre.)

12. Washington Irving, « Des Sauvages de l'Amérique septentrionale », dans Charles Waterton, *Excursions dans l'Amérique méridionale*. Le titre original est *Wanderings in South America, the North-West of the United States and the Antilles in the years 1812, 1816, 1820 & 1824 with Original Instructions for the perfect preservation of Birds, Etc. for Cabinets of Natural History*, Londres, MacMillan, 1879. Le texte d'Irving est une annexe à la version française.

13. Edgar Rochette, *Notes sur la Côte Nord du Bas Saint-Laurent et le Labrador canadien*, Québec, Imprimerie Le Soleil, 1926, p. 99.

14. Lettre datée du 31 octobre 1887 et citée par Pierre Anctil dans « Les lettres de Gabriel Dumont au Major Edmond Mallet », *Recherches amérindiennes au Québec*, vol. 10, n°s 1-2, 1980, p. 62.

15. Voir Peter Matthiessen, *In the Spirit of Crazy Horse*, New York, Viking Press, 1991.

Je hais l'Amérique... et pourtant*!

> Ah Amérique si grande, si triste, si noire, tu es comme les feuilles d'un été sec qui sont déjà ratatinées avant la fin d'août, tu es comme je dis, et sans espoir, tous ceux qui te regardent ne voient rien d'autre que ce désespoir aride et morne, la certitude d'une mort menaçante, la souffrance de la vie présente, ce ne sont pas les lampes de Noël qui te sauveront, ni toi ni personne, on peut mettre des lampes de Noël sur un buisson mort en août, la nuit, et le faire ressembler à quelque chose, quel est donc ce Noël que tu professes dans le vide ?
>
> VICTOR-LÉVY BEAULIEU,
> *Jack Kérouac : essai-poulet*

Qu'il me soit permis de commencer cette réflexion en citant un poète que j'affectionne tout particulièrement, Herménégilde Chiasson :

> vous êtes mon seul et unique jardin d'ecchymoses
> le seul endroit où ça fait vraiment mal
> et j'ai peut-être choisi d'y habiter[1]

Chiasson est d'Amérique. Il est acadien, minoritaire, bafoué dans sa langue, dans son identité. Porteur d'un nom qui n'a pas de pays, il vient de la Côte, d'une mince lisière de villages habités par son peuple. Devant lui s'étale une mer qui est morte, hantée par les goélettes de ses ancêtres, tandis que derrière lui se profile une ville, un continent tout entier habité par d'autres gens – des gens de passage. Gens

---

* Ce texte a paru sous le titre de « L'Autre Amérique ou l'en-dehors des États », dans *Cahiers de géopoétique. Série Colloques* n° 2, Trébeurden (France), Institut international de géopoétique, 1992.

35

qui, bien involontairement et souvent même contre leur gré, piétinent tout ce qu'ils croisent sur leur chemin, affolés qu'ils sont de s'inscrire dans le destin du Nouveau Monde.

Chiasson est d'Amérique et il a choisi de quitter son Scoudouc natal pour aller vers l'intérieur du continent, pour vivre en ville – en ville anglaise et, de surcroît, loyaliste.

Moi, je suis d'Europe, mais j'ai élu domicile en Amérique à l'aube de ma vie adulte. Parfois, je me demande pourquoi.

Pour être plus exact, j'ai passé l'essentiel des trente dernières années à naviguer entre le Nouveau Monde et le Grand Océan, l'Amérique et le Pacifique, le Continent et les Isles, le Nord et le Sud, l'Amérique et l'au-delà de l'Amérique. J'ai divisé mon âme entre l'abondance matérielle et la richesse culturelle, le temps éclaté et le temps cumulatif, la mouvance et l'enracinement, le moi et le nous, l'avenir et le passé de l'homme sur cette terre.

C'est sans doute de cette confrontation entre deux visions de l'univers, deux façons diamétralement opposées de vivre dans ce monde qu'est née mon interrogation sur l'Amérique, et aussi mon désir presque maladif de creuser les strates de ce continent et de fouiller ses entrailles. Sans l'avoir vraiment su au départ, je voulais trouver le pays d'avant les États, « découvrir » cette terre et ces peuples qui n'avaient pas encore été appropriés par l'État et l'Économie. Bref, je voulais débusquer ce territoire non quadrillé.

C'est Kérouac qui a hurlé devant tous ceux qui voulaient bien l'entendre que « les clôtures n'ont pas d'espoir ». Il le croyait profondément pendant un certain temps. Au début, à l'arrivée, à la naissance, tous les espoirs sont permis.

Ce n'est pas sur les atolls du Grand Océan qu'on éprouve mille vibrations devant un « regard jusqu'à l'infini », mais plutôt sur le continent américain. Les atolls sont des lieux fermés, introvertis. Le lagon est incroyablement calme et les maisons des habitants sont toutes accrochées à ses rives. Très souvent, il n'y a pas de lien entre le lagon et l'océan, pas d'accès facile au grand large. À l'extérieur, on goûte à la violence de la mer : la houle qui déferle inlassablement sur un rivage de corail brisé, la végétation précaire, le bruit, l'écume, la solitude et la peur. Peu de gens s'y aventurent, et surtout pas les enfants.

C'est en Amérique continentale qu'on connaît spontanément la fascination de l'au-delà : l'attrait de la forêt, de la plaine, de la route – espace de fuite, espace de conquête. Kérouac voulait foncer vers l'Ouest, aller jusqu'au firmament pour le bien de son âme. William Cornelius Van Horne, artisan du chemin de fer transcontinental Canadien Pacifique, voulait, quant à lui, atteindre l'océan pour un but quelque peu différent, semble-t-il, quand il affirmait apercevoir le Pacifique, depuis la fenêtre de son bureau, du haut de la gare Windsor, à Montréal !

Mais le bâtisseur a toujours obligé le rêveur à sombrer dans le silence ou à revenir sur ses pas à la quête d'un passé devenu irrécupérable. L'un a toujours chassé l'autre, le premier bétonnant à jamais les espoirs du second, dans la « terre-mère ».

N'est-ce pas, après tout, ce même Kérouac qui, plus tard dans sa vie, reviendra amèrement sur son rêve primal :

> [...] ils peuvent se planter l'Amérique dans l'cul, et toutes ses *traques* et ses machines de fer avec – je retourne en Bretagne pour prévenir mes pêcheurs : « Refusez de faire la route vers l'embouchure du Saint-Laurent. C'est là que vous vous êtes fait avoir la dernière fois – ils vous ont joué un tour[2]. »

Ou ce même écrivain errant qui raconte, dans son dernier roman, l'histoire de Slim, ce vieux Noir déraciné qui ne cesse de marcher :

> Slim, c'était qui c'vieux-là ? que j'lui ai demandé. Y m'a répondu : « Bof, c'était une sorte de fantôme d'la rivière, y cherche le Canada en Virginie, en Ouest-Pennsylvanie, au nord de l'État de New York, à New York, en Arthurite de l'Est, pis en Pottzawattomy du Sud, depuis huit ans d'après c'que j'peux voir, pis tout ça à pied. Y l'trouvera jamais, le Canada, parce qu'y marche toujours dans la mauvaise direction[3]. »

C'est ainsi qu'il évoquait le désespoir de quelqu'un – un Noir, peut-être un Canadien français, sans doute lui-même – qui cherchait, au retour du grand voyage, son Canada natal.

Ou ce même Jack qui, selon un ami d'enfance, « avait passé toute sa vie à se chercher une cabane à Lowell ».

Que de révélations pour un homme qui évoque avant tout une Amérique libératrice !

Or moi aussi je ne cesse de revenir sur mes pas, et ces pas m'amènent toujours en Amérique. Et pourtant, je déteste, je hais l'Amérique. Chaque fois que je rentre du Pacifique, ou d'ailleurs dans le tiers-monde, et que je vois la laideur du bâti, la richesse et la misère qui se côtoient dans l'indifférence totale, que je découvre ces regards fuyants dans les yeux des gens, ces autoroutes interminables qui ficellent le continent entier, ces convois ininterrompus d'automobiles et de camions qui fusent de partout pour foncer vers je ne sais où, sans pouvoir ni vouloir arrêter, ces immenses centres commerciaux qui encerclent et qui barricadent toutes les villes, emprisonnant tous les habitants derrière des milliers d'embuscades de pacotille : gens brisés, gens amers qui ne peuvent plus consommer ou ne peuvent que consommer pour que le sang continue à circuler dans leurs veines. Chaque fois, j'éprouve de la haine.

Non, je ne peux pas baiser cette terre, tel un pape qui débarque en Amérique latine. Je n'ai rien à foutre en Amérique. Je devrais plutôt suivre l'appel surgi du rêve de Kérouac et retourner chez moi afin de prévenir mes camarades de ne pas partir pour le Nouveau Monde et de refuser de se laisser séduire par son image terriblement mensongère.

Mais retourner où ? Quand on vient en Amérique, on laisse tout derrière soi. On rompt les amarres. Une mutation quasiment biologique se produit au fond de nous. Quelque chose émane de cette terre neuve pour nous rendre tous ivres d'espoir. C'est en venant en Amérique qu'on se libère du fardeau de toutes ces sociétés, ces cultures, ces civilisations qui nous tiennent en otage depuis la naissance jusqu'à la mort, un fusil de chasse braqué en permanence sur notre tempe.

C'est aussi en Amérique qu'on se trouve entouré de millions d'individus, chacun possédant sa propre arme à feu et toutes braquées les uns sur les autres.

Et pourtant, en contrepartie, l'Amérique demeure un continent qui nous rend sauvages, au sens beau et noble du terme : un continent où la ville a ses limites et où l'Homme n'est pas omniprésent. Car c'est en fin de compte dans cette sauvagerie qu'on se trouve finalement face à face avec soi-même ; délivré, enfin, du poids du passé, de toutes les conventions, de tous ces divertissements culturels, sociaux et intellectuels qui empêchent l'être humain de penser, de se mettre à l'écoute de lui-même, de voir et de sentir son entourage.

Dans cette Amérique-là, il faut voyager lentement – en canot d'écorce, à pied, à vélo, en suivant le courant, en respirant le vent, en traversant des myriades de talles d'épinettes, de lacs, de portages et d'escales provisoires. Avec rien d'autre pour se distraire que l'espace qui continue à l'infini. Se sentir écrasé pas la grande voûte du ciel des prairies. Rouler dans la plaine, heure après heure, jour après jour, avec soi-même et l'atmosphère pour unique compagnie.

Mais il faut savoir aussi qu'on le vit en sursis, cet infini de l'Amérique. Le chemin de fer nous pourchasse. L'autoroute. La ville. La banlieue. Les voyageurs affolés. Les pêcheurs, les chasseurs, les campeurs, les cow-boys en camionnette, les occupants de maisons mobiles et les chauffeurs de Winnebago. Les commis voyageurs et les marchands de rêves et les pauvres citoyens essoufflés par leur poursuite de la camelote.

C'est pourquoi je ne pourrais jamais quitter ce continent-pieuvre, avec son chassé-croisé perpétuel entre le plus noble des rêves et la plus misérable des réalités, et où tout le monde « connaît déjà son futur ».

Je sais que je suis en prison, ici, en Amérique, mais ma prison est vaste et généreuse. Elle ressemble aux mirages du Sahara dans son euphorie, ses horizons lointains et sa folie immanente.

Peut-être connaissez-vous cette barque d'une seule journée qu'Émile Nelligan avait construite, au temps de son adolescence, son Vaisseau d'Or :

Ce fut un grand Vaisseau taillé dans l'or massif :
Ses mâts touchaient l'azur, sur des mers inconnues,
La Cyprine d'amour, cheveux épars, chairs nues,
S'étalait à sa proue, au soleil excessif.

Mais il vint une nuit frapper le grand écueil
Dans l'Océan trompeur où chantait la Sirène,
Et le naufrage horrible inclina sa carène
Aux profondeurs du Gouffre, immuable cercueil.

Ce fut un Vaisseau d'Or, dont les flancs diaphanes
Révélaient des trésors que les marins profanes,
Dégoût, Haine et Névrose, entre eux ont disputés.

Que reste-t-il de lui dans la tempête brève ?
Qu'est devenu mon cœur, navire déserté ?
Hélas ! Il a sombré dans l'abîme du Rêve !

Ce Vaisseau d'Or était bien plus qu'une métaphore, Nelligan devant lui-même chavirer, quatre mois avant son vingtième anniversaire, pour ensuite dériver, des décennies durant, entre les quatre murs d'un grand hôpital psychiatrique de Montréal.

Mon Amérique à moi ressemble, à s'y méprendre, à l'ancienne prison des Plaines d'Abraham, convertie depuis peu en grand musée, perchée magistralement sur les hauteurs de la ville de Québec, avec le fleuve Saint-Laurent au pied et les Appalaches à l'horizon – deux grands cordons ombilicaux traversant des pans énormes du continent : à la fois voies de pénétration et barrières à la mouvance.

Je vois, devant la fenêtre de ma cellule, la neige qui part et qui revient avec les saisons sur la lisière des montagnes lointaines, et les grands morceaux de glace qui couvrent le fleuve pour balancer avec les marées tantôt vers l'Atlantique et tantôt vers les Grands Lacs au cœur même de la Nord-Amérique.

Une autre phrase d'Herménégilde Chiasson me revient alors à l'esprit : « Nous sommes tous des otages. »

Mais comment peut-on se déclarer otage sur un continent sans clôtures ?

L'Amérique est synonyme de voyage. Mais ce qui était au départ un voyage libérateur devient rapidement une fuite en avant pour se transformer aussitôt en périple involontaire et en destination impossible à atteindre. Périple des condamnés à mort au sein d'un continent-prison.

C'est qu'en Amérique on voyage si souvent sans pouvoir arriver au but. Plus grave encore, il n'y a même pas, sur ce continent, de refuge où s'abriter en cours de route. Écartés par un continent qui n'est que démesure – nature démesurée, villes démesurées, architecture démesurée, aspirations démesurées, État démesuré –, nous devenons tous des marginaux, des « hommes flottants » diraient les ni-Vannatu, des déracinés, seuls et sans identité, infiniment malléables et n'arrivant plus à trouver prise sur le réel.

Ce qui devait être une liberté totale offerte par la nature – la liberté d'agir selon ses instincts – fait naître une solitude profonde et terrible. Ce n'est nullement par hasard que Margaret Atwood parle constamment de *wilderness* dans ses livres. Mais ce qui trouble l'écrivaine, c'est la *wilderness* des villes et d'un temps dont la fragilité nous confond et où nous cherchons tous des signes, un sens, des traces sans en trouver vraiment. Sur ce seul continent qu'elle connaît, la nature sauvage s'est transformée en sauvagerie humaine.

La lutte pour la liberté s'est métamorphosée inéluctablement en lutte pour la survie. Et toutes chances de victoire sont hypothéquées d'avance dès qu'on est obligé de lutter seul.

C'est à travers les yeux du photographe Robert Frank que j'ai pris conscience de la solitude terrifiante qui marque la vie outre-Atlantique. Il l'a dévoilée, cette solitude, avec une telle force que son recueil *Les Américains* a dû être édité initialement en Europe[4], pour avoir été jugé « antiaméricain ».

C'est un regard d'Européen que Frank a sans doute jeté sur le continent, cherchant à trancher avec une terrible lucidité entre les deux civilisations qui la composent, l'une issue de l'autre. C'est pourquoi il affirmera que l'Amérique est un continent caractérisé par « beaucoup d'amour, pas de beauté », à l'inverse de son Europe natale où se retrouve « beaucoup de beauté, pas d'amour ».

Oui, l'Amérique est laide, incroyablement laide. Partout où l'homme est passé, partout le même délabrement, le même sentiment que tout est provisoire, que tout est mensonge, tels les appels incessants et criards de ces énormes panneaux publicitaires qui bornent chacun de nos déplacements. Certes, les apparences n'ont pas d'importance pour l'Américain moyen, mais elles révèlent tout de son rapport au continent et de la trajectoire de son destin devant le Monde-Nouveau. Son cœur s'est envolé quelque part pour tomber sans doute entre les mains d'un trafiquant de nouvelles croyances religieuses !

Et pourtant ! Partout dans ces villes ravagées et ces quartiers anonymes, il se trouve des gens pleins d'une telle tendresse et si vulnérables. Des gens que Robert Frank a réussi à figer sur pellicule, tels les acteurs anonymes du cinéma muet, à la solitude imposée et aux yeux pleins d'espoirs déçus. Le photographe a exprimé, mieux que tout autre, le côté pathétique de l'aventure américaine.

Et c'est son ami Kérouac – encore une fois – qui a cherché à franchir le mur du silence entourant ces figurants d'une seule et unique épopée. En guise de réponse à une des photos de Frank, voilà ce que Kérouac écrivait (dans la préface à l'édition américaine du recueil) :

> Il a tiré un poème de tristesse du jus de l'Amérique pour le mettre en pellicule, rejoignant ainsi les poètes tragiques de l'univers. À Robert Frank, je transmets ce message : t'as des yeux. Et j'ajoute un mot : cette fille d'ascenseur petite, seule et entre deux âges, le regard en soupirs dans la cage bondée de démons obscurs, c'est quoi son nom et son adresse[5] ?

Question purement rhétorique, bien sûr, puisqu'il s'agissait strictement d'une photographie. Mais combien poignante. Les portes de l'ascenseur qui s'ouvrent, le temps d'un étage. La solitude dans la foule anonyme. Une fraction de seconde dans une trajectoire humaine. La main tendue vers un semblable. Un désir fou de franchir le vide. « Étranger qui passes, écrira un jour Walt Whitman, tu ne sais pas avec quel désir ardent je te regarde. »

Certes, Frank a trouvé « beaucoup d'amour » en Amérique. Ses images sont une tentative désespérée pour garder vivant cet amour, pour le cultiver et le laisser épanouir. Mais c'est de l'amour des camps de concentration et des condamnés à mort qu'il s'agit : l'amour de ceux qui n'ont que des miettes et se retrouvent dépourvus d'avenir avec, en guise de consolation, juste l'illusion d'un passé derrière. Et pourtant, il n'y a jamais de larmes dans leurs yeux.

C'est qu'il n'y a pas de place pour la mélancolie, en Amérique. On ne pleure pas sur le passé. Il n'y a pas de passé de toute façon, car ce dernier relève d'une réalité collective. Or, sur ce continent, on est seul. L'espoir réside dans ce désir, ce besoin absolu devenu « absurde » de cultiver quelque chose de collectif pour réunir les gens – à partir de sa propre famille ou de quelques amis. Tisser des liens. Fonder un foyer. Trouver un lieu. Et ainsi rayonner à travers l'espace et parmi les siècles. Mais pour ce faire, il faut toujours aller de l'avant. Plus vite, plus vite encore. Lancer le défi de courir sur la voie ferrée devant la locomotive qui fonce à travers le continent, tels ces fous du XIXe siècle qui espéraient ainsi renflouer leurs poches de l'argent dont ils avaient tant besoin pour devenir riches et connaître la réussite.

C'est exactement de cette façon-là que je suis parti, moi aussi, à ma propre découverte de l'Amérique. Et c'est ainsi que j'ai constamment tenté de composer avec un continent qui me rebutait tellement – en suivant les itinéraires des héros anonymes sur le chemin du rêve.

Tout a commencé au début des années soixante. Je débarque à Montréal. C'est la découverte de la ville, la ville aux plaies ouvertes, la ville démesurée où la parole est reine et l'espoir dans toutes les bouches. Leonard Cohen livre à l'humanité, du parvis de l'Université McGill, ses premiers textes. Ailleurs, dans une dizaine de chapelles enfumées, appelées boîtes à chanson, Claude Gauthier, Pauline Julien, Claude Léveillé, Gilles Vigneault se mettent à délimiter un territoire et un peuple afin que de tels rêves puissent foisonner. Et la salle les écoute religieusement.

Je murmure les mêmes mots en secret et je crache sur les hommes d'affaires du centre-ville et les émissaires du

Canada anglais qui affirment que les Québécois mènent une lutte du XIXe siècle en plein XXe et que la langue française n'est faite que pour l'amour.

Quelque chose, cependant, me travaille profondément dans toute cette euphorie nationaliste : cette incapacité presque maladive de laisser l'Europe derrière soi. Une « presque Amérique » ne me suffit pas. Je me dis qu'on ne peut pas vivre en Amérique sans être américain. C'est pourquoi, à l'affût d'autres repères, j'ai voulu spontanément franchir les murs de la forteresse assiégée, à la recherche de tous ces frères et sœurs francos du silence, issus des profondeurs du continent. Ces gens, comme tant d'autres personnes d'autres souches, parlant d'autres langues et venant d'autres patries, avaient choisi ou avaient été forcés une fois pour toutes de « sacrer leur camp ».

Je les ai rencontrés partout, ces confettis d'un grand rêve évanoui. À Pont-Breaux, à La Nouvelle-Orléans, à Mamou ou Cut-Off (Louisiane), à Bayou-La-Bâtre (Alabama), à Port-Arthur (Texas), Chéticamp, Pubnico-Ouest et Pointe-de-l'Église (Nouvelle-Écosse), à Orono (Maine), Manchester (New Hampshire) et Lowell (Massachusetts), à Red Lake Falls (Minnesota), Bourbonnais (Illinois), Montagne-à-la-Tortue et Pembina (Dakota du Nord), à la Grand'Terre et l'Anse-aux-Canards (Terre-Neuve), à Labrador City (Labrador), à Pénétanguishene, Windsor et Sudbury (Ontario), à La Vieille-Mine (Missouri), à Saint-Léon et Saint-Boniface (Manitoba), à Maillardville, Vancouver et Kelowna (Colombie-Britannique), au Lac-au-Canard et à l'Isle-à-la-Crosse (Saskatchewan).

Une vaste symphonie écrite sur une carte obscure de l'Amérique continentale :

> isle-à-la-crosse isle-à-la-crosse
> où est isle-à-la-crosse
> quelque part
> entre machu picchu et fond-du-lac
> portage-la-prairie et l'île de marajo
> isle-à-la-crosse
> islè alla cross
> where is islè alla cross

quelque part
entre l'hiver et la nuit
juste au versant nord de l'oubli

Cachés derrière ce chapelet de noms, j'ai trouvé à la fois des amis, des individus, des familles et des poètes inconnus qui marquent, tous à leur façon, notre destin sur ce continent. On les appelle, banalement, « francophones de la diaspora », Franco-Canadiens, Franco-Américains ou, tout simplement, des Francos. Des gens qui n'ont pas le « privilège » de vivre accrochés aux rives du Saint-Laurent.

Ils sont presque tous passés par le Québec à un moment ou l'autre de leur vie, à la recherche de repères, d'un lieu sûr, peut-être même d'une patrie, dans l'espoir de donner un sens à leur vie sur ce continent. Kent Bone (Beaulne) de La Vieille-Mine (Missouri), Virgil Benoît de Red Lake Falls (Minnesota), David-Émile Marcantel de Jennings, Zachary Richard de Scott, Robert Desmarais Sullivan de La Nouvelle-Orléans (Louisiane), Daniel Marchildon de Pénétanguishene (Ontario) et combien d'autres encore. C'était, pour eux, un moment d'arrêt. Une pause inespérée où ils se sont sentis à l'aise pour une fois dans leur vie. Enfin, un lieu où ils n'avaient ni à s'expliquer ni à se défendre, mais d'où ils sont aussitôt repartis. Sachant que leur destin était ailleurs en Amérique, pleinement conscients du fait qu'ils ne pouvaient pas modifier les tragiques leçons de l'Histoire et de la Géographie, qu'ils devaient toujours regagner leur véritable milieu d'appartenance au-delà de la vallée du Saint-Laurent.

C'est en allant loin des métropoles vers ces gens enracinés dans le silence que j'ai trouvé de véritables témoins de l'aventure américaine. Et c'est parmi eux aussi que j'ai pris connaissance de l'ampleur du drame. Mon éveil à l'Amérique, mon voyage sans fin, est marqué à tout jamais par leur rencontre. Et je veux les saluer tous ici :

– Virgil, qui est retourné sur la terre de ses parents au Minnesota. Parler français jusqu'à la fin, faire pousser les racines, encore le temps d'une génération dans ce coin lointain, transmettre au moins le souvenir de quelque chose d'indéfinissable aux enfants à venir ;

– Kent, qui a repris le nom de ses ancêtres pour redeve-
nir « Beaulne » et qui a construit sa maison dans ce qui reste
de forêt au Missouri, en entreposant des sacs pleins de fèves
séchées dans sa cave : sa façon de mieux affronter l'avenir en
solitaire ;

– Robert, qui a réappris sa langue ancestrale, tient mor-
dicus à appeler sa rue « Champs Élysées » au lieu d'« Ely-
sian Fields » et s'est donné pour mission non seulement de
parler uniquement en français à sa fille, mais aussi de faire
revivre le français à la cathédrale de La Nouvelle-Orléans ;

– Zachary qui, après avoir fait vibrer le Québec avec sa
musique endiablée pendant presque une décennie en gueu-
lant contre l'envahisseur américain en Louisiane, s'est sou-
dainement tu. Il a choisi plutôt de planter des chênes : « Ils
seront là dans cent ans. C'est mon engagement dans une
continuité, ma foi en une terre meilleure », avoue-t-il. Mais
il reviendra sur scène, il reviendra avec beaucoup de succès.
On retourne toujours à ses amours premières.

Et qui encore ? Des écologistes inavoués ou des êtres
qui ont tout simplement décidé de rester sur place, tels
des animaux blessés, en espérant mourir en paix ? Je ne
sais pas. Je me rappelle cependant, comme si c'était hier,
cette petite famille installée sur la colline à l'extrémité de
Grand'Terre, « au bout du monde » et avec une vue
magnifique sur l'île Rouge – ce petit îlot en face du village
qui servait de base pour les pêcheurs saint-pierrais, à la fin
du XIXe siècle. Un couple vieillissant avec un enfant unique – une fille dans la trentaine, handicapée mentale –,
des descendants de pêcheurs français et acadiens, qui
nous recevaient pour le thé et répondaient à nos questions
avec dignité. Au moment de dire nos adieux, et juste avant
de traverser le seuil de la porte, le père nous a lancé un
seul vœu : « Quand vous retournerez à Montréal, dites
aux gens que vous avez rencontré les derniers Français de
Terre-Neuve. »

C'est ce sentiment de futilité et d'échec qui demeure le
plus fort des messages du Nouveau Monde, un échec qui
n'est pas toujours personnel ou physique, mais surtout
identitaire. Le constat qu'on se trouve soudain acculé à l'im-

possible. Comment s'inscrire dans la durée sur ce continent anthropophage qui a inventé l'ethnocide ?

Gabrielle Roy, elle-même francophone de la diaspora, petite fille de Saint-Boniface (Manitoba) sera confrontée sa vie durant à ce drame dont elle parle abondamment dans son autobiographie, intitulée justement *La Détresse et l'Enchantement* :

> J'aspirais à une patrie, et ne savais où elle était, et peut-être déjà au fond la souhaitais-je faite de tous les hommes et du monde entier. À un passé, et il se dérobait à moi. À un avenir, et je n'en percevais rien à l'horizon[6].

Jeune adulte, Gabrielle Roy disait être « rendue folle à lier par cette maladie de me sentir quelque part désirée, aimée, attendue, chez moi enfin ». Au Québec, mais aussi en Angleterre et en France, elle a cherché partout cet accueil ; mais elle n'a jamais trouvé ce qu'elle désirait avant toute chose, même dans la vallée du Saint-Laurent où, pourtant, ses deux parents avaient vu le jour et où elle passera les quarante dernières années de sa vie, dans ce qu'on pourrait appeler un exil ancestral.

Exil, errance, souffrance – ce sont des mots qui reviennent constamment dans le vocabulaire de Gabrielle Roy avec, en contrepartie, l'espoir d'une patrie : « Un regret infini pour la patrie tant de fois cherchée, tant de fois perdue. » Le désir profond chez elle de « rompre avec la chaîne » et de retourner « là où nous avons été heureux, serait-ce au prix des derniers battements de notre cœur ». C'est pourquoi une vision s'imposera, à la gare de Winnipeg, au moment de son départ définitif de l'Ouest canadien :

> Puis, au bout du quai, surgie cette fois du passé, une petite foule en noir me parut se dessiner. C'étaient les grands-parents Landry, les Roy aussi, les exilés au Connecticut, leurs ancêtres déportés d'Acadie, les rapatriés à Saint-Jacques-L'Achigan, les gens de Saint-Alphonse-de-Rodriguez, ceux de Beaumont et jusqu'au grand-père Savonarole que j'eus le temps de reconnaître, à côté de Marcelline, tel qu'en son portrait, avec ses yeux de braise sombre, le terrible exode dans lequel ma mère un jour m'avait fait entrer.

Est-ce que je n'ai pas lu alors dans mon cœur le désir que j'avais peut-être toujours eu de m'échapper, de rompre avec la chaîne, avec mon pauvre peuple dépossédé ?

Mais quand il y a « du sang d'errants dans les veines à force d'errer et quand il y a chimères, si douces à l'âme fatiguée », telle cette terre en Saskatchewan qui aura donné de l'espoir à ses parents leur vie durant, que faire sinon poursuivre le voyage vers le « bout du monde, pour y disparaître sans bruit et presque sans faire de trace » ?

Pour y disparaître sans bruit et presque sans faire de trace, Gabrielle Roy révèle pleinement la signification d'une telle destinée quand elle décrit sa visite au cimetière abandonné de la famille Landry, près du village de Somerset, dans la plaine manitobaine. Après avoir retrouvé les tombes de ses deux grands-parents, elle poursuit son chemin :

> Un peu loin s'élevaient deux lourds monuments funéraires, certainement récents, à la mode d'aujourd'hui, plus hauts, plus flamboyants aussi : sans doute ceux de Luzina et de mon oncle Exide. Je fis un pas encore, et, sous le choc que j'éprouvai, pensai que je devais être la proie d'une hallucination. Deux hautes pierres analogues me faisaient face, debout, l'une à côté de l'autre, portant en caractères qui me sautèrent aux yeux, l'une *Father,* l'autre *Mother.* J'essayai de retrouver au fond de mes souvenirs le doux visage anguleux de ma tant Luzina, déjà creusé par la maladie au temps de mon enfance, mais éclairé par une bonté que l'inexorable marche de la tuberculose n'avait jamais éteinte. Je revis mon oncle aux yeux roulant toujours quelque pensée, tantôt jovial, tantôt d'un regret inconsolable. Ainsi donc, eux qui n'avaient été *Father* et *Mother* pour personne au cours de leur vie, le seraient à jamais sous le ciel pur, dans ce petit cimetière du bout du monde. Ils m'étaient ravis aujourd'hui plus complètement qu'ils n'avaient été le jour de leur mort.
>
> Je sortis du cimetière. Haut dans les épinettes étrangères, le vent reprit. Son lent récitatif, murmuré à voix lointaine, poignait le cœur. On l'eût dit occupé à retracer la pauvre histoire tout embrouillée de vies humaines égarées dans l'histoire et dans l'espace.

Certains ne voudront voir là que les angoisses d'une femme hyper-fragile, grande écrivaine de son époque, sensible aux pleurs des enfants et au sort de ses ancêtres et à celui des immigrés européens projetés dans la plaine canadienne. Elle arrive pourtant à cerner mieux que quiconque le drame de tous les Francos « français » du continent, ces gens d'Amérique qui n'ont jamais accepté la défaite et ont toujours refusé d'admettre, par dignité et fidélité à leur mémoire, qu'il fallait peut-être, en fin de compte, négocier leur langue et une bonne part de leur culture contre le droit d'aller vivre au-delà de la vallée du Saint-Laurent !

Être des perdants, vivre en liberté provisoire, voilà cette implacable réalité donnant un même élément d'unité à tous les « frères francos d'Amérique ». C'est dans la musique traditionnelle que le cinéaste André Gladu aura trouvé une remarquable manifestation de ce drame collectif.

Pour un peuple sans État, la seule façon de conserver le souvenir du passé, d'enrichir la trame sociale et de garder le cap sur l'avenir, c'est de maintenir la tradition vivante. Les conquérants en savent quelque chose. Lors de la déportation des Acadiens, en 1755, les Anglais ont non seulement brûlé les maisons et séparé les familles avant d'éparpiller les gens aux quatre coins de l'océan Atlantique, ils ont également brisé leurs violons afin que les coutumes ne se retransmettent plus ! Les Acadiens, dépourvus de leurs instruments, ont inventé des *reels* à bouche – des turlutes – pour se souvenir de leur musique. C'était un ethnocide soigneusement planifié de la part de l'Angleterre, mais pas tout à fait réussi.

Au début des années soixante-dix, nous étions en plein essor nationaliste et le Québec entier était à la recherche de ses racines. Celles que Gladu a fait ressortir chevauchaient un continent et marquaient une aventure collective dont on ne connaît pas encore le dénouement.

Son premier film, *Le Reel du pendu*, réalisé en 1972, est construit autour d'une légende connue en Louisiane, en Acadie et au Québec : un homme qui doit être pendu se voit promettre la liberté s'il réussit à jouer un reel sur un violon brisé. Il relève le défi, joue le reel du pendu et peut reprendre sa liberté. Cette légende, dit Gladu, est révélatrice de l'attitude que les Francos ont dû cultiver pour survivre.

Car qu'est au fond la liberté qui est redonnée au personnage de la légende sinon une liberté provisoire, un sursis de mort ?

> Si les Cadiens avec leurs accordéons jouent leurs valses de manière si entraînante, s'ils lâchent des cris en jouant et s'ils chantent si bien le blues, c'est également dû au fait d'une culture qui se meurt. À quelqu'un qui lui faisait remarquer à quel point les paroles des chansons des Cadiens sont si belles parce qu'elles parlent d'amour, de boire, de départ, de désespoir, Paul Tate (de Mamou) répondit : « Oui, mais c'est tout ce qui nous reste. » Notre musique traditionnelle a toujours exprimé l'essentiel de ce que nous étions[7].

Exprimer l'essentiel de ce que nous étions ? Ou exprimer l'essentiel de ce que nous sommes et de ce que nous serons jusqu'à la nuit des temps en Amérique ?

Gladu n'est pas le seul à constater l'incroyable beauté qui marque l'effondrement des cultures en Amérique – cette tristesse nostalgique mélangée de joie paisible. Robert-Guy Scully, qui écrivit à la même époque et cherchait, tout comme le cinéaste, à démêler l'univers franco, en arrivera aux constatations suivantes :

> Je ne sais pas pourquoi : mais à date, les plus belles manifestations de la culture française en Amérique du Nord, les plus fécondes en mythes et les plus fortes sur le plan artistique, semblent s'être produites à l'extérieur du Québec, dans la Franco-Amérique des Canucks et des Cajuns ; là où cette culture rencontre l'américaine, s'oppose à elle dans un combat perdu d'avance, puis persiste dans le sommeil de ses enfants-créateurs, dans les odeurs familières de la cuisine tribale, avant de disparaître, en paix avec elle-même[8].

Scully plonge tête première dans cet univers musical, évoquant cette « décadence douloureuse qui a été si riche sur le plan artistique » :

> *Ma chère belle* est parmi les plus remarquables [des chefs-d'œuvre], une plainte monotone mais riche, ponctuée de longs cris purs, dans un joual inoubliable :

Qué de soirs j'ai pluré
Rapport à toa, j'mai soulé
Moa j'croyais, j'ava ton cur,
Ma'jourd'hui, t'après m'quitter.
Jusqu'à 'jourd'hui, j'ai pluré,
j'ai pluré, pou'ti t'en viennes,
Ti m'a dit, c'éta pas la payne.
Ti m'a dit, ti m'aima pas
quand même

Des gémissements langoureux sortent du violon [...]. La corde de l'instrument est comme râpée, et dans son quasi-grincement douloureux elle communique une grande peine. Une note d'harmonica, maintenue longtemps, perce avec précision, et raffine la plainte. Les paroles tristes culminent en un cri à la fois strident, à la fois modulé, un cri étiré – presque avec volupté – le cri de la douleur en liberté. Les *Hackberry Ramblers* sont les maîtres de ce cri cajun. Mais d'autres chanteurs laisseront sortir de leur gorge une sorte de sanglot qu'ils pourront soutenir pendant quelques secondes, en le « brisant » pour le rendre plus triste. D'autres encore éclateront en pleine chanson d'un rire doux ou moqueur, triomphant ou cynique. Je n'ai jamais entendu des musiciens nord-américains employer la voix avec une plus grande efficacité émotive[9].

Des plaintes magiques qui surgissent du fond du continent, cris d'un désespoir insondable traversant les grands espaces comme des flèches, accompagnés des violons en larmes pour mieux exprimer cette grande peine. Des gens qui dansent et qui jouissent en toute simplicité de cet héritage et de ce destin confondus, voilà le témoignage des Cajuns de la Louisiane :

Qu'ils le perdent [leur héritage franco] aujourd'hui – pendant que nous [les Québécois] projetons de le garder, par toutes sortes de moyens politiques compliqués et torturés – ne semble pas si tragique, dans la mesure où ils ont fait avec ce don le maximum qui pouvait être fait. Ils n'ont pas enterré leur unique talent, et ils l'ont développé sans agressivité envers autrui[10].

Scully constate ailleurs que les « Français d'Amérique » partagent leur drame et leur destin avec d'autres peuples du continent, notamment les Amérindiens et les

Noirs, auxquels s'ajoutent les Métis et les Chicanos. Tous ces peuples connaissent l'assimilation. Tous ont été aspirés par le courant anglo-saxon. Tous ont éclaté en même temps qu'ils donnaient naissance à des manifestations culturelles exceptionnelles pour attester de leur lucidité, pour assumer, sinon dépasser leur impuissance devant la mort certaine.

Je crois que nous sommes tous les derniers des Mohicans en Amérique du Nord. Nous sommes tous à la fois en extase dans l'azur, infiniment petits dans la plaine et terriblement seuls dans la foule, abandonnés par le passé et incapables d'entrevoir l'avenir. Tel est le drame ultime de ce continent.

Les seuls à garder le souvenir inébranlable du passé sont ceux qui habitent aux marges de l'Amérique envahissante. Ceux qui sont partis loin – trop loin, parfois – pour réaliser leur rêve, plonger des racines dans la terre et tenter de se construire une nouvelle patrie outre-Atlantique. Ceux qui, de ce fait, se retrouvent aujourd'hui dans les tranchées, c'est-à-dire en pleine possession de leurs traditions mais numériquement faibles et politiquement démunis. Totalement lucides devant l'effondrement de TOUT, ils n'arrivent en fin de compte qu'à « tirer de leur fatalité une beauté tragique[11] ».

Cette force occulte fait voler en éclats le groupe et déshabille l'individu de sorte qu'il ne lui reste, comme seul avenir, que l'obligation d'errer en fonction des forces économiques qui animent depuis toujours l'espace continental. Avec peut-être en perspective la possibilité de tirer de cette errance une jouissance éphémère et, somme toute, aussi évasive qu'illusoire.

Heureusement pour moi, j'ai trouvé l'outre-Amérique. La côte du Pacifique n'a pas barré ma route ni enlevé tous mes espoirs. Je n'ai pas été obligé de tourner, tourner dans la cage dorée, ni de répondre au cri de désespoir de Kérouac. L'État et le Capital ne peuvent pas me poursuivre à travers les vagues. Ils ne peuvent pas défricher l'océan, telle une forêt, ni dompter le vent, ni domestiquer l'ouragan. J'ai sauvé mon âme.

Mais je reviens toujours en Amérique. C'est ce continent qui m'a donné ma langue – celle que je parle aujourd'hui, avec ma famille, à mon université québécoise, dans ma tête et dans mon lit. Je lui ai déjà donné quatre enfants en retour.

Voilà pourquoi je me demande parfois où je vais me reposer, une fois ma vie achevée. Non, ce ne sera pas en Amérique ! Ce continent a déjà consommé assez d'hommes, non seulement dans le feu et la violence, mais aussi dans le silence de ses grands espaces. Je ne livrerai ni mon corps ni mon âme à des charcutiers professionnels à l'instar du personnage principal dans le film *Jésus de Montréal*.

Non ! Je donnerai plutôt mon corps à la mer : à la mer du Nord, celle de mon grand-père et celle que j'ai côtoyée dans mon enfance. Au fleuve Saint-Laurent, qui me fait rêver, non pas parce que cette voie majestueuse donne accès à l'Amérique, mais parce qu'elle nous permet d'en sortir ! Au Pacifique, ce grand océan, qui m'a permis de garder mes rêves d'enfance et de jeunesse après ma longue traversée du continent.

Peut-être y a-t-il une toute petite place dans toute l'Amérique où je pourrais rester en paix. Gabriel's Crossing – la Traverse-à-Gabriel – en Saskatchewan. Un minuscule coin perdu dans la Grande Prairie, un peu en deçà de l'horizon, à l'abri du vent. C'est là que Gabriel Dumont, le grand stratège du chef métis Louis Riel, tenait un traversier sur la rivière Saskatchewan. Le rêve de la nation métisse s'est écroulé tout près de là, à Batoche, il y a plus d'un siècle. Mais l'histoire pèse lourd dans ces endroits reculés, la mémoire est vive, et le drapeau flotte encore à côté de la maison de Maria Campbell – cette femme qui n'a pas de fusil, seulement une plume, et qui sait, comme tant d'autres sur ce continent, que « l'écriture est le seul moyen qui reste pour recomposer le puzzle des identités en éclats[12] ».

Que faire ? Retourner ? Retourner où ? Au lieu de sa naissance ? À l'endroit où l'on a grandi ? Au berceau de son peuple ? À l'endroit où, enfin, on sera aimé ? Faire demi-tour ? Traverser l'espace et remonter le temps ? Revenir sur les rives du Saint-Laurent, telle une Gabrielle Roy ? Réintégrer les lieux de son enfance, tel un Jack Kérouac ? Quitter les tranchées pour aller vivre dans la seule forteresse imprenable de l'Amérique, tel un Patrice Desbiens ? Ou traverser l'Atlantique pour repartir à zéro, tels ces « Micmacs » de Finlande[13] ?

Ou bien cesser de fouiller dans les entrailles du passé dans l'espoir de devenir ce qu'on rêvait ou croyait avoir déjà été dans un temps imaginaire. Dire carrément adieu à l'histoire et « crisser l'camp » afin de témoigner du monde qui nous entoure et qui nous emporte, tout comme un Herménégilde Chiasson ou un Gérald Leblanc – ces poètes de la Côte et de la Ville qui refusent le folklore, qui refusent la petitesse ? Ces poètes qui luttent pour ne pas être « emmurés vivants dans les Villages Acadiens de la planète » et qui assument leur errance, sachant trop bien qu'ils viennent « de nulle part » et qu'un seul destin leur est dévolu, celui d'interpeller l'univers tout entier :

> [...] tout commence à bouger autrement
> ce glissement dans l'appétit s'allume
> l'absence résonne sur tous les murs
> et l'errance ouvre la porte
> comme on ouvre les bras devant l'infini[14].

Mais, d'une certaine façon, Herménégilde Chiasson et Gérald Leblanc ne sont jamais partis de leur Acadie natale. La question du retour ne s'est jamais posée pour eux. Ce qui n'est pas mon cas ni celui de la plupart de ceux qui vivent en Amérique.

Alors ! Retourner où ?

Je suis un des plus purs produits de l'économie de marché et de l'appropriation du monde par le Vieux Continent. Mes ancêtres ont quitté leur Écosse natale au milieu du XIXe siècle, pour descendre progressivement vers le sud de l'Angleterre, l'Amérique, l'Australie, la Nouvelle-Zélande, l'Afrique du Sud. Je ne connais que des bribes de cet éclatement planétaire. J'ai vu des noms dans des testaments. J'ai croisé ici et là une grand-tante, un cousin lointain. On compte parmi ma famille étendue de grands explorateurs, de malheureux agents de l'empire colonial et de misérables commis voyageurs. J'ai été moi-même apprenti explorateur pendant un certain temps avant de subir les attraits du Nouveau Monde et d'être, par le fait même, éjecté définitivement du Vieux Continent, telle une marchandise soumise aux aléas de l'import-export.

Libre circulation des biens, des services et des gens. Errant en Amérique en quête d'une richesse qui dépasse de loin la fausse opulence des bibelots sans valeur et de mauvais goût avec lesquels on nous charge pour entreprendre le voyage. Poursuivant mon chemin jusqu'aux montagnes de la Nouvelle-Guinée, à la recherche de peuples qui venaient tout juste d'être happés par l'Occident. Mais pourquoi donc ? Quel pouvait bien être mon but ?

Si j'ai appris une chose en cette Mélanésie lointaine, où des centaines de milliers d'insulaires sont coincés entre la Tradition et la Modernité, c'est le drame de ce que certains ont appelé les « hommes flottants ». Dans l'esprit des gens de Tanna (Vanuatu), les hommes flottants sont des hommes qui n'ont pas plongé leurs racines dans la terre de leurs lieux propres et qui n'ont pas suivi les routes dictées par leur propre société. Devenus des « ombres », dépourvus d'identité, deux options se présentent à eux, à l'époque traditionnelle : « [...] reprendre la route par laquelle ils sont venus et rejoindre les lieux d'où ils sont partis. Si ce retour est impossible, les fugitifs sont tenus de demeurer dans une position sociale effacée et dans un statut politique modeste[15]. » Aujourd'hui, par contre, si l'homme flottant « habite une zone sans culture traditionnelle, qu'il s'agisse d'une plantation européenne, d'une ville ou d'un village recréé par une mission chrétienne, il suivra, pour le meilleur comme pour le pire, les normes nouvelles de ces mondes différents. Il deviendra un "moderne", c'est-à-dire un homme "sans coutume[16]" ».

À l'heure actuelle, nous sommes tous des « modernes » – des « cosmopolitains » – qui devons ou reprendre la route par laquelle nous sommes venus ou entrer de plain-pied dans le monde moderne afin de le faire nôtre.

Et c'est là que la révélation de l'écrivain américain d'origine québécoise Clark Blaise (Blais) rejoint celle des gens de Tanna :

Malgré le fait que jamais je n'ai été canadien-français, que jamais je n'ai parlé la langue quand j'étais enfant, que jamais je n'ai pris une rondelle de hockey sur la gueule au nom du Québec ancestral, que jamais je n'ai été catholique, que jamais je ne me suis empiffré au réveillon de Noël, le Québec demeure, dans un sens très profond, mon chez-moi. Dans le langage et la culture de ma femme, qui est originaire de Calcutta, le Québec est mon *desh*, le lieu de naissance de mon père et, donc, ma seule patrie. La grande douleur de ma vie, c'est que je suis un natif de nulle part. Je n'appartiens à aucun lieu, aucun peuple. Où se trouve Aucun-Lieu ? Ça doit être juste de l'autre côté de la frontière. La géographie est destin[17].

Que faire alors ? Se mettre à construire des clôtures ? Peut-être. Certes, à Québec au début de la semaine, j'ai voté « non » au référendum sur le remaniement de la Constitution canadienne proposée par l'accord de Charlottetown. Et pourtant, je sais bien qu'il y a tous ces gens qui jamais ne trouveront refuge derrière nos palissades de fortune.

Si l'on voulait tant des clôtures, on serait aujourd'hui sur la côte de l'Adriatique en train de construire une barbarie faite de petites cellules uniformes et faussement homogènes.

J'opterai donc pour ma grande bulle américaine, avec tous les risques qu'un tel choix implique.

É. W.
Suva (Fidji),
octobre 1992-mars 1993

Notes

1. *Vous*, Moncton, Éditions d'Acadie, 1988, p. 29.

2. « [...] *they can ram America up their ass and all rails and iron machines with it – I'm going back to Britanny and warn my fishermen : "Dont* [sic] *sail for the mouth of the St. Lawrence, that's where you get fooled before –* ils vous on [sic] joué un tour." » Jack Kérouac, *The Book of Dreams*, San Francisco, City Lights Books, 1961, p. 23 ; traduction libre.)

3. « *Slim, who was that man ? I asked him, and he said, "Shoo, that was some kinda of ghost of the river, he's been looking for Canady in Virginia, West Pennsylvania, North New York, New York City, East Arthuritis and South Pottzawattomy*

for the last eight years as far as I can figure, and on foot, too. He'll never find the Canady because he's goin the wrong way all the time". » (Jack Kérouac, *Pic,* Montréal, Québec Amérique, 1987, p. 136-137 ; traduction libre.)

4. Publié à Lausanne, chez Delpire, en 1958.

5. « [...] *he sucked a sad poem right out of America into film, taking rank among the tragic poets of the world. To Robert Frank, I now give this message, you got eyes. And I say : that little ole lonely elevator girl looking up sighing in an elevator full of blurred demons, what's her name and address ?* » (Jack Kérouac, « Preface », dans Robert Frank, *The Americans,* New York, Grove Press, 1959 ; traduction libre.)

6. Gabrielle Roy, *La Détresse et l'Enchantement,* Montréal, Boréal, 1984, p. 141. Les prochaines citations sont tirées de cet ouvrage.

7. André Gladu, « Le son des travaillants ou la musique traditionnelle des Français d'Amérique», *Culture vivante,* n° 25, 1972, p. 41-42.

8. Robert-Guy Scully, « Cajun Music : musique acadienne de Louisiane », *Le Devoir,* 9 mars 1974.

9. *Ibid.*

10. *Ibid.*

11. *Ibid.*

12. G. Anquetil, « L'utopie créole de Patrick Chamoiseau », *Le Nouvel Observateur,* 27 août-2 septembre 1992.

13. C. Honoré, « The Micmacs... of Finland », *The Globe and Mail,* 18 avril 1992.

14. Gérald Leblanc, *L'Extrême Frontière. Poèmes 1972-1988,* Moncton, Éditions d'Acadie, 1988, p. 144.

15. Joël Bonnemaison, *La Dernière Île,* Paris, Arléa/Orstom, 1986, p. 385.

16. Joël Bonnemaison, « Le territoire enchanté : croyances et territorialité en Mélanésie », *Géographie et cultures,* n° 3, 1992, p. 75.

17. « *Despite the fact that I was never a French Canadien, never spoke the language as a child, never took a puck in the face for old Québec, was never a Catholic, never munched my way through a* réveillon, *Québec is, in a proufound sense, my home. In the language and culture of my wife, who comes from Calcutta, it is my* desh, *the father's birthplace, hence my only home. The sadness in my life is that I'm a native of nowhere, I come from no place, no people. Where is Noplace ? It must be just over the border. Geography is fate.* » (Clark Blaise, « Latin Americans of the North », dans Dean Louder [dir.], *Le Québec et les francophones de la Nouvelle-Angleterre,* Québec, Presses de l'Université Laval, 1991, p. 228 ; traduction libre.)

L'incarnation de l'Amérique*

Pour Eugênia

La découverte des Indes est la plus grande chose depuis la création du monde, excepté l'Incarnation de Celui qui le créa.

GÓMORA,
Historia de las Indias (1522[1])

Si Dieu créa le monde afin de pouvoir s'y incarner un jour et y contempler sa munificence à travers sa propre création, pourquoi donc l'Europe allait-elle créer l'Amérique si ce n'est pour s'y incarner à son tour ?

L'Europe apprendrait, cependant, assez rapidement qu'il existe différentes méthodes d'incarnation et que le rituel qu'elle désignera, avec horreur et stupéfaction, sous les noms d'anthropophagie et de cannibalisme ne constitue peut-être qu'une forme plus directe et plus tangible de dévotion eucharistique. D'ailleurs, le huguenot Jean de Léry ne s'en formalisera pas outre mesure et avouera bien sincèrement dans son *Voyage Faict en Terre de Brésil* (1578) : « Je pense qu'il y a plus de barbarie à manger un homme vivant qu'à le manger mort. Si on considère à bon escient ce que font nos usuriers, on dira qu'ils sont encore plus cruels que nos Sauvages. »

Évidemment, le « festin des Tupinambas » dans la baie de Gouanabara (Rio) ne suscitera pas toujours les mêmes réactions chez tous les « pèlerins du Monde-Nouveau ». Et

* Ce texte a initialement paru dans *Vice Versa*, n° 21, octobre-novembre 1987, p. 12-13.

plusieurs s'indigneront du fait que certains « Sauvages barbares » n'attendent pas l'expiration de leurs victimes propi-
tiatoires pour se livrer religieusement au banquet de la
transsubstantiation. Fétichistes dont on doutera de l'humanité durant plusieurs décennies encore, il semble qu'ils
avaient poussé la prescription chrétienne – « Mangez mon
corps et buvez mon sang, et faites ceci en mémoire de moi »
– au-delà de son sens symbolique le plus profond.

« Ce sont gens farouches et sauvages, esloignez de toute
courtoisie et humanité », dira par ailleurs Villegagnon
devant ces admirables spécimens d'une espèce incertaine
revêtue de l'unique attirail de sa peau.

Les Europes

Le choc de la découverte des Indes chez les Européens
– plus encore peut-être que le choc chez les Indiens de la
découverte des « Europes », c'est-à-dire de ces animaux
anthropoïdes (de la Renaissance) qui leur ressemblaient
étrangement, sans doute, mais étaient couverts de métal, de
chausses, de transpiration et d'une fourrure chevelue leur
parcourant tout le visage et qu'ils appelaient barbe –, le
choc de l'Amérique allait être brutal et total. Beaucoup plus
absolu, dira-t-on, que si la Renaissance avait découvert d'un
seul coup ce que dissimulait la face cachée de la Lune et le
message muet de la Voie lactée.

C'est qu'à la différence de Dieu qui attendit jusqu'au
dernier jour pour créer l'homme, s'évitant ainsi toute com-
pétition indue et s'assurant du même coup que sa créature
ne s'immiscerait jamais dans son plan d'opération et de production de l'univers, l'Europe allait découvrir une Amérique
déjà habitée et donc déjà créée. Ainsi se verrait-elle devant
l'impossible tâche d'avoir à inventer un monde nouveau qui
existait déjà. Un tel malentendu allait perdurer jusqu'à nos
jours.

Dans le processus de création du Nouveau Monde,
l'homme américain, peu importe qu'on le conçoive comme
une beste à figure humaine ou comme un humain à figure

de beste, apparaîtra en effet bien avant l'arrivée de l'Amérique. L'écrivain Jacques Ferron écrit qu'à son premier voyage Cartier découvrit les Canadiens, et que c'est seulement à son deuxième voyage qu'il découvrit le Canada. Évidemment, la même remarque s'applique à l'ensemble de ce continent. Les Français et les Portugais qui hantaient ces côtes imprécises découvrirent les Brésiliens bien avant le pays de Brésil.

Terræ incognitæ

De fait, il ne peut évidemment y avoir de Nouveau Monde qu'aux yeux d'un monde ancien et l'idée même d'Amérique est aussi étrangère *a priori* aux peuples de ce continent que l'idée d'une Europe hercynienne recouvrant le Moyen-Orient. Mais voilà, cette terre peuplée d'innombrables « nations nues, errantes et vagabondes », cette terre abritant des empires où l'on se baignait dans l'or liquide sous des voûtes d'émeraudes, cette terre recelant amazones, ouendigos et cibolas sera désignée globalement du nom d'un Italien – Amerigo Vespucci – avant même qu'on sache s'il s'agissait d'un territoire circumnavigable, d'un archipel ou d'un passage vers l'ailleurs. Ainsi les Aztèques, les Esquimaux, les Incas, les Caraïbes, les Mayas, les Toupinambas et les Canadiens étaient-ils tous décrétés d'office « américains » sans qu'on connaisse pour autant les limites géographiques de ces *terræ incognitæ*. Et surtout avant que ses habitants d'origine se voient révéler qu'ils habitaient précisément ce lieu mythique que l'Europe avait baptisé Amérique. Le malentendu allait donc s'approfondir de plus en plus pour devenir un jour la seule réalité plausible et recevable.

Il y avait bel et bien un Nouveau Monde situé quelque part entre l'El (*hombre*) Dorado – l'homme doré – et la tribu perdue d'Israël à laquelle on voudra sans cesse abouter quelque peuplade autochtone. Et c'est ce monde nouveau, habité de peuples nouveaux qui y circulaient depuis des millénaires, qui allait en fait empêcher les Européens de se prévaloir d'une mythique fondatrice s'appuyant sur les seules vérités évangéliques.

« Cartier s'émerveille de la fertilité de la région qu'il vient de découvrir, relate Marianne Mahn-Lot, région "pleine de beaux arbres et *sorte de France*". Il reçoit bon accueil du seigneur du lieu, le Huron Donnacona […]. Au milieu des Sauvages émerveillés, il fait sonner les trompettes, *leur lit le prologue de l'Évangile de Saint-Jean* [sic], fait le signe de la croix sur les malades[2]. »

« Les religieux accompagnant Colomb, relate pour sa part Tzvetan Todorov, commencent à convertir les Indiens ; mais il s'en faut de beaucoup que tous s'y plient et se mettent à vénérer les sainte images. "Après avoir quitté la chapelle, ces hommes jetèrent les images sur le sol, les couvrirent d'un tas de terre et pissèrent dessus" ; ce que voyant Bartholomé, le frère de Colomb, décide de les punir de façon bien chrétienne, "il amena ces vilains hommes en justice, et, leur crime ayant été établi, il les fit brûler vif en public[3]". »

Les Sauvages sans cesse émerveillés des premières chroniques ou des premiers débarcadères finissent toujours par souiller de leur impureté ontologique la main qui s'apprêtait à les bénir et à les baptiser pour les convertir au royaume du conquérant. Pis encore, ils opposeront au baptême par l'eau, le sel et les onctions des premiers missionnaires une espèce de cérémonial *sui generis* sanctifié par le feu, les caresses bien aiguisées, les tisons ardents et d'autres expédients, comme en témoigneront abondamment, par exemple, les Martyrs canadiens. Jamais les missionnaires européens ne comprendront-ils que la célébration qu'ils qualifieront de « martyre » n'est en fait qu'un baptême par la flamme, à la mode du pays. Un baptême les conduisant tout droit à cette vie éternelle qu'ils avaient, par ailleurs, si généreusement offerte aux Peaux-Rouges qui accepteraient de devenir Peaux-Blanches pour la gloire du Seigneur-Dieu.

« Souffres-tu suffisamment pour te mériter le Paradis promis par ton Manitou ? » s'enquéraient les Sauvagesses et Sauvages officiants en arrachant délicatement un autre ongle, un autre prépuce, ou en prélevant avec minutie une lanière supplémentaire à même le corps de l'Europe chrétienne qui se voyait exécuter à petit feu, presque amoureusement. Dans son film intitulé *Como era gostoso o meu Francês* («Oh ! comme il était savoureux mon petit Français »), le cinéaste Nelson Pereira dos Santos a montré tout le côté érotique des rites anthropophagiques célébrant le joyeux contact entre la vieille Europe et les terres paradisiaques du Monde Nouveau.

En fait, dès le moment où le premier Sauvage eut goûté à son premier missionnaire ou embroché son premier navigateur, l'Amérique était née. Ainsi le nouveau continent allait-il digérer d'abord, dans une grande fête incantatoire, celui qui finira rapidement par le conquérir. L'Europe aura eu tellement peur de se fonder et de se réincarner dans l'Indien qu'elle fera de l'élimination progressive de cet être le principe même de sa réussite en terre d'Amérique ! Non sans que nous, Métis maganés conçus entre le chaudron et le hamac, soyons nés entre-temps presque à l'insu de l'Amérique, et comme projetés par-dessus bord du grand génocide fondateur.

Incidemment, dès le moment, tout autant, où le délicieux *petit Français* réussira à s'enfuir du chaudron initiatique, pour échapper ainsi aux célébrations nuptiales de la laize côtière et se réfugier au fond de la forêt, de la *mata* ou d'une isle perdue, l'Amérique était consommée. Derrière l'administrateur, le conquérant ou le mercenaire officiel, il y aura toujours en effet un échappé prêt à disparaître à jamais des filets concentriques de la chrétienté pour se transformer en boucanier, en *bandeirante,* en flibustier ou en coureur de bois. Un coureur de bois qui ira spontanément chercher refuge auprès d'une squaw devenue rapidement et simultanément son amante et la mère de ses enfants. Et partant la seule mère putative du Nouveau Monde.

Alors, qui sommes-nous au juste, nous, les héritiers impavides de cette grande rencontre fortuite ? Qu'avons-nous à dire sur cette terre d'Amérique qui nous a enfantés et dont nous n'avons choisi ni le nom ni l'inscription ?

Nous qui sommes les fils et les filles de Cortés, de la Malinché, de Sacajawéa et de Riel, d'Iracéma et de Tiradentes, qu'avons-nous à dire sur cette terre dont nous avons toujours été l'incarnation imprévue ?

Sauvages et Indiens par nos mères, corsaires et conquistadores par nos pères, à la fois vainqueurs et vaincus, objets du génocide et responsables du génocide, qu'avons-nous vraiment à dire sur cette aventure qui se continue et dont nous constituons l'inévitable contradiction et la constante dualité ?

« En tant que Brésilien, confiera Affonso Romano de Sant'Anna, je me sens constamment [...] pris dans une parole double, dans une parole qui parle de deux choses à la fois. Et il me paraît que c'est le propre de la nature brésilienne d'être ainsi double : à la fois "indien" et "européen" ; à la fois civilisé et barbare, de telle manière que tout écrivain brésilien est condamné à vivre en même temps au fond d'une forêt vierge et en plein milieu des villes modernes[4] ! »

La même constatation s'applique en ce qui concerne le Péruvien, l'Antillais, le Mexicain ou le Canadien et tous les autres. Le Canadien qui a tellement peur de n'être pas sorti du bois, même s'il est né en plein centre-ville métropolitain au coin de rues aux noms aussi hagiographiques et migrants que Sainte-Catherine, Saint-Hubert ou Saint-Denis. Mais qui sont ces saintes et ces saints qu'on a placardés sur l'Amérique et qui vivent en symbiose intime et pratiquement inconsciente avec la rue Hochelaga, l'isthme de Tehuantepec, le *by-pass* de Pontiac ou l'avenue Toupac Amarou ?

Il existe un lieu près de Montréal, ou Ville-Marie–Hochelaga[5] pour reprendre son nom d'origine, qui s'appelle « Lachine » et qui hantera toujours notre mémoire. L'Europe a cru débusquer ici un passage vers l'Asie et s'est retrouvée avec l'Amérique. Au lieu de chercher une terre d'accueil pétrie pour un peuple tellurique dans l'au-delà même de la mer, on poursuivra sans cesse le rêve d'une nouvelle mer ou d'un nouveau passage à travers les terres – la mer de l'Ouest, le passage de l'Orénoque, la route de Cibola – pour atteindre un royaume – la Guyane, le Haut-Pérou ou le Saguenay – qui n'existera que dans l'avers même du désir géographique. Tout cela pendant que le véritable Machu Picchu, le Nitché-Qonne ou l'Ultima Thulé échapperont durant des siècles à l'astrolabe judéo-chrétien.

Il existe un lieu aux confins de l'Amazonie brésiliano-péruvienne qui se nomme Benjamin Constant et qui interroge sans détour moins la toponymie que la morphologie américaine. Car, une fois épuisé le rêve asiatique, en amont du dernier igarapé ou en aval du dernier bayou, l'Europe n'aura-t-elle enfin achevé la traversée de l'Amérique que pour mieux se nommer elle-même et ne rien découvrir d'autre que la remontée de son propre cours ? Elle avait pourtant fondé dès le départ, quelque part dans le Brésil Mineiro, un établissement nommé Três-Coraçoẽs (Trois-Cœurs) pour mieux y abriter ses multiples rêves amoureux et ses dépassements métaphysiques, faut-il présumer !

Il existe encore sur ce continent un lieu, deux lieux, trois lieux et mille lieux aux noms aussi révélateurs que La Désirade, Marie-Galante, les Grenadines ou Sainte-Poutine qui nous invitent à lancer un hamac entre les Amériques le long de cet arc-en-ciel volcanique où l'Afrique a rencontré l'Europe sur une mer autochtone nommée Caraïbe.

Tout ce métissage transgéographique se balançant comme un alizé indécis entre la Croix du Sud et le pôle Nord magnétique ! Qui sommes-nous maintenant ? En cet instant précis ? Que sommes-nous ici même ? Où sommes-nous et quel est le lieu qui s'exprime à travers notre peau géographique incertaine, si nous avons oublié ou, plutôt, si nous n'avons jamais su très bien où nous allions, à défaut de savoir d'où nous venions lorsque nous sommes arrivés dans un lieu dont nous n'avons jamais connu les coordonnées, de toute façon ?

« Indiens perdus dans la Cathédrale et luttant contre toute forme d'évangélisation », pour évoquer de nouveau la suggestion d'Affonso Romano de Sant'Anna, nous sommes des autochtones étrangers, nés ici même en là-bas et ayant sans cesse tenté d'échapper à l'incarnation cartésienne en terre américaine et au massacre chrétien l'ayant précédé, pour continuer le festin initial. Mais nous ne sommes pas tout à fait sûrs pour autant de la beauté et de la transcendance du résultat. C'est-à-dire de nous-mêmes, depuis la

Patagonie jusqu'au Labrador ! Et c'est pourquoi nous avons si souvent préféré nous taire, prétendant habiter depuis toujours le continent de l'avenir en conjuguant notre présent au futur antérieur, de crainte de ne pas aimer l'anthropologie joyeusement maganée et le joual-chiaque-créole jazz-bossa-nova qui constitue l'essence même de toutes les Amériques, partout.

Voyageurs impénitents portant des carquois invisibles aux omoplates et des attachés-cases bien chromés au cortex, nous sommes toujours en quête de cette identité errante et fugitive qui est sans nul doute notre seule carte de crédit véritable. Portageant de rivière en rivière et d'isle en isle ce *métier à métisser* (René Depestre) nommé *America*, nous formons une longue courtepointe à la trame trouée, à la sociologie écorchée et à la géographie infinie suspendue entre les chaînes andine, antillaise et inuitienne, débordant de ressources toujours inconnues à l'esthétique chabinée dont nous sommes les seuls à ignorer la richesse et l'éclat.

Naviguant incognito sous les flots de cette Amérique onirique construite par l'Europe pour son renouvellement religieux et géo-sexo, nous sommes devenus la bouche qui avala un jour sa propre chair. Cet ailleurs enfin incarné dans un ici confondu à sa propre altérité.

Cafusos indélébiles, *mamelucos* inextinguibles ou Canadiens français québécois à triple battant, nous sommes tous devenus des Métis à deux ou trois étages, à deux ou trois personnalités. Souriants en deux ou trois langues, chantant en deux ou trois couleurs, sous le couvert de cette explosion anthropologique appelée Amérique !

J. M.
Belo et Cabo Frio (Brésil), 1987

Notes

1. Rapporté par Marianne Mahn-Lot dans *La Découverte de l'Amérique,* Paris, Plon/Flammarion, 1970, p. 85.

2. Marianne Mahn-Lot, ouvr. cité, p. 78 ; c'est moi qui souligne.

3. Tzvetan Todorov, *La Conquête de l'Amérique. La question de l'autre*, Paris, Seuil, 1982, p. 49.

4. Propos rapportés dans une entrevue de Serge Bourjea parue dans *La Quinzaine littéraire,* Paris, avril 1987.

5. J'imagine, pour ma part, qu'il y a eu une grande histoire d'amour, d'érotique géographique et de lit conjugal entre Ville-Marie et Hochelaga, histoire dont on ne nous a pas transmis tous les détails. Il faudra consulter, à ce sujet, les manuels scolaires adaptés aux normes révisées des ministères responsables.

L'appel géographique et la parenthèse
du Canadien gris-et-sauvage*

Un long séjour en Amérique a fait perdre au créole canadien les vives couleurs de sa carnation. Son teint a pris
une nuance d'un gris foncé ; ses cheveux noirs tombent
à plat sur ses tempes comme ceux de l'Indien. Nous ne
reconnaissons plus en lui le type européen, encore
moins la race gauloise.

Témoignage d'un Français (1873[1])

Lorsqu'on nous présente les écrits des premiers chroniqueurs de la Nouvelle-France ou du Canada, jésuites, récol-
lets, gouverneurs, intendants et autres, il appert qu'ils ne
sont pas du tout néo-français, et encore moins canadiens.
Au cours de ce colloque, nous avons navigué et portagé
avec Lescarbot, Lafitau, Sagard, Lahontan, Cartier, Champlain, Le Jeune, Marie de l'Incarnation et un certain nombre
d'autres figures et de personnages, tous nés invariablement
en France et qu'on nationalise « canadiens » des décennies,
sinon des siècles, plus tard. Il est vrai qu'ils sont venus recevoir en Nouvelle-France un baptême d'Amérique dont
beaucoup ne se remettront jamais – Jogues et Lalemant, par
exemple. S'ils sont morts sur ce continent, et, qui plus est,
« martyrs » sous la caresse des Peaux-Rouges, cela légitime
a posteriori, peut-on croire, leur appartenance à ce continent, mais leur parole n'est certes pas d'Amérique.

---

* Ce texte a été présenté au Ier Colloque international sur l'Indien imaginaire,
tenu à l'Université du Québec à Montréal, en octobre 1985, et a paru dans
le collectif qui en a été tiré, sous la direction de Gilles Thérien, « Les figures
de l'Indien », *Cahiers du département d'études littéraires*, n° 9, 1988, p. 345-
352.

J'imagine, cependant, que ces religieux, capitaines et aventuriers, réussis ou manqués, font partie des soubassements de notre préhistoire. J'imagine, mais il faut que j'imagine bien fort. Les héros réels ou fictifs, l'Indien imaginaire dont il est question, et dont l'enfance scolaire des Canadiens de ma génération a été pourtant nourrie, ne semblent pas faire spontanément partie de notre imaginaire. Bien au contraire. Si je m'inspire de ce colloque, il semble non seulement que la plupart de ces personnages ont été créés outre-Atlantique, mais qu'ils appartiennent massivement à l'Europe, une Europe continuant jusqu'à aujourd'hui à venir en Amérique se parler de l'Amérique, près de cinq siècles ou presque après avoir réalisé « sa » découverte de l'Amérique.

C'est comme si le choc de la découverte – que les derniers descendants des Sauvages achèvent de cuver dans les réserves *ad hoc* de ce continent, entre un officier de la « police montée », un *Indian Agent*, un avocat, un anthropologue ou un géographe –, c'est comme si ce choc renaissait sans cesse, lui-même, dans les réserves intellectuelles d'une Europe se demandant toujours si elle a bien écrit tout ce qu'elle a écrit, si elle a bien réussi à exprimer la totalité de son non-dit ou si elle n'a pas oublié, derrière, quelques-uns des plus beaux spécimens de la pensée sauvage. Spécimens sauvages d'une pensée demeurée, en effet, trop sauvage pour faire entendre ses silences consumés jusqu'à la cendre dans les bivouacs d'une impossible altérité.

Et alors que l'Europe revient régulièrement dans les Amériques redécouvrir cette découverte dont nous sommes les sous-produits métissés biculturels, bilingues, biphones, c'est-à-dire pris entre deux ou trois mondes et deux ou trois langues, nous qui ne sommes ni sauvages à part entière ni européens à plein temps, malgré l'espoir fantasmé de certains d'entre nous ! Pendant, donc, que l'Europe revient nous parler d'elle et de nous, nous l'écoutons *amused and besumed*, sans trop savoir, au fond, de quoi il s'agit et de quoi il ne s'agit pas. Cette histoire dont elle nous entretient, ce n'est pas vraiment notre histoire, mais bien son histoire à elle qui se prolonge dans la nôtre. L'Europe a ses textes qu'elle nous invite volontiers à lire ; nous avons nos textes, analphabètes et fugitifs, consignés dans la tradition orale et conservés par l'académie des outardes et les archives du vent, que nous n'arrivons même plus à déchiffrer nous-mêmes, tant on a travaillé avec acharnement à nous déculturer, à nous assimiler et à nous vider de notre mémoire. C'est là le rôle des universités, en général, et nous y échappons d'autant moins, ici en Canada, que nous avons souvent changé de nom pour mieux cultiver l'amnésie patriotique.

C'est pourquoi il y a quelque chose d'essentiel qui sans cesse nous échappe et pourquoi, également, nous ne parvenons pas à savoir de quoi tout cela retourne. Mais nous nous méfions. Nous avons été élevés et éduqués dans le mensonge anthropologique et nous le savons tous, surtout ceux qui se taisent.

Canadiens de la première heure, Québécois de la dernière heure et Américains d'entre deux heures, nous ne cessons cependant d'écouter l'Europe. Il y a trois, quatre ou cinq siècles que nous l'écoutons ; dans la propre langue des Européens et dans la nôtre en parallèle, née des battures et de la grande lumière du printemps, mais aussi du grand nordet noir de l'automne. Mais nous écoutons. Avec intérêt et sympathie, avec irritation et distraction, avec perplexité et révolte, tour à tour. Car nous savons d'instinct qu'il y a, dans le décor, derrière la version écrite de l'histoire qu'on voudrait bien nous imposer, cette « autre chose » dont on n'a jamais parlé, mais qui n'est pas tout à fait autre pour nous, mais que nous n'arrivons tout de même pas à faire nôtre pour de bon. Il s'étend une zone grise, sans incarnat, de l'autre côté de la réalité de la découverte, que jamais nous n'avons réellement abordée[2].

En fait, nous percevons que le discours sur la découverte se recouvre d'un masque savamment modelé, offert à la vision de tous les Sauvages morts pour mieux dissimuler tous les Sauvages vivants. Dans un mois sera célébré le centenaire de l'exécution, pour ne pas dire de l'assassinat politique, de Louis Riel[3]. Il n'en est presque pas question, parce que nous avons voulu devenir, et avec quelle ardeur, au regard des Sauvages que nous fûmes, ces chrétiens sortis-du-bois que nous avons échoué à devenir réellement. Pourtant, ce ne seront pas les efforts et les tentatives qui auront manqué.

Il n'y a qu'à aller voir dans les arrière-cours de notre histoire. En 1823, monseigneur Provencher adressait, de la Rivière Rouge, la lettre que voici à monseigneur Lartigue, évêque de Montréal :

> J'ai deux écoliers qui vont commencer à voir leur grammaire latine, et ils ne sont pas sans talents. L'un des deux est métis, son père est un nommé Chénier, de Lachine ; l'autre est un Canadien du nom de Sénécal. Dieu veuille qu'ils fassent quelque chose de bon. Je vous adresse une liste de livres à demander pour moi en Angleterre. Il me faut des livres pour le latin ; j'ai besoin d'une traduction d'Horace. Je prie Votre Grandeur de m'envoyer des discours de Cicéron, des ouvrages de Salluste et de Quinte Curce. J'ai demandé sur mon mémoire, adressé à Sir George Simpson, quatre dictionnaires latin-français et quatre français-latin. Envoyez-moi des livres élémentaires et tous les objets pour les écoles[4].

Mais on sait que tous ces efforts afin de latiniser, dans la prairie, les Sauvages indiens et les Sauvages canadiens échouèrent lamentablement : ces jeunes écoliers qui n'étaient pas « sans talents » abandonnèrent trop rapidement Cicéron pour courir de préférence à la chasse au bison. Ce qui n'empêcha pas, pour autant, l'effort de christianisation de poursuivre sa marche triomphante.

Écoutons encore ce compte rendu du père de Smet, le jésuite des Rocheuses et de l'Orégon, qui écrivait, au cours de sa mission de 1845 :

> Après une marche d'un mois, j'arrivai aux sources de la Colombie. Je ne croyais guère y rencontrer de quoi exercer le saint ministère. Mais en quel endroit du désert les Canadiens n'ont-ils pas pénétré ? Le roi qui trône dans ce pays solitaire est un brave habitant appelé Morigeon de Saint-Martin (Canada), qui depuis vingt-six années a quitté sa patrie. Son palais est construit de treize peaux d'orignal, et, pour me servir de ses propres expressions, il possède assez de chambres pour y loger son petit train, c'est-à-dire sa femme et ses sept enfants avec tout son modeste avoir ; libre à lui de tenir sa cour (de dresser sa

loge) partout où il veut, sans que personne vienne lui en disputer le droit. Son sceptre, c'est un piège à castor ; sa loi, c'est sa carabine ; l'un sur le bras, l'autre sur le dos, il visite tour à tour ses nombreux sujets, le castor, la loutre, le rat musqué, la martre, l'ours, le caribou, l'orignal, le mouton, la chèvre des montagnes, le chevreuil à queue noire, aussi bien que son parent à queue rouge : tous, si la loi les atteint, lui paient tribut en viande et en peaux. Entouré de tant de grandeurs terrestres, paisible possesseur de tous les châteaux de granit dont la nature a embelli les alentours, seigneur solitaire de ces majestueuses montagnes qui élèvent jusqu'aux nues leurs cimes glacées, Morigeon n'oublie pas son devoir de chrétien. Tous les jours, soir et matin, on le voit au milieu de sa petite famille à genoux, réciter pieusement ses prières. Depuis plusieurs années, il désirait ardemment rencontrer un prêtre ; dès qu'il sut mon arrivée il accourut en toute hâte, pour procurer à sa femme et à ses enfants l'insigne bonheur du baptême.

Cette faveur leur fut accordée le jour de la Nativité de la Très-Sainte Vierge, ainsi qu'aux enfants des trois familles indiennes, qui le suivent dans ses différentes migrations. Ici encore, le saint sacrifice de la messe fut offert pour la première fois. Morigeon s'approcha de la sainte table. En mémoire de tant de bienfaits, une grande croix fut plantée dans une prairie, que nous appelâmes la plaine de la Nativité.

Je ne puis quitter mon brave Canadien sans faire mention honorable de sa cuisine. Le premier plat qu'il m'offrit fut un ragoût composé de deux pattes d'ours ; un porc-épic entier mis à la broche fit ensuite son apparition ; puis, une grande chaudière fut placée au milieu des convives ; chacun en tira le morceau qui lui convint ; et certes il y avait de quoi choisir : dépouille de buffalo, chair d'orignal, queues de castor, perdrix, tourterelles, lièvres y figuraient à l'envi et donnaient satisfaction à tous les goûts[5].

Je crois qu'on pourrait multiplier les exemples.

Je signalerai cependant le cas du Vieux Roi Beaulieu (Old King Boliou), chef analphabète habitant avec ses sept femmes, ses sept familles, et ses sept ruisseaux, peut-on présumer, sur les berges de la rivière du Couteau jaune, du côté du Grand lac des Mamelles[6], et dont la seule lignée composait une tribu entière. Tout ce monde tombe aussitôt à genoux, à l'apparition du premier missionnaire, et le Canadien sauvagisé redevient automatiquement un catholique parfaitement apprivoisé. Je me demande quelquefois si le castor, le rat musqué et l'ours n'étaient pas baptisés, eux aussi, à l'occasion de la même cérémonie.

C'est également ce type d'individu qui provoquera l'émerveillement d'un Francis Parkman. En effet, l'auteur de *La Piste de l'Orégon* ne tarit pas d'éloge à propos de la versatilité d'Henri Chatillon. Après une intensive traversée de la « sauvagerie » durant cinq à six mois, ce dernier redevient, en cinq ou six minutes, cet individu à la parfaite « urbanité », qui servira de modèle à la littérature naissante des États-Unis de James Fenimore Cooper, ainsi qu'à celle du bicentenaire, notamment avec James Albert Michener et sa *Colorado Saga*[7].

Il semble toutefois que certains observateurs aient vu d'un tout autre œil cette créature des bois aux bottes plantigrades lacées de cuir, issue d'une sous-espèce zoomorphe et nommée Canadien. Et c'est, entre autres, Carl Jung, le psychologue, qui, dans ses tiraillements dialectiques et métaphysiques entre l'*anima* et l'*animus*, aura à dire ce qui suit sur notre aïeul émérite :

> Il existe aussi des êtres qui ne possèdent qu'une persona sous-développée ou même, pour ainsi dire, pas de persona du tout – « des Canadiens qui ignorent la politesse trop raffinée des Européens » ; ils sont comme des ours mal léchés qui d'une gaffe passent à la balourdise, totalement innocents de l'une comme de l'autre (sinon inoffensifs) ; ce sont des gaffeurs impénitents, tellement pleins de trémolos sentimentaux qu'on n'arrive pas à leur en vouloir ; ils sont comme des enfants touchants. De tels êtres ne pourront éviter les déceptions et les souffrances de toutes sortes, les scènes et les brutalités dont ils risquent d'être victimes, qu'en apprenant à s'adapter au monde et comment il y a lieu de se comporter dans le monde. Ils doivent apprendre à comprendre ce que la société attend d'eux. Ils doivent comprendre qu'il y a dans le monde des facteurs et des personnes qui les dominent de très loin[8].

C'est sans doute ce qu'aurait dû comprendre Louis Riel, s'il avait pu anticiper la pensée de Jung à son sujet. Mais son incompréhension, il la payera de sa vie. Leader de ce que les Anglais désigneront comme *the Rebellion* et de ce que les

Métis appelleront « la Résistance », Louis Riel incarnera à lui seul ou à peu près, et incarne toujours, les caractéristiques « héroïsables » du vaincu par excellence, dans ce pays. « Canadien, canadien-français, cris, métis, catholique, député sans siège, prophète, écrivain, poète et bilingue (polyglotte, devrait-on dire, car s'il ne connaissait pas beaucoup la langue crie, il avait écrit au moins un poème en latin), Riel sera condamné à mort par un juge unilingue, c'est-à-dire qui ne savait pas un traître mot de latin. Et lorsque son corps se balancera au bout de la potence de Regina, on entendra ce commentaire édifiant de la part d'un observateur attentif : *The goddamned son-of-a-bitch is gone at last* ["Le crisse d'enfant d'chienne est enfin parti[9]"]. »

Comment a-t-on pu passer, si rapidement, de la figure du noble Métis au *son-of-a-bitch is gone at last* ? Il est vrai que depuis de nombreuses années circulaient dans l'Ouest des appréciations négatives sur les Métis, du genre : fainéants, papistes, vagabonds et inconséquents, ou : « Les *French Half-Breeds* ont hérité de tous les défauts de leurs ancêtres français et de tous les vices de leurs ancêtres sauvages. » Appréciations qui, évidemment, avaient leur contrepartie dans l'Est, au vieux Canada d'origine, ce vieux Canada où, semble-t-il, il n'y avait jamais eu de Métis, puisque, selon l'éminent historien Lionel Groulx, les quelques Métis que le pays avait enfantés étaient tous redevenus canadiens par je ne sais quelle transsubstantiation chromosomique intrinsèque à notre climat. Mais à défaut des *French Half-Breeds* de la rivière Rouge, le pays du Saint-Laurent pullulait de *Full French-Breeds,* à la langue métissée au diapason de leur teint grisâtre, s'il faut en croire J.-E. Vignes, dans son livre précisément intitulé *La Vérité sur le Canada* :

> Oh ! Le langage canadien. On prétend que c'est du français ! L'Européen de langue française, au moment où il débarque sur la terre canadienne, reste stupéfait, l'accent qu'il entend est intraduisible, les mots qui sonnent à ses oreilles sont incompréhensibles, où donc est-il ? Quel est le langage qu'il entend ? N'est-il pas victime d'une hallucination ou est-il par un miracle incompréhensible transporté au XVIIe siècle dans le village

le plus reculé de la vieille Bretagne française où l'on ne parle que patois ? Il y a de quoi affoler un Français qui arrive au Canada. Souvent il veut chercher à se persuader qu'à son arrivée, il est tombé sur des gens tout à fait illettrés, sur une classe spéciale de la société, mais hélas, il se détrompe vite[10].

En vérité, il semblerait que les Canadiens soient des Canadiens. La triste affaire ! Et c'est alors, tout au long du XXᵉ siècle, qu'on assistera à une surprenante métamorphose. Les Indiens et les Métis vaincus de l'Ouest, forcés de s'assimiler peu à peu aux États-Unis triomphants, deviendront, en retour et à la faveur des westerns, les héros incontestés de la saga de ce Grand Ouest, qui fascinera, au-delà de la seule Europe, l'Occident tout entier, tandis que, parallèlement, le pouvoir de séduction du Canadien de l'Est décroîtra d'autant.

Si l'on examine ce processus dans une perspective française, le glissement apparaît remarquable. La place de l'Amérique mythique se trouve dans un Ouest qui ne saurait être mythique que dans la mesure où il est à la fois indien et anglophone. Il ne suffit plus, pour être sauvage, d'être né sauvage : on est sauvage quand on ne parle pas « français » et qu'on fait partie *en anglais* de l'*American Indian Movement*. Finalement, on est sauvage parce que la terre elle-même est perçue comme sauvage.

C'est ainsi qu'on assiste à une lente substitution, déjà prédominante bien entendu tout au long du XXᵉ siècle, à travers l'idéologie anglo-saxonne des parcs nationaux. Le parc national non seulement comme Indien, mais comme Indien amélioré. Le Sauvage, quant à lui, disparaissait progressivement, à son tour, sous la transformation mythique de sa propre terre, et sa métamorphose en « Indien imaginaire » ou en « Indien mort », ce qui revient à peu près au même, pour que le territoire autochtone devienne environnement pur et domaine de l'imaginaire auquel on peut enfin rêver en paix, sans autochtones dans le décor.

J'évoquerai, pour finir, Marie Le Franc. Tout comme Maurice Constantin-Weyer, Louis Hémon, Georges Bugnet et quelques autres, plus nombreux qu'on ne le croit[11],

Marie Le Franc était venue de France pour se laisser séduire par un Canada auquel elle fera la déclaration d'amour suivante :

> Je te chanterai quelque jour, grand pays ! Je trouverai une langue digne de toi, une langue qui ait une profondeur, une hauteur, une largeur nouvelles. Elle naîtra dans le sommeil. Les mots dont j'aurai besoin pour t'exprimer ne viendront pas des livres écrits par les hommes.
>
> Je te chanterai en mots de pierre. Je m'en irai parmi la foule, en exhalant avec mon haleine mon amour pour toi. Je suis venue à toi à l'heure où s'épuisait la substance de ma jeunesse. Et, tout de suite, tu m'as tenue par le cou sans que je sache pourquoi. Et j'ai senti monter ta sève dans mes vaisseaux vides.
>
> Quelqu'un, dans le vide espace, m'a appelée par mon petit nom. Peut-être l'espace lui-même. Une voix tomba sur moi comme une récompense lentement méritée. Je me sentis adossée à un contentement qui forma derrière moi une montagne. Je fus seule avec un appel. Je m'avançai vers le sein de cette tendresse qui m'appelait. L'espace s'inclinait comme une caresse, mais il gardait sur sa bouche un duvet d'immensité. Il me touchait pour la première fois. Il eut ainsi qu'un corps une droite et une gauche, il oscilla, il ne fut plus qu'un chuchotement de l'humain et du divin haussés à la même mesure, et je dus le recueillir, défaillant, dans mon oreille[12].

Au-delà de l'émotion et du désir transcendés par cet appel, nul être humain ne se profile à l'horizon. Il ne s'y trouve qu'une grande sauvagerie fondamentale empruntant la forme de l'espace. Il n'y a que l'immensité dans toute sa pureté, une pureté lisse, où ne se remarque aucune trace de Sauvage – une pureté chuchotant le nom d'une Europe venue se contempler dans le miroir de ces trois sons : CA-NA-DA.

Finalement, c'est la Géographie qui l'emportera sur le reste. Car, à force d'inventer un Indien imaginaire, qui l'emportera toujours sur l'Indien réel, fût-il rouge, blanc ou métis, c'est finalement la Géographie imaginaire elle-même qui devient le Personnage mythique dans l'absolu. Et l'Amérique entière se transforme alors en une espèce de super-identité sublimée, vidée de ses habitants originaux, où le

Blanc pourra enfin venir exalter à satiété l'appel délirant de son altérité.

J. M.
Sutton (Québec)

Notes

1. Cité dans Donald B. Smith, *Le Sauvage pendant la période héroïque de la Nouvelle-France (1534-1663) d'après les historiens canadiens-français des XIXe et XXe siècles*, Montréal, Hurtubise HMH, 1979, p. 81.

2. Je suis d'un village qu'on considère comme faisant partie du « vieux-peuplé », le long du fleuve. Au début des années soixante-dix, ma mère, maintenant décédée, faisait partie du Club de l'Âge d'or, dont elle assuma, un temps, la présidence. Un jour, elle reçut un coup de téléphone d'une dame plus âgée qu'elle connaissait depuis toujours et qui lui demanda : « Y a-t-il quelque chose que tu as au-dedans de toi, dont on t'a vaguement parlé quand tu étais petite et dont tu n'as jamais parlé à qui que ce soit, depuis ? – Euh ! non. Peut-être… Mais de quoi s'agit-il ? – Bien, répondit la dame, j'ai du sang sauvage. » Elle avait quatre-vingt-huit ans. Un mois plus tard, elle mourait. J'imagine qu'en rapportant ici cette histoire je suis un peu hors propos par rapport au thème du colloque, puisqu'il ne s'agit pas de l'Indien imaginaire.

3. C'est le 16 novembre 1885 qu'on a disposé, par pendaison, du leader de l'Union nationale métisse et fondateur du Manitoba.

4. Georges Dugas, *Histoire de l'Ouest canadien de 1822 à 1869. Époque des troubles*, Montréal, Beauchemin, 1906, p. 8.

5. Joseph Tassé, *Les Canadiens de l'Ouest,* Montréal, Compagnie d'imprimerie canadienne, 1978, t. I, p. 22-24.

6. C'est là le nom *dènè* (athapaskan) que les Canadiens ont adopté tel quel et qui fait référence à une légende. Les conquérants britanniques, aussi prudes qu'irrespectueux, ont changé ce nom pour Grand lac des Esclaves.

7. Le héros de *Colorado Saga*, Pasquinel, constitue en quelque sorte la réincarnation contemporaine d'Henri Chatillon.

8. Carl Jung, *Dialectique du moi et de l'inconscient*, Paris, Gallimard, 1964 [1928], p. 165-166.

9. George Stanley, *Louis Riel,* Toronto, McGraw-Hill Ryerson, 1963, p. 371 ; traduction libre.

10. J.-E. Vignes, *La Vérité sur le Canada*, Paris, Union internationale d'éditions, 1909, p. 241-242.

11. On pourra consulter, à ce sujet, Pauline Collet, « Les romanciers français de l'Ouest et du Grand Nord », *Bulletin du Centre d'études franco-canadiennes de l'Ouest*, n° 16, février 1984, p. 2-27.

12. Passages tirés de Marie Le Franc, *Au pays canadien-français,* Paris, Fasquelle, 1932.

Le désir géographique
et la réalité Québec-Amérique[*]

J'ai l'impression que notre désarroi est profond. Ayant vécu par le chiffre et la mesure durant une génération pour constater que nous n'avions rien compris, que nous étions restés à l'écart – impuissants –, nous revenons au galop vers la lettre et la parole. C'est ainsi que nous avons décidé de troquer la quête scientifique contre le voyage initiatique en compagnie des gens que nous devions au début regarder à la loupe. Dorénavant, notre devoir – je dirai même notre désir – est de passer de l'« objet » à l'« expérience ».

Il est maintenant de rigueur de commencer toute présentation par une anecdote, un témoignage qui raconte notre parcours, qui décrit la façon dont nous sommes passés de la connaissance scientifique à la compréhension culturelle et avons donc tenté, encore une fois, de souffler des valeurs morales et spirituelles à l'intérieur des collectivités humaines. Il s'agit surtout de préciser comment nous avons finalement réussi à entrer « dedans », à percer l'intimité de la collectivité en question. Je vois naître un nouveau discours qui parle du « sens des choses » et d'« intériorité », qui insiste sur l'importance de « mûrir » les idées afin qu'elles puissent « sortir de la pénombre » et qui accorde une attention toute particulière à l'« acte d'écrire ».

En ce sens, notre crise n'est pas seulement disciplinaire, elle est aussi celle de l'Occident tout entier. Nous sommes le fruit de la rupture de ce vieil équilibre humaniste entre Dieu

_____

[*] Version passablement remaniée d'un texte ayant paru dans _Géographie et cultures,_ n° 1, 1992, p. 39-58.

et César, et au bout de notre démarche, nous nous sommes retrouvés seuls devant le mensonge scientifique.

Je pense ici à Carlos Castaneda et à ses vérités et contre-vérités, qui ont nourri toute une génération, au début des années soixante-dix. Castaneda était le fruit même de la Californie – là où le Grand Continent, lieu par excellence du voyage initiatique, aboutit au Grand Océan et, bien sûr, au vide et souvent à l'échec. C'est là que la quête de l'Ailleurs s'arrête, par la force des choses et à cause des limites imposées par la nature même. C'est le lieu du demi-tour signalé avec splendeur par l'écrivain *beat* et *franco* Jack Kérouac, qui fut « l'un des premiers à avoir indiqué la limite de l'espace et le terme du périple, dira Naïm Kattan. On a atteint le bout du continent et l'on n'a rien trouvé, continuera-t-il. Le chemin de retour ne peut mener ni à une liberté hors d'atteinte, ni à un retour à l'innocence, puisque la jeunesse est, elle aussi, arrivée à son terme. Que reste-t-il ? La maturité ? Une sagesse[1] ? »

Castaneda a su habilement exploiter notre cupidité et il y avait comme une odeur d'escroquerie dans ses livres. Mais peu importe notre jugement à son égard, force est de constater l'urgence de faire fondre la dichotomie sujet/objet, de négocier le passage vers un certain Ailleurs et d'entrer dans la maison des « maîtres du jeu ». Est-ce tenter l'impossible ? Je ne sais pas. Joël Bonnemaison, un ami géographe français[2], nous prévient tous que tenter de « comprendre une société qui n'est pas la sienne est une gageure presque impossible[3] », et Kenneth Read, qui porte les Gahuka-Gama de Susuroka dans son cœur et son âme, explique :

> C'est ce que j'avais à l'esprit quand je disais, il y a longtemps déjà, que je ne serais pas capable de voir précisément ce que voyait un autre homme, alors que j'étais assis près de lui, sous le soleil, dans son jardin, examinant les rangs de patates douces, de blés d'Inde et autres végétaux. Car il pouvait voir en eux, dans tout le processus de croissance, un mystère offert à ses sens tous les jours, une vibration que nous sentons et voulons atteindre, mais qui peut nous échapper, car il n'existe aucun moyen sûr de la connaître ou de se l'approprier, de façon telle qu'elle tombe sous notre contrôle. Inconnaissable en fin de compte, et nous laissant donc toutes les possibilités de l'appréhender[4]…

Comprendre par osmose – « le départ collectif vers les nuages » ou « la découverte de soi », *the discovery of myself* – pour trouver ensuite le code d'accès ! L'itinéraire est proposé et il n'est pas loin de la quête du Graal ou du long cheminement du Siddhartha, sauf que nous, géographes, avons pu reconnaître dans le *paysage* et le *territoire* quelque chose qui chevauche clairement le *visible* et l'*invisible*, et qui évoque par le fait même le « mystère du monde ». Nous ne sommes pas les seuls à évoquer ces espaces palpables puisque le regretté Bruce Chatwin, par exemple, y arrive avec une magnifique plume et une magistrale sensibilité dans ses nombreux récits de voyage[5].

Une telle démarche ethnogéographique est certes riche et fascinante, mais on doit constater qu'elle se déroule essentiellement « ailleurs » pour le moment, c'est-à-dire en dehors du monde occidental et pour appréhender des cultures se situant nettement en dehors de notre œkoumème mental. Or, tout en cherchant à rompre la dichotomie sujet/objet, force est d'admettre que nous demeurons, en tant que chercheurs, à l'extérieur du champ d'action et des enjeux qui nous fascinent tant. Ainsi ne relevons-nous, tout au plus, qu'une partie du défi ! Et, qui plus est, notre approche est boiteuse parce qu'essentiellement partielle et partiale. C'est pourquoi une double question se pose : comment, au départ, aborder, au sein de sa propre culture, ce qu'on a appelé l'ethnogéographie ; et comment, par la suite, négocier les implications et les pièges d'une telle volonté eu égard à une démarche géographique se voulant « ethnoculturelle » ?

Débusquer sa propre culture

Comment se mettre « dans » sa propre culture, surtout s'il s'agit d'une culture dite « moderne » (occidentale, industrielle, hégémonique, etc.), et comment donc en faire le portrait ? Le chercheur est ici non seulement témoin, mais aussi acteur, tout autant que juge et partie. À titre de témoin intérieur investi de sa propre dynamique mouvante, il perd facilement les repères culturels qui lui auraient permis de construire son univers, avec toute sa charge symbolique et à partir de fondements comparatifs (qu'ils soient intuitifs ou non). À titre d'acteur, il se rend vite compte que la culture est profondément dynamique et qu'une telle réalité se fait, se défait, se refait, se contrefait autour de lui, échappant souvent à son « contrôle ». Ainsi est-il tenté d'intervenir culturellement ou, du moins, de prendre position.

Faire son « ethnogéographie de l'intérieur », c'est donc s'interroger au départ sur sa propre démarche et sur les prémisses que le chercheur lui-même juge opportun de formuler, à partir de sa propre culture et de son propre langage, évidemment. Primo, est-il réaliste de parler de la culture comme d'un tout, d'une réalité homogène commune à tout le monde ? Secundo, peut-on aborder le champ culturel sans faire allusion au champ politique ? Dès qu'on entre, cependant, dans le champ politique, on est amené à parler de l'État moderne qui, en raison de sa nature même, joue le rôle de celui qui établit ce qu'est la culture et s'en fait donc le « gardien ». Les élites dirigeantes – qu'elles soient politique, religieuse, intellectuelle ou autre, chacune avec sa vision du paysage et du territoire – se conçoivent comme les dépositaires attitrés de la culture, pour bientôt s'en faire les censeurs. Tout cela, c'est de la cuisine sociologique et idéologique trop bien connue pour qu'on s'y attarde davantage. Tertio, et c'est là ce qui m'importe vraiment, peut-on appliquer allégrement au Nouveau Monde les grilles et les hypothèses élaborées en fonction et à partir du Vieux Monde ? Bref, comment aborder le Québec quand on sait jusqu'à quel point celui-ci est coincé dans son propre questionnement identitaire ?

À cet égard, je me rappelle encore mon arrivée à l'Université McGill, en 1961. On venait tous d'outre-Atlantique à cette époque-là et Kenneth Hare, alors directeur du département de géographie, nous avait convoqué à tour de rôle dans son bureau pour nous expliquer qu'ici, en Amérique, l'*échelle* était radicalement différente et qu'en conséquence notre lecture de ce continent devait partir de cette réalité. Il fallait laisser l'Europe derrière nous !

L'échelle d'un continent, soit, mais encore fallait-il prendre en compte la succession de ses nombreuses frontières géopolitiques, économiques, etc. – la marche vers l'Ouest, le mythe du Nord, la constitution des ghettos, etc. D'où, sans doute, l'« extraordinaire plasticité » de ce continent. Je me rendais compte que, sous cette variable d'échelle géographique ou de « la grandeur de l'espace américain », on tentait d'uniformiser tout un continent face auquel le Québec apportait, sous nos yeux, sa résistance quotidienne. Si la plasticité évoquée venait du rapport tout particulier modulant, au Nouveau Monde, les relations entre l'individu et l'État, la relation culture-territoire était loin d'être aussi simple. Certaines cultures maîtrisent l'espace, d'autres le négocient, un peu comme les gitans, toujours dans la pénombre, et d'autres encore sont mis en réserve ou subissent leur espace, comme les sans-abri des grandes villes.

S'il y a, par ailleurs, des espaces délimités par des frontières, il y a tout autant des espaces-itinéraires. Avec cette malléabilité propre au continent, c'est le changement qui est la règle, et, s'il existe des espaces-temps mouvants, ou à plusieurs étages, il existe tout autant des peuples mouvants, échappant aux définitions dans lesquelles on pensait bien réussir à les enfermer.

Définir le Québec

Cette toile de fond révèle l'extrême difficulté de faire une ethnogéographie de la collectivité québécoise, de construire un semblant de consensus. Une analyse de deux textes permettra de déterminer l'ampleur du défi.

Gérard Bouchard et Pierre Anctil sont deux chercheurs en sciences humaines. Dynamiques, productifs, ils ont tenté, dans deux textes succincts, de brosser un portrait de la collectivité québécoise.

Dans un article intitulé « Du social au biologique : genèse d'une collectivité humaine, du XVIIe au XXe siècle[6] », Gérard Bouchard affirme que la population québécoise, « distincte par sa culture, son économie et les comportements sociaux de ses membres, [est] aussi distincte sur le plan génétique » et que son histoire « représente un phénomène dont on ne retrouve guère d'autres exemples sur la planète ». Il s'agit donc, à son sens, d'« une société neuve [élaborée] à partir de matériaux culturels, politiques, sociaux – génétiques aussi – très anciens, empruntés à la France ». De par sa vocation (agricole, industrielle et commerciale), cette société se trouvait « en rupture avec les peuples amérindiens (chasseurs) qui l'avaient précédée en terre d'Amérique » et constituait des unités de peuplement procédant d'une « succession de trois effets fondateurs plus ou moins nets » (autrement dit, un triple parcours géographique), « société de peuplement » l'ayant amenée de France vers la partie centrale de la vallée du Saint-Laurent, puis vers les plateaux, pour ensuite déboucher sur l'arrière-pays. Ses comportements collectifs sont donc clairs et son territoire bien délimité, marqué par l'« isolement ». Une telle situation d'« équilibre » se serait maintenue jusqu'aux années vingt, pour être suivie de « mutations en profondeur » telle l'ouverture aux influences continentales. Enfin, ce « projet d'identité collective » aura connu un « versant biologique », puisque la population francophone, par suite d'une endogamie et d'une homogénéisation génétique, se serait reproduite selon ce qu'on pourrait appeler le « modèle entonnoir ». D'où l'incidence très élevée de certaines maladies génétiques au sein de cette population.

La perspective que Pierre Anctil adopte est tout autre. S'opposant aux thèses dites traditionnelles, il s'explique en ces termes :

> Avant tout il convient d'affirmer que, depuis près de quatre siècles déjà, le Québec a vécu une culture de convergence, ou pour être plus juste, situe sa culture à la confluence de plusieurs sources très variées. L'image qu'on peut en avoir se rapproche d'un vaste champ vierge que plusieurs fermiers auraient ensemencé concurremment sans se consulter, et en espérant recueillir chacun pour lui-même le maximum de fruits.
>
> Au vieux fonds québécois, né de l'occupation française de l'Amérique du Nord, lui-même déjà largement perméable aux influences socio-culturelles autochtones et résolument diffé-

rencié, dès 1670, de la strate d'administrateurs métropolitains, sont venues s'ajouter, après 1763, des influences nouvelles et multiples[7].

Dans ces entrelacs constitutifs, Anctil identifie les éléments du « mercantilisme britannique » : les colons originaires de toutes les couches sociales du Royaume-Uni, les États-Unis avec leur poids idéologique, source majeure d'innovations technologiques, de nouvelles méthodes de production et surtout de capital, et, enfin, les immigrants italiens, grecs, juifs et d'autres origines, attirés par l'industrialisation de Montréal. Ces influences extérieures sont d'autant plus importantes que « des francophones du Québec se sont fait bousculer à plusieurs reprises par des revirements sociopolitiques et économiques graves, et ce à l'intérieur d'un corridor chronologique court ».

Cette « grande malléabilité » constitue le premier trait qui viendra caractériser la culture québécoise. Il s'agit d'une collectivité qui apparaît au premier coup d'œil « comme bariolée, disparate : elle fait penser à ces murs dont s'empare le public des grandes villes et qu'il recouvre de plusieurs couches de graffiti multicolores et anonymes ». Vient s'y ajouter alors ce qu'il est convenu d'appeler le « facteur américanité », c'est-à-dire cette rencontre qui s'est produite avec le continent dès que le peuple eût franchi « la minuscule enceinte des territoires occupés et contrôlés par les administrateurs royaux ». S'il est ici question de valeurs et d'opportunités, on se voit tout autant renvoyé à l'évidence d'une conscience territoriale, où la collectivité québécoise sera parfaitement à l'aise sur tous les fronts de colonisation et dans toutes les vagues pionnières qui s'ébranleront successivement du littoral atlantique en direction de l'Ouest ou du Nord. C'était là, faut-il le rappeler, un continent où longtemps l'État fut absent.

Le troisième trait, pour Anctil, sera alors celui de la « minorisation ». Elle découle de la Conquête, bien sûr, mais elle est aussi une conséquence directe des faibles effectifs démographiques, au départ, qui imposera irrémédiablement à cette collectivité un « destin minoritaire ». Ainsi, la grande mobilité territoriale ne viendra que renforcer ce sentiment chez les francophones de la diaspora. Par ailleurs, ce même phénomène de « minorisation» aura donné lieu, au Québec, à « l'émergence d'une petite bourgeoisie nationaliste » prônant l'altérité culturelle tout en plaidant en faveur d'un repli territorial stratégique.

Enfin, le quatrième trait est celui d'un mysticisme aussi constant que mal défini, et faisant sans doute office de compensation symbolique pour neutraliser spirituellement les effets de la Conquête. Foi messianique, spiritualité et zèle missionnaire sont donc des valeurs qui auront marqué la culture non seulement en termes de volonté de survie, mais également sur le plan du rayonnement géographique à l'échelle de tout le continent.

Il n'est pas question ici de réconcilier ou d'annuler l'une par l'autre les deux visions, mais plutôt d'essayer d'expliquer comment deux universitaires, originaires de ce même Québec, peuvent arriver à des portraits aussi opposés de leur propre civilisation.

En ce qui concerne le texte, au sens de la méthode, Gérard Bouchard opte pour une approche résolument quantitative, centrée sur la population dite francophone de l'est du Québec, au Saguenay, plus précisément de Chicoutimi. Toute l'analyse prend appui sur une banque de données, ou fichier de population, dont le point de départ provient des registres publics d'état civil (actes de baptême, de mariage et de sépulture), qui permettent de construire des généalogies et de mener de vastes études démographiques. Le chercheur part des données sur la *population* pour faire des réflexions sur la *culture*. S'il y a étanchéité démographique, il y a nécessairement homogénéité culturelle, et une indication explicite de l'établissement d'un groupe culturel dans un espace considéré comme vide au départ.

L'étude de Pierre Anctil relève, quant à elle, d'une approche essentiellement qualitative, privilégiant plutôt une réflexion sur le vécu québécois et le déploiement d'une conscience géographique en terre américaine. De telles prémisses amèneront Anctil – lequel, faut-il préciser, entreprend son analyse du Québec depuis Montréal – à élaborer son raisonnement en partant du champ culturel, ce qui le conduit à des conclusions passablement différentes de celles que formule Bouchard. « Telle une éponge, la culture québécoise a tout absorbé, quitte à laisser fondre une partie d'elle-même au contact d'autres traditions », affirme Anctil là où Bouchard parle de solidarité et d'isolement d'une population qui s'est reproduite « sur le modèle de l'entonnoir », faisant ainsi émerger une « identité spécifique au sein des communautés nord-américaines ».

Pour Anctil, aussi, quatre siècles sont amplement suffisants pour créer une culture forte et profondément américaine. Bouchard juge, au contraire, que c'est là une période extrêmement courte, parce que tout se déroule au sein d'une collectivité caractérisée par une grande fragilité. Or c'est justement sur ce plan que le discours de chacun prend une coloration distincte. Bouchard évoque les notions de « péril collectif », d'« éloignement », de « développement incertain », de « capital étranger », de « marginalité », voire d'aliénation. C'est un Québec assiégé et fermé qui prend rapidement forme dans ses écrits.

Tout en ne niant pas qu'il s'agisse là d'un trait caractéristique de la culture québécoise, Anctil affirme que ce caractère « frileux » a été exploité à qui mieux mieux par une certaine élite québécoise, au point qu'ont fini par être masqués les autres traits de cette société. Pour Anctil, si la société québécoise prend conscience du fait qu'elle a toujours été aussi accueillante que sur ses gardes, elle sera mieux placée pour relever l'actuel défi de l'immigration et du choc des cultures.

Que dire de l'homme qui se cache derrière le texte ? Nous abordons ici un aspect peu exploré, mais susceptible de contribuer à la compréhension des choses. Si nous aimons bien connaître nos romanciers pour mieux apprécier leurs écrits, pourquoi ne pas chercher à connaître nos universitaires, pour mieux comprendre leurs études ?

Gérard Bouchard a commencé sa formation en sociologie pour la poursuivre en histoire. Ses études doctorales l'ont amené à rédiger une thèse outre-Atlantique, sur un sujet français, *Le village immobile : Sennely-en-Sologne au XVIIIe siècle,* publié chez Plon en 1972. Quant à Pierre Anctil, il a choisi tout autant de traverser les frontières disciplinaires, quittant la géographie en faveur de l'anthropologie et se rendant aux États-Unis pour y faire son doctorat, *Les Franco-Américains de Woonsocket dans le Rhode Island.* Cheminement vers le Vieux Continent, chez l'un, et vers l'Amérique, chez l'autre ; mais aussi, parti pris en faveur de l'idéologie des élites et de l'enracinement dans le temps par opposition à l'espace du Nouveau Monde en formation et au vécu venant s'y inscrire. Intérêt pour les origines, d'une part, questionnement quant au destin d'un peuple, d'autre part. C'est donc du continuum géographique enracinement/mobilité qu'il est question ici. Et peut-être une inclination professionnelle pour les archives et pour le temps chez l'un, un intérêt marqué pour les gens et l'espace chez l'autre ? Il y a quelque chose de très révélateur dans la trajectoire géographique des deux chercheurs – choix de la destination et du lieu de résidence. Bouchard qui fait un aller-retour entre le Saguenay et la France et Anctil qui quitte la ville de Québec – « berceau de l'Amérique française » – pour la Nouvelle-Angleterre et qui finira par s'installer à Montréal, métropole cosmopolite du Québec.

Individu, famille, formation, itinéraire : autant de réalités venant nécessairement marquer la lecture que chacun fait de la culture québécoise. À la lumière de ces quelques notes sur deux itinéraires différents à l'image même de deux visions du Québec dans le devenir américain, on comprendra mieux ces deux analyses se situant presque aux antipodes l'une de l'autre. L'une mise en effet sur l'origine et l'autre, sur le destin ; c'est la prise en charge du temps par rapport à l'espace, du territoire par rapport à l'itinéraire. L'« ici » par rapport à l'« ailleurs », la population par rapport à la culture, la France par rapport à l'Amérique, l'endogamie par rapport à l'exogamie et, finalement, l'univers du discours par rapport au vécu.

Soyons clair. Même si je ne me défends pas de prendre parti pour une thèse aux dépens d'une autre, ce que je cherche plutôt à mettre en évidence ici, c'est la difficulté de décrire la « culture-Québec » et l'espace qu'occupe cette culture dans le contexte américain.

Difficulté d'être en Amérique

Nous savons tous combien l'Amérique est la grand-route, cet espace neuf fait d'une multitude d'itinéraires et de parcours souvent à peine balisés. Continent de mouvance et d'errance marqué par l'éclatement du groupe et le rapport équivoque à l'espace, c'est tout cet ensemble qui viendra créer chez les habitants – je dirais même chez les itinérants – de ce continent un profond sentiment de solitude, de démesure et de distance dont le photographe Robert Frank[8], par exemple, est l'un des meilleurs témoins. J'ai beaucoup réfléchi à la démarche de Frank qui, à travers toute son œuvre, s'avoue « hanté par l'échelle et l'espace de l'Amérique » (*haunted by American scale and space*) au point de se donner une mission : sonder « le pathétique de la Route et de l'Amérique moderne » (*the pathos of Road and Modern America*). Cette expérience géoculturelle se trouve fort bien conceptualisée, à un tout autre niveau, par Roland Barthes :

> De la même façon, si je suis en auto et que je regarde le paysage à travers la vitre, je puis accommoder à volonté sur le paysage ou sur la vitre : tantôt je saisirai la présence de la vitre et la distance du paysage ; tantôt au contraire la transparence de la vitre et la profondeur du paysage : mais le résultat de cette alternance sera constant : la vitre me sera à la fois présente et vide, le paysage me sera à la fois irréel et plein[9].

« Mouver » avec quelques compagnons du moment, être parfois en dedans et parfois en dehors d'une succession de paysages, voilà la nature de l'expérience américaine. Et la quête d'amour apparaît comme seul moyen de solidifier l'expérience. Le constat de Frank vient me hanter à mon tour. « Beaucoup d'amour, pas de beauté » (*much love, no beauty*), disait-il relativement à l'Amérique pour l'opposer à son Europe natale qui évoquait pour lui « beaucoup de beauté, peu d'amour » (*much beauty, no love*). Mais il s'agit là de l'expérience d'un individu qui cherche à se dire et à nous dire quelque chose qu'on comprend et qui nous échappe à la fois !

Dans le cas des États-Unis, de nombreux mythes viennent, en effet, cimenter une multitude de peuples atomisés sous l'égide de cette mouvance continentale qui marque tellement l'expérience américaine. Que ce soit un concept comme celui de la Frontière où devait naître un Homme Nouveau ou des personnages mythiques comme Daniel Boone, Davy Crockett[10], Hiawatha ou même le magicien d'Oz (*Wizard of Oz*), tous ces héros en arrivent à légitimer et à sanctifier en quelque sorte cette expérience.

Parfois, les francophones d'Amérique trouvent place dans la mythologie étasunienne : l'Évangéline de Longfellow et Pasquinel, le héros créé par James Michener ; la première est acadienne et l'autre, un « Canadien de Montréal ». Célébré au sud du 49e parallèle comme incarnant la quintessence de l'aventure américaine, Pasquinel est en revanche totalement ignoré dans son pays d'origine. C'est qu'ici il n'y a pas de héros possibles, mais seulement de vagues souvenirs de quelques grands explorateurs, ressortissants d'un Ancien Régime ayant perdu son pari et ayant décidé, en conséquence, d'abandonner mythiquement le continent. C'était interdit aux Canadiens français de rêver l'Amérique, d'avoir accès à cette grande galerie américaine de mythes fondateurs, et les rares spécimens qui cherchaient à y entrer ont dû, comme Ernest Thifault (alias Will James), cacher leur identité véritable afin de franchir la porte. Ainsi est-ce cet anonymat profond, dissimulé derrière une reconnaissance publique étasunienne exceptionnelle, qui aura pour conséquence d'infliger, par exemple, des blessures mortelles à une personnalité comme celle de Jack Kérouac. Celui-ci écrira d'ailleurs ces lignes à Yvonne Le Maître, journaliste franco-américaine, à la suite de la critique qu'elle rédigera après avoir découvert son premier roman, *The Town and the City* :

> Ce qui m'a le plus surpris dans votre compte rendu… c'est le ton si bellement et si élégamment français qui l'a fait paraître

comme si c'était une de mes propres tantes qui avait fait la recension du livre. Je me suis senti humble… Parce que je ne peux pas écrire ma langue native et n'ai plus de chez-moi, et demeure étonné de l'horrible privation d'un chez-soi qui constitue le lot de tous les Canadiens français à l'étranger aux États-Unis – bon, bon, j'ai été touché. Un jour, Madame, j'écrirai un roman canadien-français, *en français*, et dont l'action se situera en Nouvelle-Angleterre.

N'est-il pas vrai que les Canadiens français, partout, ont tendance à cacher leur vraie origine ? Ils peuvent le faire parce qu'ils ont l'*air* d'être anglo-saxons, alors que les Juifs, les Italiens, tous les autres ne le peuvent pas… Je ne cacherai plus jamais mes origines[11]…

Le problème que pose l'absence de grands mythes fondateurs chez les Canadiens français est accentué au Québec par le fait que l'État n'a jamais réussi à avoir une vision claire et cohérente de la culture de ses citoyens, aussi bien à travers le temps qu'à travers l'espace. Faisant partie d'un pays incertain, l'individu se trouve plutôt face à une multitude de projets vagues et contradictoires, et provenant souvent de sources diverses.

Dans un tel contexte, le chercheur qui s'intéresse au champ culturel, et plus particulièrement au champ géoculturel, passe vite du rôle de témoin de ce qui se passe devant ses yeux à celui d'arbitre, pour devenir alors l'artisan d'un projet identitaire collectif. Chacun appartient, implicitement ou explicitement, à un ou plusieurs groupes qui préconisent certains types de changements sociaux et politiques. Anctil et Bouchard, comme tant d'autres, ont forcément leur vision de ce que la collectivité québécoise devrait être pour assurer sa pérennité ici en Amérique – et pour ne pas disparaître culturellement. Cette vision colore toute leur œuvre scientifique, puisque cette œuvre est aussi, en partie, un devoir d'État.

Voilà un problème d'ordre pratique qui rend difficile la lecture des écrits culturels, au Québec, et qui débouche logiquement sur un deuxième constat, d'ordre conceptuel. Avant la révolution industrielle et l'apparition de l'État-nation, on pouvait affirmer que la création de la culture était le fait de tous. Chacun vivait et produisait de façon culturelle. Les gestes, les géosymboles, les multiples événements marquant le passage du temps et les étapes de la vie agissaient de concert comme des rappels implicites au consensus. Il y avait alors diffusion spontanée des connaissances. Avec la naissance de l'État-nation, cependant, à la fin du XVIIIe siècle, le champ culturel s'est trouvé envahi par une dynamique nouvelle. La culture est dorénavant étatisée et normalisée pour que se crée un sentiment d'appartenance nationale, et partant, que soient éliminées du coup les différences régionales, perçues comme des forces centrifuges. En s'institutionnalisant, la culture se transforme progressivement et d'une façon d'être elle devient un produit de consommation ; la culture n'est plus quelque chose à partager, mais bien l'instrument d'une domination d'autant plus forte que c'est la culture de la bourgeoisie nationale qui devient la norme. Cette assimilation à la langue, aux idées, aux croyances, à l'espace et à la vision du monde de l'élite est plus ou moins réussie selon les cas. Dès lors, on voit émerger un discours et une idéologie d'élite qui se trouvent immédiatement confrontés avec un vécu collectif qui ne s'y reconnaît pas du tout, et c'est ainsi qu'apparaît une tension constante entre les deux.

Au Québec, l'affrontement de la culture bourgeoise et de la culture populaire prendra une forme bien particulière. En effet, la culture des élites privilégiera une dimension carrément historique « Nouvelle-France » – provenance, origines, fidélité aux racines françaises, enracinement en terre québécoise et, d'une certaine façon, refus de l'Amérique –, tandis que la culture populaire aura une portée résolument géographique – aventure, destin, ouverture à l'expérience de l'hinterland sans frontière et au continent américain. Par ailleurs, comme une telle aventure se joue dans le contexte d'« un pays perdu » et d'un État non réalisé, à la place d'une identité d'État qui « négocie » avec une identité populaire, on s'invente un *projet politique* qui se trouve immédiatement confronté à un *vécu collectif,* dont une des caractéristiques – il faut bien le dire – est une grande mouvance. Ce vécu collectif est marqué par son peu de profondeur historique et par sa mémoire chancelante.

Or ce projet politique aura, on le devine, des répercussions immédiates sur le champ intellectuel ; le chercheur essaie de compenser la faiblesse de l'État et des instruments collectifs en participant activement à la fabrication de l'identité nationale, y compris dans ses dimensions territoriales. De plus, les engagements du chercheur, en tant qu'intellectuel, de même que son appartenance sociale, l'amènent à associer facilement la parole des élites avec le vécu des gens.

L'explorateur du champ culturel doit donc se poser, au départ, la question de savoir quelle (fraction de la) culture il cherche à décrire et ainsi à légitimer : celle des définisseurs (les élites) ou celle des acteurs (le peuple). Cependant, de toute évidence, deux écoles de pensée, au Québec, confondent les deux dans un mouvement fort différent ; ainsi, le parti pris en faveur du peuple en mouvance vient nettement s'opposer à la vision d'une élite stationnaire. Et ainsi les Québécois sont vite coincés entre la fréquentation de la Place Royale, reconstituée, à Québec, pour bien montrer que ce peuple, malgré tout ce qu'on en dit, aurait peut-être eu une cuisse royale, et la fréquentation des plages de la Nouvelle-Angleterre ou de la Floride ; sans oublier, par ailleurs, tous ceux qui se rendent en France pour tenter de déterrer leurs racines en Normandie ou ailleurs, tout en s'offrant une petite visite aux châteaux de la Loire.

La mobilité québécoise reconsidérée

Distinguer clairement la culture vécue du discours culturel, c'est déjà franchir une étape importante dans la perception de la collectivité québécoise. Et les géographes culturels du Québec ont joué un rôle considérable dans cette distinction grâce à leur entêtement à vouloir appréhender les relations entre *culture* et *territoire*. Nous leur devons plusieurs notions fondamentales servant à caractériser l'ensemble de la population, de même que le fait d'avoir mis en évidence cette dimension « continentale » de la culture québécoise que beaucoup d'historiens, entre autres, ont refusé d'approfondir.

Christian Morissonneau a insisté à maintes reprises sur la mouvance « innée » des Québécois, donnant à lire cette mobilité à l'échelle continentale et parlant d'un « pays sans bornes[12] ». Une telle mobilité, pour reprendre les mots de Morissonneau, aura rendu la population foncièrement « ingouvernable » puisqu'il s'agit d'un « peuple de passage » s'insérant dans un espace qu'on n'arrive jamais à ancrer entièrement dans le temps. Ainsi, l'espace des Québécois déborde-t-il de très loin les limites territoriales du Québec contemporain, tandis que les lieux familiers du passé et du présent viennent se conjuguer sur la carte de tout un continent. Cette propension à bouger est le fruit du contact permanent avec l'immense forêt américaine et les peuples autochtones.

Jean Morisset pousse plus loin l'analyse, quant à lui, en affirmant qu'un peuple créole est né de cette expérience américaine, fruit d'un énorme métissage linguistique, culturel et même racial, semblable, donc, en matière d'authenticité identitaire aux Étatuniens, aux Brésiliens et aux Latinos du nord et du sud de ce continent[13].

J'ai, pour ma part, cherché à structurer ces analyses et à interpréter ces affirmations en tentant de conceptualiser le « Continent-Québec » à partir du postulat d'une « double appartenance ». On observe, d'un côté, un espace économique de dimension continentale, fait d'aspirations individuelles (que les francophones partagent avec l'ensemble des habitants de l'Amérique), et, de l'autre, un espace politique, centré sur la vallée du Saint-Laurent et se voulant l'expression des aspirations politiques propres au peuple québécois et où il y a recherche du pouvoir. Donc, la nécessaire survie exige l'expansion d'un foyer collectif, convergeant vers le Saint-Laurent[14].

Voilà pourquoi, sur un plan spatial, ce continent se ramène moins à un foyer Québec qu'à une plaque tournante autour de laquelle gravitent les contreforts ontarien, franco-américain et acadien et une diaspora continentale, sans oublier, dans le cas de la Louisiane et de l'Ouest canadien, des franges métisses.

Décrire cette dynamique spatiale est une chose, mais la soupeser et l'analyser en est une autre. Doit-on débusquer une sorte d'émancipation déguisée dans cette mouvance perpétuelle d'une fraction importante de la population ou s'agit-il de l'ultime assujettissement au capitalisme continental ? Serait-ce plutôt une tentative sans cesse répétée pour naviguer quelque part entre les deux ? S'agit-il d'une stratégie collective porteuse d'un « sens » qui lui serait propre et ayant des repères et des parcours bien balisés, ou, au contraire, d'une pratique désordonnée, la résultante d'une sorte de débandade collective ? C'est une question lancinante dont la réponse se trouve peut-être dans la tentative désespérée d'un peuple minoritaire cherchant à rencontrer géographiquement son destin.

En règle générale, les géographes ne se posent pas directement la question, tant ils sont emportés par la richesse et l'intensité de cette aventure continentale. Ils ont plutôt tendance à célébrer la chose, à l'instar d'un collègue, par exemple, qui m'écrivait ces lignes, un jour :

> Tu sais, Éric, à mon avis, la plus grande œuvre littéraire que notre histoire ait produite est la géographie. Et ce sont les coureurs de bois qui l'ont écrite. D'une plume complètement analphabète d'ailleurs, leur canot. Sur une feuille entièrement mobile, une rivière. Ils ont écrit un continent en portageant leur désir sur leur tête et en le déposant à la porte d'un tipi. Et tout cela en chantant.

Cette célébration se retrouve, sur un plan scientifique, dans l'œuvre de Benoît Brouillette, *La Pénétration du continent américain par les Canadiens français, 1763-1846* (Montréal, Granger Frères, 1940), préfacée, incidemment, par l'abbé Groulx ! Mais pour le simple lecteur de ce genre d'écrits, ces portraits d'un passé magique se transforment inéluctablement en témoignages mélancoliques au sujet d'un univers éclaté en mille morceaux, hanté par la perte de l'identité, l'échec d'un rêve et la rupture définitive des liens avec le Québec.

Des politologues comme Daniel Latouche et Guy Laforest, qui se sont penchés sur un ouvrage que j'ai dirigé en collaboration avec Dean R. Louder, affirment qu'une conscience culturelle articulée autour de la notion de « famille » est loin d'être suffisante pour assurer la pérennité d'un peuple. L'expérience tragique de la diaspora québécoise en constitue une illustration « vivante » pour ainsi dire : « Une communauté culturelle peut-elle exister sans territoire politique que lui soit propre mais seulement avec une histoire et un espace[15] ? »

Bien qu'elles aient une grande valeur sentimentale, les « réunions de famille » regroupant les « enracinés » de la vallée du Saint-Laurent et les « itinérants » du Grand Continent ne peuvent, selon ces politologues, conduire qu'au « silence des salons funéraires » si elles n'arrivent pas à remplir les conditions politiques et sociales minimales pour se maintenir.

Là où l'analyse se complique, c'est quand on puise son inspiration dans les grands mythes étasuniens. S'appuyant sur le rejet du lourd héritage européen, sur le *Go West, Young Man*, ses fugues, sa sacralisation du « je », sa fuite et sa glorification du hobo, la route et l'errance deviennent alors le lien mythique et le dernier refuge d'une identité formulée en termes d'espoir et de projet :

> Avec la mise en place de la modernité, l'intrusion et l'extension du capitalisme, le développement de la civilisation industrielle, la route représente le refus d'obéir et d'obtempérer, elle accueille les déclassés et les marginaux pourchassés par les gendarmes du Capital qui a besoin d'une main-d'œuvre servile. La route symbolise le désordre, la rupture de ban. À mesure que l'Occident s'enlise dans la tranquillité marchande, s'enfonce dans les marasmes du calcul et du profit, la route éveille chez les illuminés et les poètes le désir de la vraie vie, de la chair et de la peau, de l'âme et des passions[16].

Pour le sociologue Marcel Rioux, ce rêve est de toute évidence totalement illusoire. Ainsi, le libéralisme économique exige la libre circulation d'abord des marchandises, ensuite des gens, de l'information et, finalement, de la culture. Ce processus de déterritorialisation – de libération de l'espace économique de toute contrainte – aboutit inévitablement au déracinement culturel : « Cette amorce de la libre circulation des individus, qui suit celle des marchandises, les arrache à leurs lieux traditionnels de vie et les oblige à se présenter "nus", dira Marx, comme individus isolés, sur le marché du travail[17]. »

En poursuivant une telle analyse, le sociologue de l'« identité québécoise » arrive à la même conclusion que l'anthropologue chicano Renato Rosaldo qui propose, pour sa part, une interprétation plus globalisante :

> À la fin des années cinquante, à l'école secondaire de Tucson [Arizona], nous, les Chicanos (car déjà, à l'époque, c'est ainsi que nous nous appellions), nous disions quelquefois pour plaisanter que nous étions des Canadiens français. Nous pensions probablement à notre langue et à notre patrimoine culturel distant mais distinct ; ou peut-être avions-nous à l'esprit le fait que, bien que nous soyons arrivés en second lieu, et non pas les premiers comme les Autochtones, nous avons buté de façon aussi désastreuse sur le déversement de la « destinée manifeste » du capitalisme et l'éthique du protestantisme[18].

Dire que la mobilité continentale des Canadiens français est le fruit d'une telle logique économique, c'est briser le rêve d'une certaine vision ethnogéographique, puisque c'est affirmer que les gens ne maîtrisent pas leur propre mobilité. À quoi sert alors de célébrer la liberté que procurent les grands espaces si cette liberté ne procède même pas d'un choix volontaire. Dans une telle optique, plutôt que d'être un fait de culture, la mobilité devient pour ainsi dire un processus de déculturation. Lorsqu'on analyse, par ailleurs, les témoignages de plusieurs « isolés de la diaspora », on ne manque pas de trouver bien des indicateurs venant légitimer une telle analyse. Ce qui frappe chez les francophones du Grand Continent, ainsi que chez les habitants des terres de colonisation au Québec, c'est l'absence de mémoire : le cimetière mal entretenu et la maison, à l'inverse trop bien astiquée, dépourvue de toute décoration et n'abritant aucun bien familial, et la nudité du terrain tout autour et les arbres coupés semblent être autant d'éléments symptomatiques d'une profonde amnésie historique. Lorsqu'on entre dans ces lieux, on n'y aperçoit que quelques rares photos de famille, un crucifix accroché au mur, un calendrier, et presque rien d'autre. C'est là un signe de grande indigence de l'esprit : aucun lien pour entretenir la mémoire n'existe ici, et la demeure a tout l'air d'être provisoire.

Cette dernière observation m'incite à conclure que les francophones ne maîtrisent pas l'espace continental. Plutôt que d'y imposer leur propre trame, une esthétique et un aménagement de l'espace intérieur et extérieur qui soient les leurs, un réseau bien structuré de « géo-symboles », ils sont plutôt projetés dans l'espace nord-américain. Ainsi sont-ils destinés à errer entre un lieu d'origine et un lieu d'arrivée presque invisibles parce que perçus et vécus comme presque illégitimes. C'est dans ce sens-là que l'errance est souvent douloureuse, et les Canadiens français de la diaspora vivent en « êtres inavoués », cachés sous leur propre présence (un peu comme les Palestiniens d'aujourd'hui ou les Juifs avant de reprendre Israël). Ce sentiment d'être une « race d'outsiders », voilà ce que Jack Kérouac décrit si bien ; et voilà aussi ce que tant d'autres écrivains franco-américains de la nouvelle génération cherchent à exprimer et à maîtriser. Trouver le pays d'origine, structurer le parcours, dompter le continent et, donc, surmonter la « solitude », la « malédiction » et le profond sentiment d'aliénation dérivant du fait qu'ils sont Canadiens français !

Tel est le projet profond d'une Amérique ayant banni de son rêve les Francos – cette strate géoculturelle intermédiaire, située à mi-chemin entre la préhistoire continentale qu'incarnent les Indiens et les Nations premières et les Wasps (White Anglo-Saxon Protestants) qui se sont tout approprié pour y fonder leurs États modernes. C'est pourquoi Kérouac cherchera si désespérément, vers la fin de ses jours, à Lowell (Massachusetts), des gens qui, comme lui, parlent français, s'expriment en « canayen ». Jamais on ne saisira mieux toute cette histoire qu'à travers la nouvelle littérature des Francos écrivant, cette fois en anglais – sans possibilité de faire référence, pour la plupart d'entre eux, à un archéo-français reposant quelque part dans le fond du cortex, comme chez Kérouac. Dans ce contexte, Clark Blaise (Blais) apparaît comme un chef de file des « confidences apocalyptiques » :

Avec bien des bières, dans un bar de Manchester (New Hampshire), et comme s'il me laissait un héritage, mon père me l'a raconté, un jour. L'un de mes oncles, celui qui était parti pour la Californie, avait pris la route facile du Nord, à travers l'Ontario et les Prairies, puis, les pistes des bûcherons de la côte Ouest, sans rater une seule *messe* en français, tout au long du chemin. Tous les États-Unis sont criblés de Canadiens (*French*), comme du fromage suisse[19].

L'écrivain David Plante raconte à peu près la même histoire, en d'autres termes :

J'ai été élevé dans deux pays.
Le pays extérieur, vaste, c'était les États-Unis.
J'appartenais à un autre pays, plus petit, à l'intérieur du plus grand : la paroisse canadienne, à Providence, Rhode Island, où je suis né.
La petite paroisse canadienne n'avait aucun droit aux États-Unis, qui détenaient vraiment des droits sur moi.
J'avais peur des États, et un jour, tout seul, j'ai déchiré le drapeau américain[20].

Et Clark Blaise, de nouveau, écrit cette profession de « sans foi et sans origine » (*no faith, no origin*) :

Ce qui est triste dans ma vie est que je suis un natif de nulle part. Je n'appartiens à aucun lieu, aucun peuple. Où se trouve Aucun-Lieu ? Ça doit être juste de l'autre côté de la frontière. La géographie est destin[21].

La géographie comme foi

Peut-on être plus clair ? *Geography is fate* : la géographie est destin, la géographie est foi ! Ce sont ces auteurs et ces livres qui font et défont, à travers leur témoignage, l'espace franco-Amérique, l'espace Québec et l'espace Amérique tout court. Tous les titres portent leur propre poids : *Tribal Justice*[22], *Whisper my Name*[23], *The Questing Beast*[24], *The Foreigner*[25], *Resident Alien*[26], *Continental Drift*[27]. Blaise, Hébert, Plante et tous les autres cherchent à donner un sens à leur errance sur le sol d'Amérique, à franchir les murs de la marginalité imposée et à trouver la patrie et la culture invisibles, dissimulées quelque part derrière les lacs et les forêts du nord de la Nouvelle-Angleterre. Mais la seule patrie perdue n'est pas un pays, la mémoire est défaillante, et les Canadiens français ne sont pas reconnus comme peuple authentiquement américain. Pourtant, c'est dans cette non-reconnaissance qu'ils sont en train d'incarner et d'exprimer, à la suite de Kérouac, cette Amérique véritable qui est la leur et celle de tous – mais sans pouvoir faire appel, pour la plupart, à une langue canadienne désormais perdue. Ainsi, au-delà de leur propre conscience et au-delà de la volonté du Québec, mais avec sa pleine participation, de toute évidence, une Nouvelle-Amérique est-elle en train de naître à laquelle ils donnent eux-mêmes forme, et dont ils assurent la mythique, le façonnement, presque à leur insu !

Kérouac cherchait à franchir les murs de sa prison, tant géographique que culturelle. En épousant sa nouvelle patrie – les « Zétats » – par la célébration de la Merrimack et de tous ceux qui viendront s'y établir (Canadiens français et autres), en transformant ses premières visions de l'enfance et en donnant voix aux héros anonymes de la « Grand-route du Dépassement », Kérouac aurait voulu amener son peuple avec lui dans sa mouvance.

> Sa vie durant, Jack a cru à la présence de pensées subconscientes, en français, le ramenant sans cesse aux « révélations du monde de l'enfance[28] ».

Mais ce n'était pas possible. L'Amérique n'était pas prête à accepter une telle lecture, tandis que sa propre mémoire à lui – Kérouac, fils de Canuck et petit-fils de la Rivière-du-Loup et du Saint-Laurent – pesait trop lourd pour briser une fois pour toutes son isolement collectif et son drame individuel. Et le « Grand Resouveneur », celui qui voulait parcourir l'Amérique à la recherche de son esprit et qui aura promené le Petit Canada de son enfance à l'échelle de tout un continent jusqu'aux Dharma Bums, sombrera dans le désespoir ultime, et voilà qu'il mourra d'une *overdose of French Canadianness*.

C'est cette fin tragique, la conscience de portager une culture invisible, sans patrie et sans territoire propre, culture niée par le système, affirmée fortement ou auto-niée, qui vient marquer l'œuvre de tant de Canadiens, étrangers en Nord-Amérique, de la romancière Gabrielle Roy au poète Patrice Desbiens. Et c'est ce constat d'échec qui amène, à leur tour, tant d'écrivains et d'intellectuels du « pays imprécis de Québec » à nier cette dimension fondamentale de l'espace référentiel collectif.

Se choisir

Les itinéraires personnels évoqués dans ce texte font ressortir bon nombre de tensions et de difficultés, tant humaines qu'intellectuelles, inhérentes à la lecture de l'expérience québécoise en terre d'Amérique. Tout en prenant acte de l'existence d'une culture canadienne-française ayant une identité et une territorialité propres, on est amené à constater la faiblesse relative de sa configuration, et ce au-delà des dichotomies tragiques et des déchirements douloureux qui marquent les discours.

Faiblesse s'expliquant par une mobilité procédant de forces économiques exogènes, dira-t-on, mais aussi enracinement géographique limité dans son absence même de limites et absence de reconnaissance en tant que collectivité authentiquement américaine : tout cela mis ensemble rend le groupe incapable de structurer de l'intérieur son histoire géographique. Dans ces circonstances, les analyses culturelles qui ont été faites ont fatalement tendance à confondre la parole des élites avec le vécu des gens. Voilà un problème de fond.

De plus, ces mêmes analyses refusent de tenir compte du fait – faute de savoir comment l'assumer et le dépasser – qu'il s'agit d'individus conquis par l'Amérique plutôt que de héros triomphants ayant conquis ce Nouveau Monde *always in the making*. Bien qu'on puisse se demander maintenant, en pensant à Kérouac, qui du Franco ou de l'Amérique a été conquis par l'autre, son œuvre étant le témoignage de cette double contradiction. Voilà une énigme fondamentale qui reste toujours devant l'horizon et qui ne cesse de surgir à mes yeux, après vingt ans de travail et d'interrogations, de Pont-Breaux à Île-à-la-Crosse et de la Grand'Terre à Maillardville.

Entre devenir l'objet de son propre intérêt, le sujet de ses désirs ou l'acteur du drame collectif tramant son destin, quelle possibilité demeure ? Les lois de la science nous incitent à trancher et à choisir notre voie. Mais nous sommes tout cela en même temps, le géographe, l'intellectuel et le citoyen, tous vivant en terre d'Amérique. Le défi est d'intégrer et de pondérer cette triple dimension à l'intérieur d'une seule démarche... car au dire de Gérard Étienne – écrivain haïtien installé depuis fort longtemps en Acadie – « l'oubli, c'est l'esclavage ».

É. W.
Paris, 1992

Notes

1. Naïm Kattan, *Le Devoir*, 28 octobre 1972.

2. Maintenant décédé et en passe de devenir l'un des maîtres à penser pour une double filiation, hexagonale et outre-mer.

3. Joël Bonnemaison, « Voyage autour du territoire », *L'Espace géographique*, n° 4, 1981, p. 249-262.

4. « *This is what I meant when I said so long ago that I would not be able to see precisely what another man saw as I sat beside him in the sunlight in his garden, looking at the rows of sweet potatoes, corn and other produce. For he could see in them, in the entire processes of growth, a mystery that was present to his senses every day, a vibration we feel and reach for but which may escape us, for there is no sure way of knowing it or tuning into it such that you can be certain it is under your control. Ultimately unknowable, there are thus many possibilities in approaching it...* » (Kenneth Read, *Return to the High Valley : Coming Full Circle*, Berkeley, University of California Press, 1986, p. 83-84 ; traduction libre.)

5. Je pense notamment ici à son récit dans le *outback* australien, *The Songlines* (Londres, Jonathan Cape, 1987), magnifiquement traduit sous le titre *Le Chant des pistes* (Paris, Grasset, 1988).

6. Gérard Bouchard, « Du social au biologique : genèse d'une collectivité humaine, du XVIIe au XXe siècle », *Interface*, vol. 10, n° 1, 1989, p. 11-16.

7. Pierre Anctil, « Avant la parole et le geste », *Vice Versa*, n° 17, 1986-1987, p. 6-7.

8. Robert Frank, *Les Américains*, Lausanne, Delpire, 1958 ; *The Americans*, préface de Jack Kérouac, New York, Grove Press, 1959.

9. Roland Barthes, *Mythologies*, Paris, Seuil, 1957, p. 231.

10. Contrairement à ce qu'on croit généralement, Davy Crockett, loin d'être un personnage typiquement anglo-américain, est d'origine française. Il est né David de Crocketagne, en 1786, au Tennessee, et se trouve être le petit-fils d'un immigrant huguenot français, Antoine de Crocketagne. Bref, c'est un Franco yanquisé qui se battra pour l'indépendance du Texas et mourra à la bataille de Fort Alamo, en 1836.

11. « *What amazed me most about your review... is the beautiful and elegant French tone that made it seem as though a very* aunt *of mine had reviewed the book. I felt humble... Because I cannot write my native language and have no native home any more, and am amazed by that horrible homelessness all French-Canadians abroad in America have – well, well, I was moved. Someday, Madame, I shall write a French-Canadian novel, with the setting in New England, in French.*

« *Isn't it true that French-Canadians everywhere tend to hide their real sources. They can do it because they* look *Anglo-Saxon, when the Jews, the Italians, the others cannot... I'll never hide it again...* » (Jack Kérouac, lettre à Yvonne Le Maître, le 8 septembre 1950, publiée dans *Le FAROG Forum*, Orono [Maine], mai-juin 1984, p. 15 ; traduction libre.)

12. Christian Morissonneau, *La terre promise : le mythe du Nord québécois*, Montréal, Huturbise HMH, 1978.

13. Jean Morisset, *L'Identité usurpée. 1. L'Amérique écartée*, Montréal, Nouvelle Optique, 1985.

14. Éric Waddel, « Cartographier l'Amérique française », *Neuve-France*, vol. 11, n° 3, 1986, p. 12-13.

15. Daniel Latouche, dans son compte rendu du *Continent perdu à l'archipel retrouvé : le Québec et l'Amérique française* (Québec, Presses de l'Université Laval, 1983) paru dans *Le Devoir*, 10 août 1983, p. 13. Voir aussi le compte rendu que Guy Laforest en a fait, dans *Anthropologie et sociétés*, vol. 12, n° 3, 1988, p. 213-214.

16. Jacques A. Mascotto, *Ciel variable*, n° 12, 1990, p. 9-11.

17. Marcel Rioux, *Le Devoir*, 12 mars 1982.

18. « *In the late 1950s at Tucson High School, we Chicanos (for even then that is what we called ourselves) sometimes jokingly said we were French Canadians. Probably we were thinking about our language and our distant but distinctive cultural heritage ; or perhaps we had in mind the fact that though we had come second, and not first, like the Native Americans, we had collided almost equally disastrously with the onrushing manifest destiny of capitalism and the Protestant ethic.* » (Renato Rosaldo, compte rendu du livre *Social Change and Psychological Perspectives*, dans *American Anthropologist*, n° 75, 1973, p. 1003 ; traduction libre.)

19. « *My father told it to me one day over beers in a bar in Manchester (New Hampshire) as though he were giving me an inheritance. One of my uncles, the one who'd gone to California, had taken the easy northern route across Ontario and the prairies, then down the west coast lumber trails, without missing a single French* messe *along the way. All America is riddled like Swiss cheese with pockets*

of French. » (Clark Blaise, *Tribal Justice*, New York, Doubleday, 1974, p. 89 ; traduction libre.)

20. « *I was brought up in two countries./ The outer country, vast, was America./ I belonged to another, a smaller one within the large : the French parish, in Providence, Rhode Island, into which I was born./ The small French parish had no rights in America, which really had rights over me./ I was frightened of America, and one day, all by myself, I tore up the American flag.* » (David Plante, *The Foreigner*, Londres, Chatto and Windus, 1984 ; traduction libre.)

21. « *[...] I'm a native of nowhere, I come from no place, no people. Where is Noplace ? It must be just over the border. Geography is fate.* » (Clark Blaise, « Latin Americans of the North », dans Dean Louder [dir.], *Le Québec et les francophones de la Nouvelle-Angleterre*, Québec, Presses de l'Université Laval, 1991, p. 228 ; traduction libre.)

22. Clark Blaise, ouvr. cité.

23. Ernest Hebert, *Whisper my Name,* New York, Viking Penguin, 1984.

24. Richard Hébert, *The Questing Beast*, Toronto, McClelland and Stewart, 1984.

25. David Plante, ouvr. cité.

26. Clark Blaise, *Resident Alien*, Markham, Penguin Books, 1986.

27. Russell Banks, *Continental Drift*, New York, Harper and Row, 1985. À propos de ce roman, voir l'analyse qu'en a faite Jean Morisset, « Entre hockey et vaudou : la grande dérive Haïti-Québec », *Haïti-Perspectives*, Montréal et Port-au-Prince, vol. 1, n° 2, juillet-août 1987, p. B9. Le texte a paru également dans *N'importe quelle route. Bulletin du Club Jack Kerouac,* Québec, vol. 2, n° 3, automne 1988, p. 15-18.

28. « *All Jack's life, he believed subconscious thoughts in the French language kept taking him back to "childhood revelations of the world".* » (Gerald Nicosia, *Memory Babe. A Critical Biography of Jack Kerouac*, New York, Grove Press, 1983, p. 325 ; traduction libre.)

Amérique franco… Amérique métisse

Caughnawaga-Kahnawaké
ou
le pèlerinage aux sources*

À Manufa et à MarySol

> Je l'avais abordé un peu rudement ; mais il commença
> bientôt à déployer son charme. [...] Il gesticulait en par-
> lant et ses gestes me surprirent de la part d'un Indien ;
> je pensais qu'il les avait peut-être empruntés à des Cana-
> diens français, et ils semblaient révéler l'homme habitué
> à parler en public.
>
> EDMUND WILSON,
> *Apologies to the Iroquois*[1]

En cette période préréférendaire, ressemblant plutôt à l'autopsie ambiguë d'une Nord-Amérique franco qui, au demeurant, n'en sait absolument rien, en cette période, dis-je, où les héritiers-explorateurs – maintenant assagis – de tout un continent se demandent comment faire naître un nouvel État sans remous ni aspérités, afin de ne pas offenser le maître accrédité du Nouveau Monde, quel moment idéal pour un pèlerinage aux sources !

Mais où sont donc passées, elles-mêmes, les sources de cette géographie ? Où s'est envolé le temps, où s'est réfugié le grand désir qui, à chaque retour de la débâcle et de la fonte des neiges, nous fit monter dans un canot pour franchir annuellement le saut glorieux du courant, sur le fleuve de l'Amérique ?

---

* Ce texte a été publié sous le titre « Sentiers indiens – Caughnawaga : aux sources du Canada français », dans *Vice Versa*, n° 49, juillet-septembre 1995, p. 22-24.

Tous les ans, comme mes ancêtres voyageurs de la grande tribu des Gens-Libres, je pars en dérouine vers les Pays-d'en-Haut pour déboucher en Russie, au Brésil, au Groenland ou chez les Kanaks. Mais non sans avoir auparavant déposé, en guise d'adieu, une gerbe de pousses à l'aisselle du Sault-Saint-Louis – dans ce pays, on a tenté de convertir et sanctifier jusqu'aux remous des rivières ; et surtout, non sans avoir offert un baiser à la gloire et aux bourgeons de Katéri morte en humeur de sainteté et en odeur d'altérité, c'est selon.

Comment savoir s'il s'agit d'une sainte ou d'une victime, d'une traîtresse à la patrie mouvante ou d'une maîtresse qui se refuse, ou tout cela à la fois ? La quête de l'identité, en pays de Canada, n'est pas une opération récente. Mais pourquoi savoir, d'ailleurs ? Le soleil éclate de clarté, repoussant la nuit de l'histoire et la mémoire passe par l'invite olfactive, aujourd'hui.

À chaque printemps, donc, au détour de la primevère, juste au moment de l'irruption des dents-de-lion sur les gazons et du commérage ravivé des carouges entre sureaux et pissenlits (toute cette botanique importée qui fait aujourd'hui si bien-de-chez-nous), c'est donc plus fort que moi, il faut que je parte en pèlerinage. À défaut des Saint-Jacques-de-Compostelle ou Nossa Señora de Copacabana, je dispose d'un haut lieu à portée d'âme et d'autoroute, sur ce chemin dépourvu de la moindre indication pour guider les pèlerins sans foi. Il s'agit de la mission Saint-François-Xavier de Caughnawaga (*founded in 1668, Quebec, Canada*) alias Shrine of Katéri Tékakwitha (Kahnawaké/Iroquoisia).

Katéri Tékakwitha ! Les avis paraissent partagés, au fait, quant au sens de l'érotisme anthropologique, géographique ou patrimonial qu'il faille attribuer à l'aventure Tékakwitha. Les missionnaires ont rapporté qu'elle s'infligeait les sévices les plus extrêmes pour tenter de neutraliser les désirs profonds et les élans consensuels qui ne manquaient pas de l'assaillir, menaçant même de la submerger. Elle se roulait dans les piquants des aubépiniers, se fouettait jusqu'au sang avec branchages de harts rouges et de kini-kiniks, se sanglait avec des chaînes de fer et, pour se reposer, marchait pieds nus dans la neige. Bref, elle avait bien des choses à se faire pardonner ou bien des pulsions à sublimer, semble-t-il, la Katéri.

Je suis loin d'être le premier à tomber amoureux de Katéri. Leonard Cohen y avait laissé quelques neurones, au point de lui avoir consacré, au milieu des années soixante, un roman, *Beautiful Losers*[2], où il avait à peu près prévu le scénario qui allait se dérouler au cours des décennies qui suivraient. Québec libre : *Latin America of the North* ; Québec en péril : *Louisianization* ou *Hawaiinization and the like*[3] – enfin, le scénario tel qu'il se déploie jusqu'à maintenant, à une exception près : Oka.

Oka – la crise d'Oka qui a balayé le Québec en 1990, et dont on n'a pas fini de cuver l'*aftermath*. En fait, la Nord-Amérique entière tente de digérer la crise d'Oka, avant ou après la lettre, depuis l'arrivée des Cartier, Cabot et des Pèlerins de la *Fleur de mai (Mayflower)* sur les rives orientales de la Grande-Isle. L'Isle-à-la-Tortue ou l'Isle-Tortue, comme le proclament plutôt les Iroquois.

Mais, quelle chance inouïe de pouvoir accomplir dans un même lieu, à une demi-heure à peine du Vieux-Montréal – et ce n'est pas là un hasard – un quintuple voyage ! Avoir troqué ses mocassins pour une paire de tennis « shoe-claques » et pouvoir se rendre d'un seul trait, à la fois chez les jésuites et chez les Mohawks, aux États-Unis d'Amérique et en Amérique britannique loyaliste, et enfin, au French Québec le plus authentique. Et tout cela, sous l'escorte attentive de chevaliers de la paix nommés précisément Peace Keepers, circulant dans des bagnoles chromées, rouge et blanc, venant reposer l'œil de l'omniprésente SQ (Sûreté du Québec) en bleu et blanc.

« *Hey, there ! Where the hell are you up to ?* (Hé là ! Yousse qu'vous allez, crisse ?)

– *Up to Heaven, in fact. We are pilgrims. Paying our annual visit to* Bienheureuse Kateri. (Directement au ciel, au fait. On est des pèlerins. Accomplissant notre visite annuelle au sanctuaire de la Bienheureuse.)

– Oh ! Man. Holy Shit ! Sorry, I mean, quite all right. You see the road there. You go straight and then, on your right. You're quite welcome. Bienne Venou ! (Wouah, wouah ! *Man.* Sainte-Merde. Excusez-moueh, c'est ben correct, j'veux dire. Vous voyez l'chemin, là. Tu vas tout drette, pis encore sur ta drette. Vous êtes bienvenus pas mal. *Well you come !*)

– Merci, hommes-de-la-paix. *We've never been so well received on the other side of the river.* (*Thanks, peace-makers.* Jamais on n'a été si bien r'çus d'l'aut' côté du fleuve.)

– *Well, tell it to everyone, brother. And you to, sister.* (Alors, répète-le à tous, mon frère.)

– *Oh yes ! Thanks. Super.* (Ouais-oui. Merci. Superbe.) »

Lorsqu'on s'adosse au fleuve, ou à ce qui en reste, le long de la voie maritime, pour adopter un angle de vision en diagonale entre le XVIIe et le XXe siècle, apparaît alors l'un des plux beaux joyaux architecturaux de l'Amérique coloniale. Le complexe (sanctuaire, église, musée) de la « sainte Sauvagesse de Caughnawaga », pour rester dans le style de l'époque, constitue l'un des mariages géographiques les plus distinctifs, à l'échelle boréale du continent. Pour en retrouver l'équivalent, il faut aller au Mexique.

Le vieux centre de Kahnawaké, face à Lachine (cet Extrême-Orient transposé à Montréal par les fantasmes des premiers explorateurs) et au lac Saint-Louis (de France, bien sûr, pour marquer, dans l'eau même du Nouveau Monde, le baptême aristocratique de l'Ancien Monde), revêt cette allure inimitablement « canadienne » où se laisse deviner un vieux parfum architectural métis. Au fait, n'est-ce pas exactement cela, le *French Québec* ? Un pays dans un peuple dans un pays dans une cartographie où tout a été masqué-superposé par couches successives d'architectures et de déforestations, de mises en agriculture et de mises en demeure de l'âme ? Si bien que l'évocation de l'aurore rappelle légendes et présences aussitôt effacées par le vent de l'histoire officielle !

Je relisais récemment quelques textes de Philippe Aubert de Gaspé écrites au siècle dernier où percolait de tous côtés, en arrière-plan, une certaine magie sauvage.

Quand on s'appelle Gaspé, on a du Micmac dans l'aile, c'est le moins qu'on puisse supputer. Eh bien, comme on le voit admirablement dans à peu près tous les tableaux de Cornelius Krieghoff, les rives du Saint-Laurent, tout au long de leurs échancrures et de leurs baies, de Bellechasse à Cacouna et partout ailleurs, sont parsemées de wigwams et de campements autochtones – et qui sont allés où exactement ?

Se promener à Caughnawaga-Kahnawaké, c'est donc retrouver une espèce de French Canada joyeusement frelaté et ayant été conservé malgré tout par la présence mohawk et la langue anglaise, beaucoup plus que dans bien des endroits de la banlieue sud franco. Sans trop de dépense d'imagination, on pourrait se croire dans le village de Beaumont, dans le comté de Bellechasse, ou bien à Kaskaskia, dans l'Illinois, ou alors n'importe où en Nord-Amérique franco-autochtone, avant que fussent épandus les engrais géométriques de l'architecture waspo-bungalow.

Ainsi, Caughnawaga a beau se présenter comme une réserve indienne, elle constitue l'un des villages « canadiens-français » les plus représentatifs qui soient. Rarement s'impose une telle évidence ! Sans trop le savoir et sans s'en soucier le moins du monde, d'ailleurs, ce sont les Mohawks qui ont conservé le patrimoine franco plus que les Francos eux-mêmes, dont les agglomérations circonvoisines, tel Châteauguay, s'apparentent beaucoup plus à la banlieue de Kansas City qu'aux villages du Saint-Laurent, en aval.

De plus, puisque la « réserve », en raison de son *statut particulier*, a réussi à échapper, en partie du moins, aux urbanistes et aux normes réductrices qui président aujourd'hui à l'organisation de l'espace, la communauté iroquoise du Sault-Saint-Louis constitue un lieu unique. Si bien que l'on trouve de tout à Caughnawaga-Kahnawaké, comme nulle part ailleurs : maisons canadiennes, bungalows, shacks, *mansions* nouvelle-angleterre, maisons-longues, racks-à-poutine ou stands-à-patates frites ; clubs de golf, aréna jeu-de-crosse, légion canadienne, bars, resto *rabasca* et, bientôt, peut-être, un casino. On y trouve également trois ou quatre bannières et autant de drapeaux et les rues refusent de se couper à angles droits, comme dans le reste de la Western Wasp-America.

Comment exprimer la chose à plus vaste échelle ? Plus que New York, Boston et toute autre conurbation de la côte atlantique, Montréal est la seule conurbation de l'Amérique « anglo » où l'on trouve, en l'an 2000, trois réserves inscrites dans l'axe même d'une histoire devenue géographique – celle du Saint-Laurent, bien sûr –, soit Akwesasné, Kanesataké et Kahnawaké. Ce n'est certes pas un hasard. C'est ici, à Montréal, que se trouve le talon d'Achille de l'Amérique, pour ne pas dire le talon de Kondiaronk et de son mocassin. C'est ici que s'est poursuivie la guerre coloniale, durant des siècles ; ici aussi qu'a été conclue la paix ; ici que s'est joué, plus que partout ailleurs, le destin de la Nord-Amérique.

Et c'est pourquoi Montréal est à la fois une ville franco, un carrefour autochtone et un lieu flottant au centre même et au-dessus de plusieurs Amériques par la grâce iroquoise.

Mais qui sont donc les Iroquois ? Qui ont-ils été et que sont-ils, présentement, ces gens et ces familles qui se nomment Del'Isle, BeauVais, LaHache, MonTour, ou encore McComber, GoodLeaf, Stacey, Jacob's ou Diabo (lequel nom ne vient ni de Diabolo ni du Diable, mais du français d'Ailleboust) ; tous ces gens qui cachent dans leur sac à malice un troisième nom pour les intimes ou leurs dieux : Ho-Wee-So-Kon, Dey-Ouen-Doque, etc. Si ce ne sont pas là des Canadiens français-écossais-autochtones de sang mêlé *limey* (c'est-à-dire britannique), avec additifs irlandais, abénaquis, algonquien sans oublier tous les autres qui sont passés dans ces parages, en étiage ou en saison des crues, plutôt que des Mohawks « pure laine », qu'on me le dise ! Qu'on me dise de quoi retourne la géographie des Alleghanys, des corridors appalachiens, des rivières qui les innervent et les transgressent, si ce n'est pas de tout cela.

Qu'advient-il alors de cette Confédération de nations dont se sont inspirés les pères fondateurs de l'Union étasunienne[4] et dont les noms ont migré avec les langues qui les ont désignées : Mohawks, Oneidas, Onondagas, Cayugas, Senecas, Tuscaroras, pour les Anglais ; Agniers, Onneiouts, Onontagués, Goyogouins, Tsonnontouans, Tuscarorens pour les Français ; sauf que les appellations en français seraient beaucoup plus près, phonétiquement, de l'iroquoien original, mais les principaux intéressés, emportés par la loyauté britannique et le melting-pot subséquent, l'ont complètement oublié. Mais qui donc se souvient de tout cela, sinon la terre elle-même ? Au moins le sait-elle, mais que peut donc raconter la terre sans passer à son tour par les rivières qui la trament ? Et que savent les rivières sans fréquenter mers douces ou salées, cours d'eau calmes ou furieux qui y conduisent, ou canots et rabaskas qui en reviennent ?

Et, dans la même veine, qui sont, au juste, les Iroquois sans Algonquins pour les mettre en relief, et sans Francos-Anglos pour les interpeller tous à travers le temps ?

Dès qu'on se prend à observer, en effet, sur une carte de la Nord-Amérique, le domaine algonquien d'origine, un empire gigantesque en émerge pour s'étendre des Carolines-Virginies jusqu'au Mississipi et au-delà, vers les contreforts de la toundra. Bref, un vaste océan territorial sur lequel naviguent une flotte de quelques rares vaisseaux nommés précisément « Iroquois ». À toutes les caravelles et aux vaisseaux de Colomb – la *Niña,* la *Pinta* et la *Santa María* – préexistaient, faut-il avoir à le préciser, une flotte de peuples et de nations circulant à travers océan continental et mers forestières !

Les Iroquois qui venaient de l'actuel Mexique flottaient, de fait, sur la mer territoriale algonquienne et constituaient des îlots minoritaires dont la survie reposait sur ce qu'il convient d'appeler l'art de *guériller*, d'une part, et l'art de griller leurs ennemis à petit feu, d'autre part, pour maintenir le bouillon bien chaud. Si l'on examine la répartition géographique des « tribus » iroquoises, à l'arrivée des Dos-Blancs, c'est-à-dire des *Gens de l'autre côté de la Grande-Eau,* on se rend vite compte qu'ils se situaient souvent sur des élévations montueuses plus hautes que les sites algonquiens. Les terres qu'ils fréquentaient se départageaient en un réseau de fleuves et de rivières qui ont noms le Saint-Laurent (le Katarakoué), l'Hudson (la Mohawk), le Richelieu (la rivière des Iroquois), la Susquehanna, etc. Entourés de tribus à l'intérieur desquelles ils avaient réussi à se frayer un chemin et un destin, les Iroquois affirmaient habiter le toit du monde, ou, si l'on préfère, le toit de la carapace, au faîte de la tortue géographique.

En parcourant Caughnawaga, on est amené à penser que si les Iroquois ont réussi à se maintenir sur le monticule de la survie, c'est en jouant constamment de leur position tampon. Provoquant constamment l'affrontement de leurs ennemis, ils en arrivaient à se ménager ainsi un espace intermédiaire. Qu'en est-il aujourd'hui ? La crise d'Oka est une application *ad hoc* d'une telle stratégie : opposer Francos et Anglos, pour maintenir à flots des îles risquant l'engloutissement permanent.

Sauf qu'il est un aspect du dédoublement identitaire qu'il ne faut pas cacher sous les sapinages et le riz sauvage ! En même temps, en effet, qu'il s'est imposé à l'univers entier, l'anglais est devenu, pratiquement, la langue de la Confédération iroquoise, et donc de l'identité autochtone en Nord-Amérique (et ce bien avant tous les restes d'Empire marouflant le tiers-monde, des Afriques aux Asies).

Mais « quelque chose » d'autre demeure, cependant, au voisinage de la double entrée marquée par la porte de l'est et la porte du nord : ce qu'on appelait jadis Canada et maintenant le Québec. Lequel est issu, faut-il le rappeler, de la bourgade d'Hochelaga et de la lointaine banlieue de Stadaconé, bien sûr, et, entre l'une et l'autre, du « chemin qui marche » (pour reprendre l'un des noms autochtones du Saint-Laurent) jusqu'au grand large de tous les grands larges !

Avec les réserves autochtones, Montréal (et son vaste hinterland) demeure, en Nord-Amérique, la seule véritable grande poche de « résistance linguistique interne » et, ainsi, constitue donc l'un des seuls espaces « autochtonisés » aux XVIIe-XIXe siècles, continuant de résister. Maintenant que la légitimité même de la résistance passe aussi par l'anglais

– depuis l'érotique de la spiritualité jusqu'aux rites de la maison-longue –, qu'en est-il de la promesse qu'est toujours venue incarner Montréal, entre New York, USA, la Grande Iroquoisie et ce fleuve anciennement nommé Katarakoui ?

Ainsi, un pèlerinage aux sources, un pèlerinage à Caughnawaga – à tous les Caughnawaga – s'impose-t-il de toute urgence, afin de sortir, paradoxalement, de toutes les réserves et neutraliser les prisons imposées par l'Empire, que certains en sont venus à considérer comme leur liberté. Liberté enfermée à multiples tours, avec la statue de la Liberté qui veille en arrière-plan.

Alors que les outardes et les oies blanches empruntent le double corridor Atlantique–Saint-Laurent pour rejoindre leurs aires saisonnières de pèlerinage et de nidification, qu'en est-il de nous tous, de la tribu des deux-pattes métissés ? Devant la géographie ailée qui continue à se maintenir en raison des grands flux migratoires de l'esprit, faisons donc une prière.

Pour retrouver enfin l'esprit de l'Eau, l'esprit du fleuve Saint-Laurent, c'est-à-dire de la Grande Rivière de Canada.

> J'ai fui ce pays jusqu'à sa source
> et je t'ai rencontrée triomphante
> entre les deux cuisses de ton tipi
> où je t'ai suivie jusqu'à la vie

J. M.
Montréal, 1995

Notes

1. Paru à New York en 1959, l'ouvrage du célèbre critique a été traduit en français sous le titre *Pardon aux Iroquois* (Paris, Union générale d'éditions, 1976).
2. Ce roman a été traduit en franco-français de France, sous le titre *Les Perdants magnifiques*. Bon, entre un *looser* et un perdant, on attend toujours un nouveau traducteur qui comprenne mieux la langue montréalaise, sinon le livre de Cohen continuera à ne pas être lu localement.
3. Je déteste ces parallèles réductionnistes d'emploi courant. La Louisiane et Hawaii valent bien le Québec et vice versa.

4. L'influence de la Confédération iroquoise sur l'union des treize colonies fut essentielle et est maintenant fort bien documentée. Voir, à cet effet, Donald A. Grinde Jr., *The Iroquois and the Founding of the American Nation*, San Francisco, Indian Historian Press, 1977 ; ou encore, Bruce E. Johansen, *The Forgotten Founders : Benjamin Franklin, the Iroquois and the Rationale for the American Revolution*, Boston/Ipswich, Gambit/Harvard Common Press, 1982. Mais on oublie souvent d'observer que, sur le billet vert yankee de 100 $, se trouve un motif représentant treize flèches liées par une gerbe dont l'origine est la suivante : prenez une seule flèche et elle se cassera, mais associez ensemble treize flèches et jamais elles ne se rompront. C'est sur ce conseil offert à Franklin que les treize colonies s'uniront, faisant ainsi des Iroquois les pères fondateurs putatifs de l'union et de la confédération intercoloniale.

Exploration identitaire
et géographie métisse*

Si la part maudite de notre cinéma, ce n'était pas, comme on l'a toujours cru, la chose politique, mais l'amour, la passion ?

GILLES CARLE[1]

Voyageur ! Voyageur impénitent ! Le bonheur est là ! Là où tu n'es pas Géographe !
Géographe impénitent ! La vérité est là ! Là devant toi de l'autre côté de la carte.

Adaptation d'un proverbe arabe

Et si, pour poursuivre la pensée du cinéaste Gilles Carle cité en exergue, la part encore plus refoulée de notre histoire n'était pas uniquement la retenue du désir et l'hésitation devant le grand large, mais la peur du métissage ! La fuite viscérale de l'entre-deux géographique qui a toujours été le nôtre ? Celui du Canadien errant : errant d'un pays à l'autre, d'une langue à l'autre, d'une âme à l'autre !

Comment répondre à ces questions ? J'ai déjà trop tenté de le faire sans y arriver. Et d'ailleurs, je m'apprête à partir en dérouine, pour employer une expression dont usaient les Métis des Prairies, au moment du départ pour la grande chasse au bison. Je m'apprête à appareiller vers la haute mer océane et la transgression géographique dans une double pérégrination, terre et houle, échappant à tous les instruments de navigation.

---
* Issu d'une communication présentée à l'Université Laval, à l'automne 1990, dans le cadre d'un séminaire portant sur le choix de la démarche géographique et de l'espace référentiel, ce texte a été remanié et a paru par la suite dans *Géographie et cultures*, n° 17, 1996, p. 123-141.

J'ai rangé tous mes agrès, renversé tous mes canots pour l'hivernement, afin d'entreprendre le grand périple utopique, celui dont on ne revient jamais sans passer par les sept métamorphoses : le grand voyage aux isles !

Le grand périple utopique
Le grand voyage aux isles

Je mets le cap sur ce pays étrange et inconnu appelé Histoire. Je mets le cap sur cette mer familière appelée naissance et qui se soustrait aussitôt à la vue dès qu'on semble sur le point de l'atteindre. Je pars pour le voyage dissimulé sous les portulans de la découverte officielle.

Il existe une terre flottante juste au large de Santiago du Chili, dans le Pacifique, que les Espagnols ont appelée *isla más afuera* (« isle d'un peu plus loin »), c'est là que je compte en premier faire relâche. Je sais très bien, cependant, que le jour où j'y poserai le pied, je n'y serai pas encore arrivé, puisqu'il me faudra toujours aller encore un peu plus loin – *um poco más afuera* – pour enfin l'aborder. Et ainsi de suite, jusqu'en terre de bonne espérance.

Jusqu'en terre de bonne espérance.
Jusqu'au pays d'avant la découverte

Aborder une terre, c'est chose relativement facile. Mais accoster lentement le long d'un phonème, courtiser un toponyme avant de s'y introduire, pénétrer le calme lagon des anticipations et lancer une amarre sur le quai mobile d'un iceberg, c'est bien autre chose.

Et si c'était exactement cela, la géographie : le pays où l'on n'arrive jamais.

Car si jamais on y arrivait, un jour, par hasard ou comme par inadvertance, ce ne serait alors que pour mieux en repartir. À la recherche de cette interrogation clapotant sur la mousse de l'aube, derrière le regard d'un morne, et le prénom qui se glisse à travers les paupières et les lèvres d'une lunette d'approche, là-bas dans le paysage *embruné* d'une révélation amoureuse !

Trêve d'abordage !
Trêve d'apontage !

Mais pourquoi donc avoir choisi la géographie ? m'a-t-on souvent demandé. Il doit bien exister quelque discipline plus rentable pour l'esprit et plus généreuse pour le gousset !

À bien y songer, non. Je ne crois pas qu'il existe voie plus féconde que la géographie. Et dire qu'on a tellement insisté pour me forcer à prendre un autre cap. « À moins de pencher du côté de la zoologie : vous êtes le candidat idéal pour la médecine. Évidemment, il y a dans votre profil psychologique une protubérance bizarre du côté des "lettres", mais ce serait courir tout droit à l'échec. Quant à cette folle envie de la musique et de la philosophie (la philosophie musicale, quoi !), il s'agit d'activités de type compensatoire, d'une déviance qui se normalisera au fil des années. » Voilà ce que m'avait diagnostiqué l'orienteur professionnel, à la fin de mes études classique. Bien sûr, je ne l'ai pas écouté.

Je passerai donc immédiatement aux aveux. Je suis en géographie parce que j'aime la peinture, la poésie et les cartographies. Et aussi les images et paysages qui continuent de résister comme ils le peuvent, refusant de se laisser enfermer dans les ornières et la perspective du stéréoscope judéo-chrétien ou autres télédétecteurs de la pensée correcte. Aux autres la science préétablie, l'industrie de la gestion, la quête de la structure, la séduction théorique, le contentement « épistémo » et la moralité analytique ; je suis, pour ma part, géographe, fier de l'être et le proclame hautement.

Je suis même géographe contre toute forme de géographie et je n'ai aucun complexe à me savoir dépourvu d'exégèses vérifiables quant à l'origine de l'âme, la destinée de l'univers ou la montée subite d'une émotion confuse devant l'hésitation blanche de l'aurore, par quarante degrés sous zéro, au fond du grand large boréal. À toutes les littératures, tous les traités et toutes les théologies je préfère le regard un peu timide d'une isle secrète, les œillades d'une vallée à demi décolletée ou la contemplation d'une carte abandonnée au coin d'un affleurement erratique. Le corps de la terre vaut bien l'univers de la pensée.

Certains n'ont d'yeux que pour les glissements sémantiques, j'aime tout autant les glissements de terrain. Certains n'adhèrent qu'aux certitudes des nomothètes, pour ma part, je préfère la sensualité géomorphologique, l'interrogation religieuse du pénil de la terre ou la contemplation de la mince pellicule métaphysique flottant sur le frémissement de l'aube, un matin de primevère, alors que le glaciel transpire de parfums bourgeonnants.

Voilà en ce qui concerne les aveux scientifiques. Passons maintenant aux véritables données biographiques.

« Dites-moi, en deux mots, monsieur, ce qui vous a orienté dans le choix de votre carrière ? »

Pourquoi devenir adepte d'une discipline – la géographie – qui s'est si souvent conçue elle-même comme subalterne ? Qui plus est, pourquoi avoir choisi de devenir géographe dans un pays qui n'a, au fond, jamais cessé de fuir sa propre géographie ? Une discipline où l'on se complaît volontiers à dessiner les cartes de visite des autres, à imposer les SIG[2] à deux ou quatre temps ou à mettre en œuvre gentiment les *networks* de ceux qui prétendent détenir le pouvoir ou penser l'histoire, à défaut de maîtriser les dieux ? Merci beaucoup, pas pour moi. Au chapitre des prévisions météorologiques, ce sont les isohyètes de la circulation mythologique et chamanique qui retiennent mon attention.

S'il faut tout de même tenter de répondre à la question, je crois que je suis devenu géographe à la fois par amour de la littérature et par refus de la tentation anthropologique. Et aussi au nom d'une ambition démesurée : celle d'aller au-delà de la science en empruntant les chemins détournés par la science elle-même. Si, donc, j'ai choisi la géographie par défaut, j'y suis demeuré par plaisir. Pur plaisir et *pura emoção*[3] !

Faut-il vraiment s'en expliquer ?

Si oui, je dirai que j'aimais tellement la littérature que je n'aurais pu souffrir un seul instant qu'elle me fût enseignée autrement que par la nature. Je n'aurais certes pu l'exprimer alors de façon aussi claire et aussi tranchée, mais il me semblait que l'un des meilleurs romans du patrimoine littéraire national s'appelait « grand nord » ou « bouclier précambrien ». Et un tel roman avait pour auteur un vieil esprit illuminé du nom de « rivière vermeille », « transgression glaciaire » ou « vieux Vieil-Indien », notre ancêtre à tous[4].

Je tenais absolument à interviewer un écrivain analphabète aussi inspiré.

C'est ce que j'aurai tenté de faire durant plus de cinq saisons et cinq années. À la fois comme matelot sur les brise-glace, *area survey officer* dans les Territoires du Nord-Ouest et assistant tout-terrain de l'empire déclinant, un peu partout. J'ai arpenté Baffin, Ellesmere, l'Athabaska-Mackenzie, le Youkon, l'Alaska et, un peu, le Nord-du-Québec ; je suis passé par le lac aux Deux Déversoirs, la rivière à Cent Sources, la passe du Ciel perdu, mais suis resté bloqué devant la Porte du Diable, même si j'ai emprunté plus d'une fois le portage du chenal de Minuit, comme se plaisaient à l'exprimer les *old timers*, appuyés au bastingage de l'éternité.

Je crois que j'aurais presque pu devenir géomorphologue, si ce n'était que derrière les glaciers, j'ai rencontré le glaciel et derrière le glaciel, la figure énigmatique d'une Athapaskane aux yeux verts qui m'a demandé, en ouvrant sa loge conique, ce que j'étais venu faire au grand large de la toundra. Cela se passait il y a vingt-cinq ans, et je viens tout juste de commencer à lui faire une réponse que je jure de terminer sous peu.

Suffit pour les confidences, même si elles conduisent au cœur du sujet que je veux aborder ici. J'ai toujours instinctivement ressenti à l'endroit de la science sociale une espèce de *love-hate feeling* dont je ne réussirai jamais à me départir entièrement. C'est pourquoi l'anthropologie a toujours eu à mes yeux un petit côté *self-folk* et « ethno-trémolo » qui me révulsait et me fascinait à la fois. J'appartenais à un peuple, à une histoire, à une géographie ayant si longtemps et si souvent servi d'objets anthropologiques aux forces de l'Empire, comment aurais-je pu me prêter à ce jeu, à mon tour ?

Se laisser transformer en anthropologue sous la baguette magique du christianisme, pour avoir enfin accès aux dédales de la pensée occidentale sur l'altérité maganée, me paraissait un détournement mental aussi facile qu'illusoire. Détournement à la fois personnel et collectif, et démarche, à vrai dire, régressive. Ce n'est pas parce qu'un Indien devient « indianologue » qu'il cesse d'être un Indien pour autant et perd les « vertus barbares » dont on l'a investi d'office, devrait-il consacrer deux doctorats aux mensurations anthropométriques de Lévi-Strauss et de Lévy-Bruhl et une thèse complémentaire aux tourments de la pensée domestiquée chez Jung et Freud !

Beau-Chasseur d'origine, j'étais fièrement issu de ce glorieux Canada systématiquement décrit, dans les *Annales de la Conquête,* comme rural, arriéré, obsolète, *back-ward,* prémoderne, et quoi encore ; bref, de ce Canada tout à fait à rebours de l'histoire, pour tous ceux qui s'en croyaient les dépositaires exclusifs. Je comptais donc assumer pleinement les restrictions et les *impedimenta* d'une telle carte d'identité pour mieux en incarner la résistance et la grandeur. Ainsi n'allais-je surtout pas faire semblant de venir de l'ailleurs pour imiter pâlement et béatement, à mon tour, des discours que toute la réalité métisse canadienne récusait d'elle-même, viscéralement.

Issu donc de ce pays dit de la « grande noirceur », qui débordait, par ailleurs, d'une aveuglante lumière, j'avais grandi dans un bâtiment à la proue ouverte sur toutes les mers du monde, tous les nordets et les suroûts, au côté d'un fleuve que capitaines au long cours et marins de la banquise parcouraient en chantant, en riant, en glapissant ou en s'envoyant une autre rasade dans le goulot, peu importe ! Et on voulait me faire accepter que cette histoire géographique procède *in toto* d'une implosion anthropologique appelée « grande noirceur ». Ah ! ça, non jamais ! *Nunca !*

Faut-il relire les pages qu'une Ellen Churchill Semple[5], géographe, consacrait aux habitants de la côté de Beaupré, au début du siècle, à son retour d'Amazonie ? En certaines circonstances, et par une sorte de déterminisme géographique inversé et pervers, avançait-elle, le nord et l'hiver pouvaient très bien engendrer des formes humaines tout autant récessives que celles dont on n'attribuait jusque-là l'exclusivité qu'aux seuls pays des suds torrides. Si le Tropique ramollit et ruine la pensée, le Nordique, quant à lui, la congèle et l'assèche. Si, donc, les *French Canadians* n'ont pas évolué durant des siècles, il faut en imputer la cause à l'hiver – l'hiver *typically French Canadian*, semble-t-il – qui a figé leurs cerveaux, les laissant dans une douce béatitude et une espèce de prospérité déficitaire dont ils paraissent se satisfaire, eux qui ne connaissent pas mieux !

Pour comprendre la lutte que les premiers sociologues et anthropologues du *Canada français* ont dû mener par rapport à eux-mêmes, il faut relire, par exemple, les pages que des géographes yankis, tels White et Foscue, ont produites, dans leurs manuels scolaires, sur ce *French Canada backward* et archaïque :

> Pendant longtemps, on a cru que ces gens-là n'étaient pas susceptibles de changement, que leur intégrité culturelle était aussi stoïque et granitique que celle des Mexicains. Mais nous savons maintenant qu'une fois détachés des influences de leur culture, ils n'éprouvent pas plus de difficulté à se fondre dans la culture anglo-américaine globale que tout élément qui n'y a pas accès de naissance[6].

Prouver à tout ce beau monde que circulait également dans ses veines le sang de Descartes, Malherbe, Louis XIV ou saint Louis lui-même, et partant, établir hors de tout doute que le dernier Sauvage malécite[7], rencontré sur la route du Canadien-pure-laine, était disparu non pas dans son sang, mais dans le dernier œsophage béothuk[8].

Tout mon travail de géographe, une fois la thèse terminée, aura justement consisté à tenter de débusquer cette parole perdue, jusque dans l'estomac de la Conquête, s'il le fallait. Car c'est à travers les lignes des centaines et des centaines de témoignages anglo-américains et franco-européens de militaires ou de gouverneurs et, surtout, de missionnaires – quels qu'ils fussent et quelle que fût leur teneur – que j'ai cru entrevoir ce que notre histoire écrite s'était efforcée si désespérément d'oblitérer. Quelle alternative restait-il ? Ou bien participer à la honte accréditée en cuvant une outre de « p'tit caribou[9] » de plus dans l'antre laurentien ou bien partir, larguer les amarres. Ainsi ai-je décidé d'aller voir du côté des Pays-d'en-Haut avec toute cette vieille fierté ancestrale qui avait poussé l'aïeul aux quatre coins du continent et un peu plus loin. Vers les Pays-d'en-Haut jusqu'aux terres australes, là-bas par en bas, bien entendu.

J'étais issu d'un milieu maritime dont les capitaines hauturiers à demi analphabètes avaient gagné, dès l'âge de seize, dix-huit ans – si ce n'était quatorze, tel un Joseph-Elzéard Bernier –, la mer de Chine, le Brésil ou la Tasmanie. Quelquefois même, ils s'étaient rendus plus loin encore, aux sources mêmes du Mississipi et de la mer de l'Ouest, un siècle avant tous les autres.

J'étais issu d'un pays plus grand que légende, et on voulait me faire ingurgiter une géographie imbibée de noirceur et couverte de sédiments curologiques – six pieds de neige en hiver, six pieds de bonnes sœurs en été, disaient alors de l'Université Laval les Américains qui s'y inscrivaient pour les cours d'été ! Je n'ai jamais cru au discours des sciences sociales sur le Québec (ou sur le pays de Canada, *for that matter*) et jamais n'y croirai. J'aimais trop la neige et l'odeur des sapinages. Et c'est pourquoi, comme beaucoup d'autres, « j'ai crissé l'camp ».

Je suis parti pour ne pas étouffer.
Je suis parti pour rester.

Pour rester fidèle au grand large ancestral, cet espace qui avait choisi la poitrine de la forêt et les cuisses d'un tipi plutôt que la vie recluse dans les châteaux forts de l'Empire. Je suis parti, comme tant d'autres, par fidélité à la mémoire de tous ces ancêtres corsaires et flibustiers, coureurs de bois, coureurs de mers et ravaudeurs de continents.

Même si j'avais voulu m'en défendre, j'appartenais de naissance et de privilège à l'une des grandes variétés d'*Homo silvaticus* ou d'*Homo sapinus* à moitié apprivoisé ou à moitié « déprivoisé » et qu'allaient bientôt étudier tous les anthropologues de l'« Occident chrétien ». Je n'allais certes pas le nier pour jouer aux universitaires contrits ou aux amants transis de la dissertation savante.

Je nous savais trop appartenir à cette espèce mouvante dont certains spécimens avaient suivi, s'ils ne les avaient précédés, Bougainville ou La Pérouse de la baie d'Hudson jusqu'aux isles d'Entrecasteaux, en passant par l'Eldorado, le Paraguay et l'Alaska. Quelque information supplémentaire apparaissait-elle nécessaire ? Jouissant de l'immunité géographique conférée par les archives du vent, il fallait vite apprendre à s'en servir.

Avais-je d'ailleurs vraiment le choix ? Je ne parvenais pas et jamais ne parviendrais à suivre les traces des Lionel Groulx, Luc Lacoursière et autres, qui voulaient tellement se convaincre que leurs artères phonétiques ne leur venaient pas des Hurons ou des Algonquins, mais de France. Et partant, que la meilleure façon de se démontrer qu'ils étaient vraiment blancs et scientifiques à part entière consistait à étudier plus sauvage que soi. Ce qui n'était pas là une raison pour ne pas les lire à distance, bien au contraire. Au travers de leur trajectoire, il fallait réussir à comprendre les affres d'une sociologie qui n'arrivait pas à s'avouer elle-même, encore moins à se révéler.

Qu'on les encense ou qu'on les honnisse du seul rejet que leur attitude mérite, tous ces gens sont aussi nos pères ; c'est là l'héritage dont nous disposons. Ils ont ressenti une telle aversion à l'endroit de leur accent – et, de ce fait, de leur pensée – que cet accent est devenu peu à peu la couleur de leur peau, physique ou mentale. Ils ont eu tellement honte de leur espace mental atavique qu'ils lui ont substitué une géographie subliminale fondée sur une pureté illusoire, incapables de flairer la moindre germination à travers les labourages d'une géographie métissée, celle dont à peu près tous les observateurs, de Thoreau à Parkman en passant par Petitot et Reclus, allaient si bien reconnaître la prégnance.

Il y eut cependant des exceptions dans tout ce décevant cortège. Arthur Buies, par exemple, au XIXe siècle, Marius Barbeau, au XXe, et quelques autres, dont Jacques Rousseau. Outre mes professeurs Louis-Edmond Hamelin et Henri Dorion – Hamelin pour sa persistance, entre autres choses, à faire émerger du froid et des cailloux le langage géographique qui n'existait pas ailleurs, en français ; Dorion pour sa superbe intelligence toponymique, musicale et géopolitique de voyageur invétéré –, c'est justement Jacques Rousseau qui aura été celui qui m'a le plus fortement influencé. J'eus la chance inouïe de l'avoir pour maître durant deux semestres. Auréolé de sa crinière blanche qui avait traversé le continent Nord-Québec, Rousseau avait écrit un long texte que je peux toujours retrouver de mémoire ou presque :

Coupe bio-géographique et profil ethno-biologique
de la péninsule Québec-Labrador :
contribution à l'étude de la zonation latitudinale
des milieux hémiarctiques[10].

Quand on considère un tel « essai » aujourd'hui, on se demande s'il ne s'agissait pas, au-delà de toute contribution scientifique, d'un long poème symphonique inavoué à la gloire d'un territoire jamais né entièrement.

Outre Jacques Rousseau, qu'une mort prématurée aura bêtement empêché de réaliser pleinement l'œuvre qu'il portait en lui, l'un des esprits qui aura le plus vivement appréhendé la géographie de ce pays est sans contredit l'écrivain et médecin Jacques Ferron.

L'auteur du *Ciel de Québec* apparaît, en effet, après coup, comme l'un des historiens et géographes sans titre les plus perceptifs que le Québec ait jamais produits. Dommage qu'il ait disparu trop vite, lui aussi, laissant derrière lui quelque chose d'irrémédiablement inachevé : une langue, une vision ou un rêve, je ne sais trop. Si le destin eût permis à Ferron de rencontrer une émule de Katéri Tékakwitha, Anacaona ou Sacajawéa, je me demande s'il ne serait peut-être pas encore là aujourd'hui. Mais cela est une autre histoire et une immixtion dans les affaires intérieures de la vie nationale privée !

Ce que je cherche à exprimer ici, c'est le cul-de-sac dans lequel se retrouvait au départ, pour aborder l'université, tout ressortissant de ce Canada multi-séculaire. Il lui fallait enlever ses bottes ou ses mocassins et laisser sa culture à la porte. C'est pourquoi certains d'entre nous ont senti d'instinct que jamais ils ne pourraient faire une thèse sur le Québec pour la bonne raison qu'ils étaient trop du Québec.

Le mensonge sociologique qu'il fallait implicitement soutenir et accréditer pour interroger le Québec était tel qu'ils y auraient laissé non seulement leur âme – une âme, ça peut toujours se refaire –, mais aussi leur peau. Demande-t-on au Sauvage de commencer par s'exécuter lui-même avec dévotion, afin d'ausculter ses propres auspices pour mieux devenir « sauvageologue » à Harvard ou à la Sorbonne et se mettre lui-même en laboratoire pour la galerie ? D'ailleurs, c'était beaucoup moins le Québec qui intéressait l'intelligentsia que sa transformation dans un langage savant, fût-il marxien, freudien, structuraliste ou groulxien !

Je rêvais, pour ma part, exactement de l'inverse. Retrouver le langage perdu de la terre et me mettre à l'écoute d'une Flora Tristan, d'un García Márquez ou d'un Pablo Neruda qui m'eussent parlé de ce pays-mien qu'on tentait de dissimuler à grands coups de subventions ! C'est alors que j'ai décidé de partir pour les Antilles.

En fait, c'est au cours d'une deuxième saison passée dans le Grand Nord – plus précisément au lac Nettiling, sur la terre de Baffin, région vers laquelle Franz Boas avait été tellement attiré, à la fin du XIXe siècle, sans avoir jamais pu entièrement la parcourir – que j'avais décidé de faire mes travaux de maîtrise dans la Caraïbe, les « West Indies[11] ». Je me souviens très bien, je pensais au « Bajan » – au Noir de la Barbade – que nous venions de rencontrer à la base militaire de Frobisher Bay[12] (c'était en 1964) ; deux ans sur la terre de Baffin, on était un peu loin du cocotier de l'enfance. Oui, je me souviens très bien, c'était à bord d'un vieil appareil Otter entre Frobisher Bay et Nettiling, devant un soleil couchant qui ne s'endormirait jamais – on était en plein mois de juin et en plein cercle arctique. Je tremblais d'émotion en regardant défiler une harde de caribous à contre-courant des reflets rouges qui couraient sur la neige, telles des aurores boréales horizontales sur la banquise en transe.

Ceux qui croyaient alors que le Grand Nord appartenait aux Esquimaux, aux caribous, aux ours polaires et à tous leurs « congénères » se trompaient royalement. Le Nord était en réalité l'espace opérationnel d'amiraux ou sous-amiraux retraités de la British Navy (qui s'étaient recyclés en hauts fonctionnaires ou en profs d'université au Dominion) ou du ministère de la Défense des États-Unis, et aussi le domaine de prédilection d'anthropologues inquiets pour leur salut, type africanistes britiches en phase de renouvellement. Je ne pouvais évidemment être ni des uns ni des autres.

D'ailleurs, j'avais trop aimé le Nord pour le transformer en thèse.

C'est comme matelot sur les brise-glace de la garde côtière que j'avais pour la première fois croisé des Esquimaux et je ne me sentais aucune obligation morale de les métamorphoser en thèse pour leur propre bénéfice ou le mien. Quant à tous ces chercheurs qui, après deux ou trois saisons, devenaient complètement *bushed* à force de voir s'échapper de leurs filets la bonne hypothèse ou de ne pas saisir les bons spécimens esquimaux dans leurs lignes de trappe, tous ces Kadlounas (désignation esquimaude pour les Blancs, en général ; signifie littéralement « les gros sourcils ») qui en arrivaient à lorgner d'un œil libidineux du côté des morses ou des phoques, ils me faisaient, l'avouerais-je, un peu peur. Rester alors dans l'Arctique, c'était se condamner à entrer dans le ghetto mental impérial et devenir intellectuellement *bushed* à une époque où toute fréquentation trop intime entre *chercheur* et *recherché*, qui eût pu neutraliser le « racisme bienveillant et quiet » qui avait cours, était strictement prohibée pour la sauvegarde de la science, le troc à l'alcool aussi bien que l'échange des âmes et des *angagoks* (chamans) échappant d'emblée à de telles restrictions.

Et puis, comment dire ? J'aimais tellement le rire esquimau. Aucun rapport de terrain n'en parlait vraiment. Le rire esquimau ! Comme un éboulis qui se met à chanter, un cône de déjection qui se met à danser ! *Le grand rire esquimau !* J'ai parfois le sentiment que les mangeurs-de-viande-crue savaient déjà instinctivement ce qui les attendait : partout, la tuberculose était un cadeau qui accompagnait l'apparition des Blancs, et bien d'autres petits présents de même acabit allaient suivre au cours des ans. Rien n'y pouvait faire, il était urgent d'aller théser ailleurs.

> Il se passe d'étranges choses
> sous le soleil de minuit
> avec les hommes qui moulent de l'or
> *[Mais la plus étrange de toutes*
> *est le prochain vol pour les Antilles[13] (J. M.)].*

Parcourir les Antilles au milieu des années soixante fut une véritable révélation, pour ne pas dire une révolution.

À la Martinique, à Antigue, à Saint-Christophe, Sainte-Lucie – ou dans les Grenadines, là où l'on construisait toujours des goélettes semblables à celles qui circulaient sur le fleuve de mon enfance –, de l'isle d'Orléans à l'isle aux Coudres et l'isle d'Anticosti, je découvrais soudain avec stupéfaction et fascination l'autre versant de l'histoire du Canada. Ainsi apparaissait peu à peu le chenal caché de la géographie franco-américaine nourrie de toutes les marées et de tous les flux sociologiques.

Nous n'étions donc pas les seuls à parler « créole » ! Nous n'étions donc pas les seuls à être exactement ce qu'il ne fallait pas être ! Il y avait aussi les Antillais ! Cette *différence* si difficilement assumée chez eux, comme elle ressemblait à la nôtre ! Sans oublier que, sous les grands acomas ou les frangipaniers de la Caraïbe, la beauté des filles valait bien tous les *magna cum laude* et les Ph.D. de la planète !

> Devrais-je comparer cette dame à ce paysage
> Une avec lui quand elle n'est pas en lui[14].

À me promener dans les hauteurs du Sud martiniquais ou sur l'épine dorsale de Carriacou, je n'arrivais pas à comprendre pourquoi il y avait en nous cette marbrure étrange et indéfinie qu'il avait fallu soustraire à tous les regards déjà depuis l'enfance – battre le chemin de l'hiver en mocassins et raquettes, marcher pieds nus dans le troisième rang de Saint-en-Arrière –, comme si nous portions une faute indélébile, une tache originelle. De quoi s'agissait-il, au juste, sinon de notre « couleur » ? *La couleur de notre accent,* en fait, qui semblait constituer une espèce de tatouage cérébral génétique contre lequel seuls la science ou le christianisme pouvaient servir de préservatif.

Je ne comprenais pas du tout, ou plutôt je commençais à comprendre trop bien.

Comment, cependant, s'avouer tout cela et ambitionner de réussir une thèse en même temps ? J'étais déchiré et le resterais longtemps. Entre la poésie du non-dit et l'obligation d'interpréter le paysage par les écoutilles de l'autre, n'y aurait-il aucune autre porte de sortie ? Mais, peu importait, je découvrais avec vertige et émotion que nous avions une histoire commune à partager avec les Antilles, une géographie propre à faire émerger bien des documents inédits de la nature.

On m'avait appris à rédiger des monographies, à enrouler quelque hypothèse sur le chariot des sciences humaines et à décortiquer des cohortes de statistiques velues, obèses ou rêches. Je me lançai plutôt, en 1965, dans la lecture de Joseph Zobel, puis de Gilbert Gratiant, Aimé Césaire, Dérek Walcott, Édouard Glissant, Nicolas Guillen, et d'autres encore. On m'avait appris à dessiner des cartes, je m'exécutai volontiers. Mais voilà que les éléments cartographiés se mirent bientôt à échapper au cadre prescrit et à me héler de l'autre côté des cases-jardins, m'invitant à venir prendre un *ti-punch* et m'entraînant alors vers de nouvelles avenues méthodologiques, le soir, dans la bananeraie. Béguine coupée ou bamboche salée ; hypothèse doudou ou démonstration quimboisée ! Il y avait plein d'histoires de rhum et de déhanchements rôdant derrière les mornes des textes accrédités.

Pour en savoir plus, je me plongeai illico dans les écrits de Frantz Fanon et me mis à parcourir les paysages de l'esprit qui avaient généré, chez Césaire, le *Cahier d'un retour au pays natal*. Mais une fois, cependant, prononcés les *adieux foulard, adieux madras*, une fois de retour au Saint-Laurent, en partance vers une autre destination, voilà que le mien pays natal ne me reconnut pas sur-le-champ et moi non plus. Enfin si, mais cette distance énorme entre les maisons, cette allure quelquefois puritaine du paysage ? En avait-il vraiment toujours été ainsi ? Ces champs tellement rectangulaires, ces pagées sans végétation aucune pour humecter le regard et chatouiller le désir, tous ces espaces séparés par des milles et des milles d'absence ! Comment pouvait-il en avoir toujours été ainsi au pays de *Neufve-France autochtone* ?

Au fond de cette baie dont les eaux ourlent le vieux peuple canadien, il y avait bien eu, durant plus d'un siècle et demi, un campement de Micmacs-Malécites avec lesquels nous nous étions mélangés à bouche que veux-tu. Mais personne n'en avait jamais parlé, à part quelque lueur crépusculaire, quelque « mouche à feu » aux reflets bientôt éteints d'une histoire orale contrôlée par des éteignoirs à soutane ? Quant à la « mouvance malécite » dont nous étions déjà imprégnés, quelqu'un avait eu un mot tellement facile à son endroit qu'il ne pouvait que rebondir sur les mystères de notre propre genèse identitaire : « Ces Sauvages n'étaient pas des Malécites, mais des *Mal-Icitte*, ils sont tous repartis vers où ils sont venus. » Ah bon, les Micmacs de l'Anse-à-la-Baie ou les Etchemins de la Grande-Batture étaient disparus par implosion au coin d'un bivouac et nous aussi, d'ailleurs !

Comment reconnaître les désirs et les rêves de nos ancêtres si les nôtres avaient subi le tocsin répété d'une conformité si lourdement imposée ? Comment arriver à déshabiller l'isle d'Orléans de toute sa biogéographie récente pour tenter de voir ce qu'il y avait dessous ? Les « sorciers de l'île » dont parlait mon enfance, qui étaient-ils au juste ? Des cousins germains autochtones devenus nous-mêmes ou des « zabitants » canaouaches (autochtones) hybrides terre-et-mer ?

Jamais je n'aurais compris le Québec sans les Antilles. La chose paraît d'une telle évidence maintenant, mais je n'aurais pu le prévoir. Au long de toutes ces années d'études[15], personne n'avait jamais esquissé une seule fois, ne serait-ce qu'évasivement, le moindre parallèle, n'avait suggéré la moindre relation entre le Canada-Québec et le reste de l'aventure américaine. Personne ! C'est pourquoi je répète cette assertion : *Jamais je n'aurai pu comprendre le Québec sans les Antilles !*

Qui plus est, jamais je n'aurais compris non plus pourquoi je ne comprenais pas. Et aussi pourquoi – et cela semble d'une telle évidence, après coup – l'essentiel de notre identité ne saurait être pleinement appréhendé sans passer par le reste du continent.

Mais comment transcrire, cependant, une histoire frappée d'une amnésie ontologique ayant touché la moindre des parcelles de l'utérus géographique ancestral : cayes de la Basse-Côte-Nord et barachois des tropiques. Pourquoi fallait-il absolument ghettoïser les régions de l'Amérique – pour parodier Kipling : « Le Nord est le nord et le Sud est le sud, et jamais ils ne se rencontreront » – sous peine d'encourir l'anathème des taxonomies méthodologiques en cours ?

Par le biais de leur monde colonial respectif (monde auquel nous appartenions tous sans en avoir pris conscience cependant[16]), j'allais, grâce aux Antilles, connaître simultanément la France et l'Angleterre mieux qu'aucun voyage en France et en Angleterre ne m'aurait alors permis de le faire. Et aussi, l'Espagne, la Hollande, les États-Unis tropicaux, et là-bas, tout là-bas au-delà, les Guyanes et le proche-lointain Brésil, qui allait devenir ma seconde patrie, une décennie et quelque plus tard. Bref, je me suis initié à la béguine, aux *steel bands*, à la *bossa nova*, et fus présenté au spectre du père Labat et ses moulins à sucre, dont j'allais d'ailleurs retrouver le pendant en la personne du père Petitot[17], l'année suivante, dans le Grand Nord-Ouest, du côté de l'Athabaska-Mackenzie, au voisinage du cercle arctique.

C'est d'ailleurs en parcourant quelques lignes à propos de Boukman, dans un bref historique sur Haïti, que le sens des gestes du héros métis Louis Riel m'avait alors sauté brusquement au visage. Jamais je n'oublierai le moment où je me suis rendu compte, en contemplant un jour la mer Caraïbe jusque dans ses replis mississipiens, combien Riel aura été l'un des premiers écrivains de mon pays à être évoqué en Haïti et célébré jusqu'à Rio, dès le XIXᵉ siècle[18.]

Quand je pense, cependant, qu'on nous forçait à ne choisir qu'un seul terrain. « Dis-moi, tu fais du Nord ou du Sud, de la Latino-Amérique ou des Esquimaux, il faudrait que tu te branches », insistait-on au moment de préciser la thématique régionale à laquelle nous devions nous astreindre comme étudiants. Je remercie l'étoile et les manitous qui m'auront permis de résister et ainsi parcourir alternativement la Nord-Amérique et la Sud-Amérique, dans les années soixante, sans avoir déjà à fixer mon choix[19]. Tout ce que j'aurai fait par la suite est venu de ces années passées à la fois dans l'Arctique et le Tropique et de l'interpénétration des deux. Tous mes rêves géographiques – et toutes les intuitions qui allaient s'y inscrire – sont nés à ce moment-là.

North is north and South is south
And they shall always meet[20].

Incapable de me dissocier de la dimension autochtone, je partis à la recherche de la toundra d'altitude et du Grand Nord interandin, et, après un passage au Mexique et au Guatemala, aurai vécu, par la suite, une année au Pérou. De tels choix dériveront, bien sûr, des expériences précédentes, ma thèse de doctorat sur l'Altiplano péruvien n'ayant été qu'un prétexte pour aboutir à un seul et même objectif : tenter de rattraper par la bande le Canada panaméricain ou l'Amérique canadienne (au sens québécois du mot), son histoire et sa géographie.

Pour me dédommager de tous les rapports et les thèses qu'il aura fallu déposer en cours de route, il me fallait viscéralement entreprendre un autre projet. C'est qu'il me restait quelque chose au fond du cœur, une dette à payer envers le Grand Nord : je n'avais pas tout dit de ce que j'avais vécu ; je n'avais pas raconté ce dont j'avais été le témoin au début des années soixante. Voilà pourquoi, muni d'un doctorat en « tropicologie » et des instruments d'analyse appropriés, je partis de nouveau pour le Grand Nord canadien et le Mackenzie, près d'une décennie après l'avoir quitté pour faire mes thèses.

À Couteau-Jaune (Yellowknife) et ailleurs, j'allais symptomatiquement trouver, à la fin des années soixante-dix, une situation politique qui n'avait pourtant jamais cessé d'être, pour le fondamental, semblable à celle qu'on pouvait observer ailleurs sur le continent. Des posters du Che Guevara et de la libération *latina* décoraient sur les murs des Fraternités indiennes du Grand Nord, alors que les images de Dan George, du Bœuf-Assis, de Faiseur-d'Enelos ou d'Esprit-Errant[21] allaient descendre, à leur tour, jusqu'au Brésil, quelques années plus tard.

Compte tenu des considérables imbroglios politiques que l'on devine, je me suis résolu à opter pour ce qu'on qualifiera alors de « détournement de mandat » afin de produire une antithèse[22]. C'est ainsi qu'est né mon premier livre, *Les chiens s'entre-dévorent. Indiens, Blancs et Métis dans le Grand Nord canadien*, ouvrage que toutes les maisons d'édition du Québec auxquelles il avait été soumis refuseront tour à tour et que le seul éditeur antillais installé à Montréal – un Haïtien, Hérard Jadotte – acceptera de faire publier avec un enthousiasme et une volonté que jamais je n'oublierai. La sortie de ce livre allait changer ma vie.

Je m'étais autorisé à écrire et à révéler désormais ce que j'avais au fond du cœur. Ce ne fut pas une mince affaire. Car, comme tous les écrivains du tiers-monde en exil d'eux-mêmes et retenus par ce quelque chose d'autre indéfinissable – la honte, l'amnésie –, il aura fallu que je me livre un combat acharné qui durera des années et qui est loin d'être terminé. Comme si écrire était un droit et un privilège qui ne m'appartenaient pas et ne m'appartiendraient jamais, parce que seuls les lettrés de naissance, dont je n'étais certes pas, pouvaient se permettre de le faire sans contestation aussi bien de l'intérieur que de l'extérieur. N'ayant guère eu ce courage, je suis toujours parti pour un nouveau voyage. C'est beaucoup plus tard, au Brésil, que j'entendrai le mot d'un écrivain argentin dont j'oublie le nom : « Pour tous les écrivains, le pire exil est de rester chez soi. »

Je crois que la raison la plus profonde, derrière chacun de ces départs, touchait l'écriture elle-même. Comme un marin qui doit aller chercher ailleurs, de l'autre côté de la mer, le souffle nécessaire pour revenir chez lui. Et ainsi de suite.

La plupart des écrivains francos que je connaissais écrivaient, à mon sens, avec un *accent*, et je ne voulais pas moi-même et ne pourrais jamais m'y résoudre. Et pourtant, qu'est-ce que je suis en train de faire présentement, sinon exactement la même chose ! Ce texte qui est en train de se laisser rédiger, à travers je ne sais quelle tête, ne peut être caractérisé, j'en suis convaincu, que de structurellement correct. Il n'y a que le « que de » un peu lourd qui me sauve, mais j'écris ici en français, je crois bien. J'écris ici en *français-écrit*, devrais-je plutôt dire, même si tout mon passé procède d'une mémoire orale et même si ma langue demeure en fait un créole qui se refuse ! Malgré toutes mes belles affirmations et mes augustes prétentions, j'ai perdu moi aussi mon accent d'origine et j'écris, je rédige ces lignes comme si j'étais un « écrivain blanc » à plein temps, alors que jamais, je le sais d'expérience, ma langue parlée ne donnerait une telle impression. Tous les Métis doivent faire face un jour au dilemme de l'écriture qui les trahit et les réhabilite à la fois ! Je frôle le vertige ici et suis presque tenté, comme tout « bon Canayen », de passer à l'anglais pour m'en sortir et fuir à l'autre bout du champ, ou alors de demander conseil à deux ou trois rasades de *cachaça*. Mais quiconque se soûle, y compris l'écrivain, revient vite à sa langue maternelle. Et si écrire, justement, pour tous les « minorisés » et les entre-deux de la translation, n'était pas la façon la mieux déguisée et la plus acceptée de se soûler, sans déroger aux règlements municipaux et autres *by-laws* du non-dit ?

Mais comment vraiment savoir et comprendre jusqu'au bout ? On écrit en puisant dans un quelque chose qui se sait sans se révéler complètement, à l'image d'une formule mathématique, en appliquant, donc, des règles que l'on connaît sans qu'elles nous connaissent pour autant et auxquelles on peut faire appel sans qu'elles nous représentent vraiment. Et alors, comment ne pas admettre, du même coup, qu'on devient peu à peu ce qu'on écrit ? Et qu'on se retrouve, un beau matin, entièrement acculturé, en fait, dans une langue qui s'appellerait le français et qui n'est pas tout à fait la sienne même si l'on n'en a pas vraiment d'autre à travers les autres que l'on possède. Ouf !

J'ai toujours senti une telle tricherie et une telle mascarade traverser l'univers littéraire canadien qu'écrire devenait pour moi une trahison. Je n'avais pas vraiment de langue. Je le répète, *je n'avais pas vraiment de langue,* mais j'avais une géographie. De cela, j'en suis sûr. Disons que j'avais une respiration, un fleuve, une tempête de neige. Et quoi encore ? Une piste dans les bois, une clairière de sapinages, une bétulaie sauvage, etc. Et si je n'avais pas de langue, *a fortiori* n'avais-je pas non plus de moralité dans ce pays où toute la question de la langue était affaire de religion, de dogme et de couleur de peau.

En fait, la langue qu'il me faudrait utiliser pour être publié devait relever d'une esthétique et d'une sensibilité que j'étais et serai toujours incapable de faire miennes à part entière. Ce n'était pas seulement une question de forme, mais aussi une question de substance. C'est pourquoi mes premiers textes, ceux où j'ai laissé parler librement ma conscience, ont été produits en anglais. C'est l'anglais qui a été ma véritable langue de libération – on se libère toujours de son enfance et de sa langue, ne serait-ce qu'en y revenant par le détour de la vie – que j'ai aussitôt neutralisé par l'espagnol et le portugais. Le français m'est venu ou m'est revenu beaucoup plus tard. Après les Antilles. Après toutes ces années dans le Grand Nord.

Quelquefois je me demande si la langue par laquelle on s'exprime et dont on se sert pour écrire ne nous arrive pas un jour par courrier. Peut-être même par courrier spécial, recommandé, pour s'assurer qu'on la reçoit bel et bien comme une contravention ou un impôt sur le revenu ontologique. Elle aurait pu se perdre en chemin, cette langue, et on aurait pu ne pas décacheter l'enveloppe. Mais comment ne pas le décrypter, une fois le pli entrouvert ?

À vrai dire, c'est là une impression bizarre, mais il me semble que je la connaissais déjà quelque part, cette langue, avant de l'avoir apprise. Je la savais déjà, en deçà et au-delà d'elle-même. Cependant, je ne sais ni où ni à quel moment je l'ai reçue, et encore moins quand je l'ai apprise. Sauf que j'étais ailleurs. Cela ne fait pas l'ombre d'un doute, car autrement, comment aurais-je jamais pu l'accueillir, si j'avais été déjà là ? On croit apprendre une langue et c'est elle qui nous apprend. Mais le français qui m'entoure (je suis en train de rédiger ce texte à Montréal) demeure frappé pour moi d'une sorte d'interdit qui m'empêche de le vivre jusqu'au bout. Voilà pourquoi tellement d'expressions viennent toujours cogner à ma porte en anglais ou en portugais (et quelque-fois en espagnol) ; il y a des plaques affectives dans ma mémoire linguistique qui n'ont jamais relevé et ne relève-ront jamais du français. Comme si je n'avais pas et n'aurai jamais le corps qu'on pourrait pleinement associer à la lan-gue française ! Et comme s'il y avait une censure qui jouait et se jouait de moi, de nous. Quand je pense qu'il existe des gens qui écrivent et parlent exactement la même langue. Est-ce possible au Nouveau Monde ? Je crois que non.

Mais derrière l'anglais et les autres langues, disons plu-tôt derrière le non-français, il y a autre chose que j'ai appe-lée le créole. Il s'agit du créole géographique. C'est comme si le rythme, la pulsion, le jouissif même du pays se trans-formaient en langage de poudrerie qui se mettait aussitôt à ballet-jazzer sur les bancs de neige pour aller rejoindre quel-que aurore boréale échevelée dans le ciel. Stridences atmos-phériques faisant jaillir de longues plaintes amoureuses. Oiseaux-tonnerre emportant tout le contenu d'une chasse-galerie, là-haut, tout là-bas, pour aller célébrer quelque noce dans le lit même de l'atmosphère. Tous les flocons de neige tombant sur ce pays comme la matière d'autant de romans d'amour et de mots stellaires, à travers lesquels les silences constituent autant de baisers ouatés ; mots étoilés qui s'envolent et se transforment pour irradier aux quatre coins de l'univers. Voilà ma langue sans doute : un hiver amoureux et chaud ayant convolé jusqu'au tropique, à tra-vers l'alliance des ouindigos avec les loas !

La langue de mon enfance est une langue de transgres-sion ; le pays de mon enfance est un pays d'éclatement ;

mais la langue écrite par cette langue et ce pays est une langue de coercition, une langue de « défense » que j'ai réussi à esquiver très jeune. Une langue ayant refusé sa géographie et qui ne s'en est jamais remise.

Je ne voudrais pas terminer ce retour en arrière sans mentionner un autre ouvrage publié sous le titre de *Ted Trindell : Métis Witness to the North*[23]. De toutes mes aventures, c'est l'une de celles que je préfère. Rédigé directement en anglais et publié à Vancouver, ce livre n'a jamais été distribué au Québec et on a fait de moi dans la présentation, sans me consulter, un anthropologue, alors que j'avais conçu ce livre comme une anti-anthropologie vivante et une anti-biographie. Je me souviens d'une recension, fort acerbe d'ailleurs, qui disait en substance : « Mais de quoi se mêlent ces *Frenchés from Kouebec* à venir biographier nos Indiens à nous ? » Évidemment, si les ancêtres de ces critiques outrés avaient été sur place, un siècle plus tôt, sans doute se seraient-ils écriés : « Mais comment ces *Franches bâtards from nowhere* ont-ils osé venir ici, avant nous, métisser "nos" Indiens à nous[24] ? »

De très loin, c'est Ted Trindell qui aura été mon grand professeur de géographie sur le terrain. Il est mort avant que paraisse le livre portant sur ses idées et sa vision du Canada, j'espère lui rendre pleine justice un de ces jours dans une nouvelle version de cet ouvrage, mais donnée en français cette fois.

Quelques dernières remarques, en guise de conclusion.

Les ressortissants de puissances déjà constituées par leur passé et leurs traditions écrites, ou qui se conçoivent comme telles, sont déjà mis en catégories conceptuelles par ces traditions. Leur pensée est à leurs yeux celle de l'Occident dans sa totalité ou, à tout le moins, crée un pont avec celle qui se dégage des écrits de leurs prédécesseurs. Mais qu'en est-il des ressortissants de tous les tiers-mondes et de toutes les géographies orales dont la trame s'est trouvée érodée par des langages imposés ? Nous avons, d'entrée de jeu, un tout autre défi à relever : inventer un discours à contre-courant à partir des géographies respectives et complémentaires dont nous sommes les dépositaires ambigus. Si nous ne réussissons pas à faire cela, nous n'aurons rien fait.

Voilà pourquoi les écrivains latinos (je pense à Eduardo Galeano, Carlos Fuentes, João Guimarães Rosa, à Darcy Ribeiro…) constituent en fait, comme ils l'ont eux-mêmes souvent affirmé, des historiens, des géographes ou des anthropologues déguisés en romanciers ou en poètes, tentant d'accomplir ainsi ce que l'histoire officielle a constamment laissé dans l'ombre.

C'est là, il va de soi, l'ambition élémentaire de tout géographe de cette terre errante appelée Amérique.

J'ai beaucoup écrit ces dernières années et mes manuscrits ont été soumis à de nombreuses maisons d'édition. Comme beaucoup d'autres, je n'ai pas échappé à une censure sévère, corrosive et tranchante, dans un pays qui, même s'il me fait mal de l'admettre, en est imbibé jusqu'à la moelle.

La censure est l'une des pires formes d'exclusion ou d'incarcération, parce qu'elle force les individus, à la longue, au *self*-assiégement. Et le Québec est devenu, sous cet aspect, l'un des pays les plus étouffants qui soient. J'en ai jusque-là de le dire ; il importe de dépasser cela au plus vite. Quiconque lutte contre son propre imaginaire est condamné à la strangulation et à l'asphyxie intellectuelles, au nom même d'une liberté qui n'est souvent rien d'autre qu'une forme de suicide déguisée en diplôme.

Personnellement, je suis déjà rendu ailleurs. *Un poco más lejos del afuera.* Mais avant de gagner l'aéroport, je voudrais terminer ce texte par un double hommage et une double confession.

Nous, géographes de cette Amérique incertaine au bilinguisme intra-utérin, avons une langue paternelle et une langue maternelle qui n'ont jamais trop su à quel sexe elles appartenaient. Nous parlons à la fois terre et mer ; à la fois muskègue et précambrien ; à la fois hiver en été et été en hiver.

Entre une oralité écrite et la calligraphie des rivières et des cailloux de la neige, tellement de choses restent à exprimer. Il faudra bien trouver une façon de le faire au cours des prochaines années.

Devrions-nous pour cela quitter la géographie afin de mieux demeurer géographes et pénétrer, par effraction, à travers le parcours des cartes du XVIe et du XVIIe siècle, jusqu'au cinq centième anniversaire de notre gestation ?

Nous formons, de fait, la première génération de géographes francos *made in America* et alphabétisés *on the premisses*. Si nous n'allons pas chercher nous-mêmes ce qui repose sous les dépôts sédimentaires du discours national officiel, personne d'autre ne le fera à notre place.

Nous avons entre les mains une merveilleuse discipline permettant de faire resurgir l'espace que le temps a oublié d'octroyer à tous les peuples photocomposés par d'autres.

À nous tous donc de la saisir à pleines voiles ! Et d'appareiller pour le Grand Océan de la mémoire par tous les courants du Fleuve géant.

J. M.

Notes

1. Gilles Carle, « Le risque du désir », *Lumières*, no 23, été 1990.

2. Sigle pour « système d'information géographique », une technique d'encadrement à références spatiales, mise au point aux États-Unis et proposant d'inscrire sur *grid* le monde entier et ses caractéristiques, pour son bien-être, celui de ses gestionnaires et de la Banque mondiale.

3. Pour employer l'expression qui revient si souvent dans la poésie de la Brésilienne *mineira* Adelia Prado : « Pourquoi écrivez-vous, madame ? – *Emocão. Pura emocão.* Par émotion, pure émotion. – Rien d'autre ? *Não...* Non. »

4. Dont j'ai parlé d'abondance à la première rencontre de l'Institut international de géopoétique, à Pau, à l'automne 1990. Voir aussi « Le vieux Vieil-Indien », *Le Devoir*, 7 janvier 1992.

5. Voir « The Influence of Geographic Environment on the Lower St. Lawrence », *Bulletin of the American Geographical Society*, vol. 36, no 8, 1904, p. 449-466.

6. Mots prononcés par Sir Kenneth Hare, à l'époque professeur de géographie à l'Université McGill, et rapportés par C. Langdon White et Edwin J.

Foscue, dans *Regional Geography of Anglo-America* (Englewood Cliffs, Prentice-Hall, 1960 [1943], p. 479 ; traduction libre), un manuel de géographie en usage dans les années cinquante et soixante.

7. Nom donné, selon certains, à ceux qui, parmi les Micmacs, étaient des Métis précolombiens, ou, si l'on préfère, pré-Jacques Cartier.

8. La dernière Béothuk est en fait décédée en 1829, à Terre-Neuve. Parmi plusieurs textes sur le sujet, on se rapportera à l'ouvrage que mon compatriote Bernard Assiniwi y a consacré, *La Saga des Béothuks,* Montréal et Paris, Leméac et Actes Sud, 1996.

9. Boisson faite de vin coupé avec de l'alcool.

10. De 1958 à 1960, Jacques Rousseau aura publié dans les *Cahiers des Dix,* à Montréal, certaines des études les plus emphatiques sur les Autochtones du Canada. S'avouant lui-même métis, né du Saint-Laurent et de la forêt, et ayant traversé à la fois le Québec et son histoire, Jacques Rousseau a produit, dans un style personnel de conteur scientifique, des essais aujourd'hui oubliés qui sont des bijoux d'information et de sensibilité géographiques. Pour ce qui est de Marius Barbeau, qu'on me permette de renvoyer à un texte paru récemment, « Kamalmouk ou le rêve de Marius Barbeau », *Voix et images,* vol. 21, n° 2, hiver 1996, p. 352-364.

11. Comme je n'avais ni subvention ni bourse, c'est un de mes professeurs qui accepta alors d'endosser un emprunt personnel à la banque pour aider « son premier étudiant » à entreprendre des travaux de terrain qui allaient le marquer pour la vie. Je lui en suis reconnaissant jusqu'à ce jour. Je ne crois pas lui avoir jamais avoué la chose, mais une fois acquittés les frais de transport, il me restait moins de 350 $ en poche. Avec une telle fortune, je visitai 16 îles et poursuivis plus de trois mois de terrain. Pour régler le nouvel emprunt que j'avais dû contracter au retour, j'acceptai un poste d'assistant – de *laboratory instructor*, en fait – à l'Université de Victoria, en Colombie-Britannique. Ce qui me permit de liquider ma dette et de faire, par la suite, un long séjour dans la vallée du Mackenzie – laquelle serait connue beaucoup plus tard sous le nom de Dènendéh – où j'allais faire plus de 2000 milles en canot et m'aboucher avec les derniers Métis qui avaient échappé à la répression du Nord-Ouest et l'exécution du leader Louis Riel, au XIXᵉ siècle.
Sans la Caraïbe et le Mackenzie, jamais je n'aurais entrevu ce qui s'était passé dans la vallée du Saint-Laurent et encore moins pu appréhender notre propre trajectoire géographique et sociologique.

12. Ville devenue depuis Iqalouite (Iqaluit) et la capitale du Nounavoute (Nunavut).

13. « *There are strange things done/under the midnight sun/by the men who mold for gold/*[But the strangest of them all/is the next flight for the West Indies. (J. M.)] » Ces vers, du barde du Youkon, Robert Service, sont tirés du célèbre poème dont le titre correspond aux deux premiers vers cités (*The Cremation of Sam McGee,* voir *The Spell of the Youkon and Other Verses,* New York, Dodd, Mead & Company, 1907).

14. « *Should I compare that lady to this landscape/Being one with it when she is not within it.* » (Extrait de Dérek Walcott, *In a Green Night,* Londres, Jonathan Cape, 1962.)

15. De Québec à Chicoutimi, j'avais été interne dans plusieurs pensionnats : géographie première où les élèves se retrouvaient rassemblés par lieux d'origine dans les dortoirs ou les salles d'études. Avec les scandales qui éclatent un peu partout, ces derniers temps, et avec, également, les abus de toutes sortes dont on accuse les institutions à l'endroit des Autochtones, dans l'Ouest et le Nord, l'histoire vécue de cette période, au Québec, reste dans l'ensemble à faire, et ce d'autant que le modèle adopté, en ce qui concerne tout au moins les congrégations catholiques établies en Amérique du Nord, de l'Abitibi au Montana, et de l'Acadie au Mackenzie, provient du Québec et de Montréal.

16. Voir, à ce sujet, Jean Morisset, « L'autre à travers le même ou l'Amérique française à l'encontre de la Franco-Amérique », *Écrits du Canada français,* n° 60, 1987, p. 87-98.

17. Émile Petitot, un missionnaire oblat, a écrit des milliers de pages sur le Canada du Nord-Ouest de la fin du XIXᵉ siècle.

18. Riel fut un écrivain et un leader métis qui aura connu l'assassinat politique tant on craignait qu'il fasse naître un nouveau Québec franco-autochtone entre les Prairies et les Rocheuses. Pour un aperçu, voir mon texte « Louis Riel : écrivain des Amériques », dans Mathias Carvalho, *Louis Riel. Poèmes américains,* Éditions Trois-Pistoles, 1997.

19. Un ami qui avait fait l'anthropologie à l'Université de Montréal me confiait un jour que le choix des « terrains », chez les étudiants, se rattachait en gros à une discrimination hiérarchique bien précise. « Ceux qui venaient des milieux aisés ou professionnels, m'expliquait-il, avaient tendance à opter pour la Grèce antique, Rome et l'archéologie classique, comme objet d'étude ; ensuite venaient l'Europe, l'Amérique latine et l'anthropologie physique, et, indifféremment, l'Afrique ou l'Asie, quelquefois, le choix était inversé. Finalement, à la fin, les derniers, qui n'avaient pas encore choisi et venaient de milieux défavorisés, se retrouvaient chez les Sauvages locaux. Et, à la toute fin, ceux qui étaient laissés pour compte héritaient des Esquimaux et du Grand Nord. » J'entends d'ici certains s'en défendre et me rétorquer : « Mais non, mais non. Regarde un tel ; considère une telle. »

20. « L'Ouest est l'ouest et l'Est est l'est/Et jamais ne se rencontreront », proposait le grand écrivain de l'Empire.

21. On dit généralement, en français et en France, Sitting Bull, Pound Maker, Wandering Spirit, etc., préférant conserver l'anglais pour faire plus authentique. Je ferai remarquer, cependant, que tous ces noms sont passés à l'anglais à partir du canadien ou du métis, les interprètes canadiens, bilingues ou trilingues, les ayant adaptés directement de la langue crise, assiniboine, etc. dans leur propre langue, le « canayen » !

22. Ou, si l'on préfère, une contre-thèse à ma thèse de doctorat intitulée *Puno : Geographical Perspectives on Integration in Southern Peru.* Il s'agissait d'un travail éminemment universitaire (soumis à l'Université de Liverpool, en 1975) ne contenant qu'une seule échappée, un chapitre portant sur l'ambivalence géographique. On m'a dit que ce travail avait été traduit de l'anglais à l'espagnol pour être déposé à l'Université technique de l'Altiplano, à Puno, à la fin des années soixante-dix, je crois. Mais je ne l'ai jamais vu, toutefois, le secteur de la bibliothèque où se trouvait le document ayant

brûlé, à ce qu'on m'a dit également. Ma thèse de doctorat demeure un document pratiquement muet sur les conditions vécues dans l'Altiplano et la conscience autochtone. Je m'étais juré que j'allais me reprendre et c'est ce que j'ai voulu faire en retournant dans le Nord-Ouest.

23. Vancouver, Pulp Press Publishers, 1986. Réalisé en collaboration avec Rose-Marie Pelletier.

24. J'ai abordé ce thème dans une longue lettre adressée au cinéaste et producteur Jacques Vallée (de l'Office national du film) sous le titre *La grande rivière métisse et la parole géographique*, Montréal, fin mai, début juin 1993, 20 p.

Le Canada comme instance autochtone
ou
*The inherent right to self-enlightment**

Dans la conjoncture politique et identitaire que traverse présentement le Canada, toute réflexion, fût-elle royale, portant sur la question autochtone débouche nécessairement et immédiatement sur la nature du Canada *in toto*. Plutôt que des propositions, ce sont donc des interrogations concernant l'histoire géopolitique de ce territoire d'Amérique – et son devenir – que je tenterai de formuler ici pour mieux cerner les questions de fond qui nous interpellent. Mais, auparavant, j'aimerais préciser quelques points.

J'avoue avoir quelque peu hésité avant de décider le type d'intervention qu'il serait le plus approprié de « déposer » devant cette Commission.

Nous traversons une période clé de notre histoire ainsi que de l'histoire des Amériques.

Le cinquième centenaire du Nouveau Monde – Nouveau Monde des Européens, évidemment – dont d'un vaste questionnement sur la nature de l'Amérique et le devenir américain dont le Canada ne pourra jamais être exclu, et ce malgré sa volonté réitérée de se définir, dans le passé, comme un pays du Commonwealth – ou, maintenant, comme pays de la francophonie – avant de se réclamer de l'Amérique. La dimension autochtone redonne au Canada et

---

* Texte remanié d'un mémoire présenté à la Commission royale [d'enquête] sur les peuples autochtones, le 10 avril 1992.

à son histoire la place qui lui revient dans le concert des nations américaines. C'est là un aspect qui m'apparaît essentiel, avant tout autre.

De la Terre de Feu à la terre de Baffin, l'année 1993 viendra marquer symboliquement, par ailleurs, tout l'inaperçu de l'« an II » et, donc, la célébration d'une Amérique autochtone dont le Canada se retrouve à la fois partie prenante et partie prise. Cela semble d'une évidence implacable.

L'époque où ce pays pouvait s'interroger en circuit fermé sur son héritage, sur son avenir ou même sur son éclatement est terminée, comme est révolu le temps où il pouvait prétendre exercer un contrôle exclusif sur son image internationale, sans consultation, si l'on peut dire, de son propre passé ou de sa propre réalité. Tous les pays d'Amérique et l'Occident entier savent fort bien que, derrière la façade d'un certain Canada officiel, s'est toujours caché un Canada canadien, c'est-à-dire autochtone et métis[1].

Des quatre grandes puissances coloniales – l'Espagne, le Portugal, la France, l'Angleterre – ayant participé à la formation du Nouveau Monde, seul l'empire colonial français n'aura pas réussi à faire naître un pays indépendant au XIXe siècle (à l'exception d'Haïti, bien sûr). Et, d'un tel empire colonial, seul le Canada, repris par l'Angleterre, apparaîtra, en fait, comme une « construction » franco-autochtone toujours en voie d'éclatement et de dépassement. Il est donc dans la logique des choses que ce soit ici même que se pose avec une soudaine acuité la double question du devenir politique autochtone et *franco* et de l'identité globale susceptible d'en ressortir en Amérique *anglo*, à l'aube de l'an 2000.

Le fondement aborigène et le ferment autochtone de ce pays le projettent d'abord et avant tout dans le concert des autres pays américains, et c'est pourquoi les résultats auxquels aboutiront les travaux de cette Commission revêtiront, à mon avis, un aspect international évident. Ce que fera ou ce que ne fera pas le Canada, ce que réussira ou ce que ne réussira pas le Canada, au cours des prochaines années, à partir des travaux et des recommandations de cette Commission, servira d'exemple – à imiter ou pas – à tous les autres pays du continent.

D'ailleurs, personne n'est vraiment dupe. Quiconque se rend dans une ambassade canadienne – et je l'ai fait souvent sciemment – se trouve, dans les salles d'attente ou les bureaux, devant une identité symbolique à trois volets qui s'affiche invariablement comme suit : 1) une sculpture inouk, une poupée ou un mocassin indien ; 2) une sculpture représentant presque toujours un habitant de l'isle d'Orléans ou de Saint-Jean-Port-Joli, et 3) une mosaïque ou une peinture du paysage pur des Rocheuses ou du Grand Nord, dépourvue habituellement de toute figuration humaine[2].

Bref, un pays à trois composantes : la géographie anglo, l'art autochtone et la figure franco, dimensions auxquelles on ajoute quelquefois la tour du Canadien national à Toronto, la place Ville-Marie à Montréal et un totem « blanchisé » de la côte Ouest. Moins comme éléments architecturaux, semble-t-il, que comme un appel au multiculturalisme géométrique d'un éternel pays à venir, face auquel il est permis de se demander si ceux qui en établissent l'image croient vraiment à son avènement. Sans doute, sans doute, mais…

D'ici huit ans, nous franchirons le cap du XXe siècle. Et la question de savoir si le Canada aura été la grande puissance qu'envisageait Wilfrid Laurier, pour ce siècle qui tire à sa fin, ne se posera plus que sous l'angle de son existence. Question essentiellement liée à sa dimension autochtone, ce que les prochaines années viendront révéler ou pas.

Ces remarques préliminaires esquissées, je sens bien que si j'ai été invité à m'exprimer devant vous, c'est en raison de mes antécédents universitaires et de mes travaux de recherche, mais tout cela m'apparaît un peu secondaire, dans le contexte que nous connaissons. Aussi m'en voudrais-je de ne pas tenter d'aller plus loin. Beaucoup plus loin.

Tout autant qu'universitaire je suis un « être de chair et d'os » doté d'un passé préscolaire, un individu issu d'un pays et d'un patrimoine, et porteur, forcément, d'un témoignage hérité de la géographie et émanant de la mémoire et de l'histoire. Une histoire orale, et non pas seulement une histoire écrite, la plupart du temps, par les administrateurs coloniaux et les gestionnaires impériaux. Qu'on me permette donc de faire ici appel à ces dimensions personnelles.

Au moment où je commençais à rédiger ces lignes, je suis passé par la maison paternelle, située à Bellechasse, en aval de Québec, face à Minigo, l'isle des Hurons du XVIe siècle et l'isle d'Orléans des Français, et j'y ai trouvé une vieille paire de mocassins – les « souliers d'beu » de mon père, pour employer une expression d'époque dont on a passablement honte au Québec, par les temps qui courent. Je ne sais qui a fabriqué ces mocassins ni quand ils ont été fabriqués, mais ils sont là, témoins imprescriptibles et pratiquement immarcessibles d'un non-dit contemporain qui pourtant en dit long !

Mon intervention ne saurait donc être autre que celle d'un Canadien né dans ce pays, plus précisément un *Canadien né de ce pays*, plus de cent cinquante ans avant la naissance des États-Unis d'Amérique et près de deux cent cinquante ans avant l'apparition de l'ensemble confédératif dont on s'apprête à célébrer le siècle et quart d'existence, en juillet prochain. Il y a là une dénégation et un détournement qui font sourire, à défaut de pousser à la révolte et à la dénonciation ; il y a là quelque chose de tellement faux et de fictif pour nous – un Canada de plus de quatre siècles réduit à un siècle et quelque ! – qu'il vaut mieux s'en amuser. Et cependant…

Que les choses soient bien claires au départ. Ma voix n'est pas que la mienne, mais l'expression d'un pays issu, aux XVIe, XVIIe et XVIIIe siècles, d'un grand métissage géographique et anthropologique, au point que toute origine européenne aura bientôt disparu dans le brouillard hivernal, durant des siècles, pour se voir réinventer très récemment, par le biais du projet d'une identité québécoise auquel je ne me rallie pas. Ce que je veux dire, c'est que *I'm not French and I don't speak French as a first language. I'm a "Canadien" and I was brought up speaking a language that used to be called* canadien, *a language that still exists into and through many native language across North America*[3]. («Je ne suis pas *French* et le *French* n'est pas ma langue première. Je suis un Canadien et j'ai été élevé dans une langue qui s'appelait le canadien ou le "canayen", une langue qui continue d'exister dans et à travers plus d'une langue autochtone, par toute la Nord-Amérique. ») Bien sûr, je parle également français maintenant, mon accent a été profondément modifié, mais mes racines sont exclusivement canadiennes, c'est-à-dire mâtinées.

De telles racines procèdent d'un brassage tellurique et autochtone que tout le projet politique contemporain du Canada et du Québec a voulu non seulement oublier, mais évacuer ou refouler. C'est pourquoi je ne me réclame ni de l'un ni de l'autre, je me réclame de quelque chose d'autre, quelque chose à venir – un pays enfoui dans le Canada-Québec auquel on a voulu régler son compte, de part et d'autre, pour le faire disparaître. Un pays dont seule la dimension autochtone peut permettre la réémergence.

Évidemment, quatre siècles de canadianité ne pèsent pas lourd contre des millénaires d'occupation territoriale autochtone, s'empressera-t-on de me faire savoir. Qu'il me soit donc permis d'ajouter ce qui suit.

En tant que ressortissant de ce que j'appellerai la vieille tribu des *Anciens Canadiens* dont le Québec contemporain a tenté de se dissimuler l'existence avec acharnement pour pouvoir entrer dans ce qu'on a appelé la modernité, j'appartiens, et je pèse bien mes mots, à un univers culturel et politique qui ne doit sa survie qu'à la présence autochtone. C'est en parcourant les pistes de ce pays et ces terres, à travers une, deux et quelquefois trois langues, en voyageant au Manitoba, en Acadie, à Terre-Neuve, dans les Territoires du Nord-Ouest, sur la terre de Baffin, etc., que j'ai constaté à quel point le peuple auquel j'appartiens était et demeure beaucoup moins « québécois » ou « français » (*French*, comme on dit en anglais) que métissé dès le départ, dans le fond autochtone pré-américain. Faut-il rappeler l'évidence ? Les mots et désignations Canada et Québec – de même que Canadien et Québécois, quelle que soit la façon dont on les écrit, avec un *k*, un *c* ou un « quois » –, sont d'origine franco-indienne et non saxonne ou celtique.

Je dirai qu'un substratum autochtone s'est vu peu à peu forcer de s'assimiler à l'anglais, non seulement à la langue, mais aussi à la pensée juridique et territoriale, tout comme il en fut des Canadiens, d'ailleurs. Ainsi que le disait un jour, en des termes non équivoques, un compatriote métis Dakota : *I may very well speak English, but it is not English that speaks through me.* (« Il se peut fort bien que je parle anglais, mais ce n'est pas l'anglais qui parle à travers moi. ») C'est à la recherche d'un pays nouveau, bien au-delà des débats en cours, que nous travaillons tous, n'est-ce pas ! James Joyce a poussé très loin la transformation de l'anglais à partir d'un fonds celtique évanescent, qu'en est-il de la pensée autochtone pré-américaine dans le cadre canadien ? Jusqu'où a-t-elle poussé ses racines dans le béton précontraint des bureaux administratifs de la capitale[4] ?

C'est pour me démarquer du jeu politique et identitaire Québec-Canada qui s'est tramé, ces dernières décennies, au détriment des Autochtones et des Canadiens que j'ai voulu apporter ces précisions à la fois d'ordre personnel et pluriel. Cela pour tenter désespérément de découvrir un nouveau *modus operandi*.

Il existe un dilemme qu'il serait tentant de passer sous silence. Toute l'organisation politique autochtone, et des francophones aussi bien, se trouve forcément copiée sur la structure fédérée, alors que ces derniers veulent précisément s'en affranchir.

Ce n'est pas chose facile, en effet, de tenter de définir, en nous servant du système administratif et gestionnaire qui nous a politiquement conditionnés, un nouveau système, une nouvelle structure politique susceptible de nous sortir de ce dilemme et de faire renaître une identité aborigène, laquelle subit un processus d'acculturation continu depuis l'arrivée des Européens. Comme tous les autres pays d'Amérique, le Canada ne se reconnaît pas de véritable identité métisse, mais cherche à intégrer dans des structures européennes, qu'on les appelle « républiques » ou « monarchies constitutionnelles », une dimension autochtone qui doit, au départ, accepter de s'acculturer politiquement et juridiquement pour être reconnue comme différente par la suite !

Avant de poursuivre, qu'on me permette une parenthèse pour exprimer un sentiment. La présente Commission se voit toujours forcée, par la nature même de ses termes, à constituer les Autochtones en objet d'enquête et on se demande à quoi tout cela peut bien rimer ? Pourquoi se sent-on toujours obligé, dans ce pays, de faire usage d'un vocabulaire et d'une pensée qui entérinent justement ce qu'on se propose d'altérer ? The Royal Commission on Aboriginal People – la Commission royale « sur » les peuples autochtones… – tout cela donne l'impression d'une opération chirurgicale, royale de surcroît !

Qualifier une commission de « royale » au moment même des célébrations du cinquième centenaire nous renvoie au début même de la conquête de ce continent, alors que les cours d'Espagne, du Portugal, de France et d'Angleterre se disputaient la priorité de l'éviction des Nations premières, au nom de leur « couronne » respective. Qu'on en soit toujours, en 1992, au même vocabulaire, en dit long sur l'esprit qui préside à nos travaux. Se vouloir démocrate au nom d'une « commission royale » faisant appel à une lointaine « proclamation royale » procède d'une contradiction que personne n'a le courage de faire éclater. Mais, il faudrait avoir au moins le courage de le « proclamer », sans prétendre que c'est là s'enfarger dans les fleurs du tapis – lui-même imposé, par ailleurs – alors que nous sommes confrontés à des problèmes si urgents, comme on finit toujours par dire en ce pays.

Il y a eu la commission Hawthorne-Tremblay, où l'appareil administratif et anthropologique « blanc » aura reçu les témoignages des Autochtones en tant qu'instance extérieure à son propre fonctionnement. Plus récemment, le rapport Penner se fondant sur le même jeu de miroir affirmait : « Ils veulent l'autonomie gouvernementale ou le *self-government*. » Mais le « ils » autochtone avait été maintenu en dehors de la commission, invité à jouer un rôle de témoin et tenu à l'écart de son propre devenir. Tandis qu'aujourd'hui cette Commission se compose de commissaires en majorité autochtones, mais incorpore l'appareil d'État.

La question qui se pose est alors la suivante, et elle évoque un éventuel changement de cap fondamental : s'agit-il d'une Commission royale sur les peuples autochtones ou d'une Commission autochtone – royale, la royauté de la terre et de l'être, peut-être – sur l'avenir du Canada, ou des deux à la fois ? Qu'en est-il au juste et qu'en sera-t-il ? Pour le moment, toutes les voies sont ouvertes, et ces réflexions s'inscrivent librement dans le royaume infini des possibilités, ce qui est assez exceptionnel. Bref, comment enquêter sur les Autochtones sans enquêter *ipso facto* sur la nature même de ce pays ?

Si elle s'en donne les moyens et le souffle, cette commission pourrait être l'une des plus importantes, sinon la plus importante, de l'histoire de ce pays, au-delà de la commission Laurendeau-Dunton des années soixante (Commission sur le bilinguisme et le biculturalisme qui avait créé, on s'en souviendra, des districts bilingues jusqu'à celui du Fort Smith, dans les Territoires du Nord-Ouest, en raison de la présence métisse). Or il s'est produit depuis une succession d'événements dont on n'avait guère soupçonné alors l'éventualité et l'ampleur. Il y a eu, et on ne manque jamais de le souligner, l'arrivée au pouvoir du Parti Québécois, en 1976. Il faut relever aussi, ce que le recul permet aujourd'hui, un autre fait d'importance comparable : le déroulement, dans la même période, des travaux de la commission Berger qui, de 1974 à 1977, aura littéralement amené le Nord et la question autochtone sur la table de l'identité pancanadienne et du renouveau constitutionnel.

Pour illustrer le parallélisme de ces mouvements, je ne citerai qu'un seul exemple, mais combien révélateur, celui d'un dépliant promotionnel dènè de la fin des années soixante-dix où il était affirmé : *The Dene are not talking separatism.* («Les Dénés ne parlent pas séparatisme.») Mais pourquoi une telle mise en garde et à qui donc s'adressait-elle ? Certainement pas au Québec. On sentait bien qu'un tel message, en prenant justement les mots du Québec pour s'en séparer, s'en dissocier plutôt, annonçait à la fois une crainte et un espoir : la crainte d'être assimilé au Québec et d'être soumis aux menaces qu'il semblait toujours faire planer sur le pauvre système confédératif et l'espoir cependant d'obtenir autant que ce Québec qu'on décriait. Mais tout cela, d'un point de vue québécois, se déroulait en vase clos. Il ne faut pas craindre de le souligner : ce Québec, sans cesse évoqué et mis au ban de la démocratie, n'arrivait pas à faire entendre, en retour, sa propre analyse et de la question autochtone et de la question anglo, si je peux dire, sur un plan global nord-américain. Il est plutôt ironique de constater, quelque quinze ans plus tard, que ce sont maintenant ceux que le Québec a appelés, à leur corps défendant, les francophones hors Québec qui se réfèrent à l'exemple mohawk et à la « crise d'Oka » pour trouver le moyen de forcer les gouvernements à prêter attention à leur voix.

Face à de tels faits qui exigeraient, j'en conviens, un examen plus approfondi, on se demande comment analystes et politiciens ont pu ignorer si souvent le synchronisme et la complémentarité de tous ces événements. Dès les années soixante-dix, la concordance des revendications et des affirmations apparaissait déjà garante du seul Canada possible : phase I du projet de la Baie-James, pipeline du Mackenzie, livre blanc de 1969, nouvelle politique des revendications, etc. Sans oublier, bien sûr, le référendum de 1980, le processus de rapatriement de la Constitution[5], la question du *What does Quebec want ?* que le Québec allait par la suite renvoyer à ses auteurs sous la forme d'un *What does Canada want ?* et enfin, et surtout, la ronde des conférences constitutionnelles chargées de clarifier et de définir la nature et la portée des droits autochtones. Ce qui est une façon détournée de dire *What do the Natives want ?* à supposer qu'on sache qui ils sont, en dehors de ce que la Loi sur les Indiens et ses révisions et modifications ont voulu qu'ils soient[6] !

Lorsqu'on évoque successivement tous ces faits, non seulement une persistante continuité est-elle mise en relief, mais une remarquable convergence en ressort. À savoir que la « question Québec » et la « question autochtone » ne se régleront pas séparément. D'ailleurs, quand on se prend à y réfléchir vraiment – et c'est là, on l'aura deviné, la trame argumentaire sous-jacente à cette présentation –, les deux dimensions ont-elles vraiment été séparées à travers l'histoire ?

Comment, en effet, un peuple aussi métissé, culturellement et autrement, que le peuple canadien devenu québécois, d'une part, et un peuple aussi « québéquoisement » ou, si l'on préfère, un peuple à la canadianité aussi métissée que celui qui englobe l'ensemble des nations premières, à l'est des Rocheuses et au-delà, d'autre part, pourraient-ils respectivement prétendre à une histoire entièrement irréductible[7] ? Cela ne tient tout simplement pas, et l'affaire Riel est là pour en témoigner.

Effectivement, les événements mentionnés ci-dessus et ceux de la fin du XIXe siècle semblent suivre une même tendance. La guerre imposée aux Métis et aux Cris, le processus des traités numérotés, la condamnation, la dispersion et la « mise en réserve » des Autochtones, puis la tombée soudaine, sur toute les Prairies et le Nord-Ouest, d'un *grand silence blanc*, telle une tempête de neige imprévue, tout cela annonce le quart de siècle que nous achevons de vivre.

Je crois inutile d'insister davantage. Le temps est venu de lever le voile sur une immense mystification.

Alors que, sur tous les plans, on s'efforçait constamment de dissocier la question autochtone de la question québécoise, l'évolution des événements ne cessait de les rapprocher, et ce depuis les débuts mêmes de l'histoire de ce pays.

Je voudrais ici insister de nouveau sur cette évidence : ce n'est pas à la France ni à l'Angleterre que nous devons, nous, Canadiens, d'avoir survécu sur cette terre, mais au sang autochtone qui coule et circule dans nos veines et qui a jeté les bases de toute notre culture au Nouveau Monde. Eu égard aux Autochtones qui habitent le territoire actuel de ce qu'on appelle le Canada, nous étions, au XVIIIe siècle, des minoritaires absolus. Le traité de Paris et la Proclamation royale de 1763 s'appliqueront aussi bien aux uns qu'aux autres, c'est-à-dire à la fois aux Sauvages[8] et aux Canadiens. Nous avons tous été conquis par une même guerre – la guerre de Sept Ans – selon la désignation employée par les Français de France et quelques autres. Je préfère, quant à moi, l'expression yanquie *French and Indian Wars*, elle est beaucoup plus juste.

Dans tout ce contexte, il apparaît tout à fait indiqué de rapporter ici les propos conclusifs de la commission Berger, ne serait-ce que parce qu'ils anticipaient déjà, en 1977, l'évolution des faits qu'on allait connaître par la suite :

> Les Blancs et les Autochtones savent bien [que le fond du problème est de savoir] si l'on suivra le modèle historique de l'Ouest ou si l'on trouvera un compromis pour intégrer l'idée d'autodétermination des Autochtones.
>
> La question du statut spécial des Autochtones au Canada et de la forme à lui donner constitue un élément du problème, et la tentative d'arriver à un compromis entre les anglophones et les francophones du Canada en constitue l'autre élément. Les deux questions sont d'une importance vitale, mais différemment. Les revendications autochtones n'ont pas le même fondement que celles de ces groupes linguistiques. En fait, les Autochtones défendent leurs intérêts face à l'empiétement d'une société dominante, anglophone et francophone, *dont les caractéristiques demeurent les mêmes* [c'est moi qui souligne]. À leurs yeux, leur histoire ne fait pas partie d'un livre dont le dernier chapitre est déjà terminé. Ils croient plutôt que ce chapitre reste à écrire et que personne n'en connaît les éléments.

Que le Canada dit français et le Canada dit anglais présentent les mêmes caractéristiques par rapport au passé et au devenir autochtones, d'une part, et que les fondements politiques – politiques, je dis bien – des droits autochtones soient différents de ceux du Québec, il est difficile de partager une telle vision des choses. Si le Québec a des droits, les Autochtones en ont aussi, et on voit mal pourquoi on privilégierait les uns aux dépens des autres.

On trouve, cependant, dans la conclusion synthèse proposée par Thomas Berger, un programme et un dessein qu'à peu près personne n'a eu le courage et la grandeur de porter jusqu'ici à son ultime logique. Si la présente Commission s'en abstient et ne se donne pas, au départ, un tel défi, personne d'autre ne pourra le faire à sa place. Et j'ai bien peur, alors, qu'on aura à jamais raté quelque chose, *l'idée même et le projet de Canada*, latent depuis quatre siècles (et depuis Champlain) au nord de la Nouvelle-Espagne et de la Nouvelle-Angleterre[9].

C'est pourquoi – on a le droit de rêver, n'est-ce pas – j'ose entrevoir un dépassement à la fois de la commission Laurendeau-Dunton et de la commission Berger. De deux choses l'une : ou bien cette Commission *royale*, en raison de forces qui échapperont à son contrôle, sonnera le glas de ce pays, ou bien elle instaurera son nécessaire recommencement, pour ne pas dire son *véritable avènement*.

Quoi qu'il en soit, les choses ne seront plus jamais comme avant, et cette Commission vient annoncer, par son objectif même qui est celui de proposer l'établissement d'un tiers état autochtone, la pleine entrée du Canada dans l'hémisphère américain. Ce que, avouons-le sans réserve, il a toujours refusé de faire jusqu'à maintenant[10].

Dans un autre ordre d'idée, il est un aspect du discours accrédité portant sur la réalité canadienne qu'il apparaît nécessaire de tirer au clair, soit l'idée de deux nations fondatrices ou *two founding people*, comme on dit en anglais.

On a répété à satiété, ces dernières années, que la rhétorique selon laquelle se trouvaient, derrière l'idée de confédération, deux peuples fondateurs – les Anglais et les Français – vole en éclats dès qu'on fait intervenir la présence autochtone. Il semble, en fait, que d'autres raisons remettent en question une telle lecture.

Dès qu'on laisse parler, en effet, les mots – et je rejoins en cela les historiens anglophones traditionnels, tels Donald Creighton et d'autres –, il n'y a jamais eu de peuples fondateurs pour la bonne raison qu'il n'y a jamais eu de pacte confédératif comme tel, mais un acte du Parlement britannique, un acte promulguant, de Londres, l'amalgame de gouvernements coloniaux moins pour créer un pays que pour régler des problèmes administratifs, et c'est pour cela que sa facture se révèle aussi uniformément terne et sans relief. Il n'existe pas, jusqu'à ce jour, de BNA Pact (British North American Pact) conçu et mis au point ici en Amérique, mais un simple acte administratif euro-péen – le British North America Act (l'Acte de l'Amérique du Nord britannique [AANB]). Et, pour illustrer à quel point une telle loi est dépourvue de toute transcendance et du moindre dessein fondateur, le débat qui suivit son adoption, parmi les députés de la Chambre des commu-nes, à Londres, aura porté, paraît-il, sur la circulation des chiens dans la *City* !

Bref, il n'y a jamais eu de peuples fondateurs qui se soient assis à une même table afin de rêver et de réaliser l'idée d'un pays commun, pour la simple raison qu'il n'y a pas deux peu-ples. Le fait est qu'il n'y a pas de peuple anglais, mais seuls des Canadiens et des Indiens, comme peuple et nations, et ce n'est surtout pas eux qu'on a invités à faire cause commune, puisque l'AANB vise à les assimiler. Ce qui fait qu'il n'y a pas plus de Francos que d'Autochtones, en 1867, susceptibles de célébrer une confédération que la plupart voient comme une chose imposée. Ainsi l'AANB aura-t-il été pour les Canadiens, c'est-à-dire les Québécois, ce que l'Indian Act sera pour les Autochtones, un document paraphé par des « Blancs », avec l'appui interne, bien sûr, de quelques représentants colo-niaux, collaborateurs qui espèrent monter en grade et dont on vise l'intégration.

En somme, l'idée de deux peuples fondateurs, sur laquelle on insiste tellement, est apparue après coup. Il s'agit d'une interprétation post-confédérative en vue de favoriser le pays qu'on aura refusé de créer. Si l'on avait caressé, au XIXe siècle, le moindre projet d'un Canada bina-tional s'appuyant sur un substratum autochtone, il est pro-bable qu'on se serait empressé d'accueillir à bras ouverts Riel et les huit autres chefs autochtones exécutés au lieu de les envoyer se balancer symboliquement au bout d'une corde et de consacrer jusqu'à ce jour leur assassinat politi-que. Tout cela est d'autant plus dérisoire que les héritiers de tous ceux qui ont envoyé Riel à l'échafaud s'en font mainte-nant les fils spirituels pour exiger un nouveau Canada contre le pouvoir centralisateur de l'Ontario et du Québec !

Rappeler ces faits, c'est peut-être entretenir l'espoir qu'ils seront assumés et dépassés à travers la leçon qu'ils dictent pour le moment présent. Si l'on n'essaie pas d'aller chercher cet autre pays enfoui depuis toujours dans cet ensemble en gestation appelé à la fois Amérique du Nord britannique et Canada, si ce pays n'est pas prêt à naître, aussi bien qu'il éclate.

« Si la notion d'*autonomie gouvernementale* n'est pas vide de sens, déclarait pertinemment le juge Brian Dickson, les perspectives autochtones sont absolument essentielles à toute redéfinition de la relation entre les communautés autochtones et l'ensemble du corpus politique canadien[11]. » Dès qu'on réfléchit à ces propos, une constatation s'impose avec force. Toute réflexion portant sur la question autochtone, et je me demande pourquoi on hésite toujours à formuler la chose en ces termes, concerne essentiellement la redéfinition politique et géographique du Canada.

C'est pourquoi ce n'est peut-être pas tellement l'état de la recherche et des travaux sur la question autochtone qu'il importe d'examiner selon une perspective autochtone que l'*état du Canada* lui-même, sinon l'*état de Canada*. Mais comment le faire sans formuler quelques questions fondamentales qui vont tellement de soi qu'on oublie de les poser.

Qu'est-ce que le Canada et d'où vient le Canada ?

Pourquoi, et il faut insister sur ce point, ce pays porte-t-il un nom autochtone francisé – Canada[12] – repris par l'Angleterre et, ensuite, par le Dominion, qui aura d'ailleurs passablement hésité à le conserver ? En 1867, en effet, l'idée circulait que l'ensemble territorial en passe d'être créé par l'ANNB ne devait surtout pas conserver la vieille désignation *franco-native* de Canada, mais s'appeler plutôt Boréalie pour faire pendant à l'Australie, à l'autre extrême de l'Empire, ou encore Nouvelle-Britanie, etc. Si l'on a décidé, malgré tout, de conserver et d'usurper le nom « Canada », il doit bien y avoir une raison à cela.

Pourquoi donc entend-on continuer à porter le nom de Canada ? Qui est vraiment autorisé à porter ce nom au regard du droit international ? On ne prend pas impunément le nom d'un pays qui existait deux siècles avant son appropriation sans être tenu, à son endroit, à certaines obligations !

Je reviens donc à ma question du début. Qu'est-ce que le Canada par rapport aux autres pays de l'hémisphère américain et qu'entend-il être au juste ?

Pourquoi, par ailleurs, y a-t-il des provinces ? Quelle est l'origine des provinces ?

Il n'y avait, ce me semble, aucune province au moment de la Conquête. Et ce ne sont évidemment pas les « provinces » qui se sont créées elles-mêmes. Pourquoi y aura-t-il également, par la suite, et en amont des provinces, des Territoires, et d'où viennent ces derniers ? C'est à se demander s'il n'y pas eu quelquefois, dans ce pays, des migrations imposées tout autant au territoire qu'aux populations autochtones qui le parcouraient !

Pourquoi existe-t-il toujours, en 1992, des Territoires du Nord-Ouest orientés, en bonne partie, vers le nord-est ? Est-ce là une des nombreuses anomalies fondatrices d'un pays en éternelle quête d'identité ou cela cache-t-il autre chose ?

Je répète la question : d'où viennent donc les provinces ? Et quel but poursuivait l'esprit ayant présidé à la structuration de la terre autochtone ? L'exégète Northrop Frye, québécois d'origine, ne pouvait s'empêcher de voir dans la structure foncière pancanadienne, le *township,* une arrogance géographique absolue, inhérente à une religion ayant confondu création et destruction.

Car, si les provinces existent vraiment, il doit bien y avoir une chose telle qu'un imaginaire politique provincial, une *saskatchéouanité* ou une *saskatchéouanitude*, une *britanno-colombianité* ou une *néo-brunswicktude*, comment savoir, susceptible de servir de point de référence pour préciser la philosophie constitutionnelle de la nation. Existe-t-il, en dehors de l'Ontario, dont certains se prennent quelquefois à confondre le point de vue avec celui du pays, une vision provinciale à l'échelle nationale ?

Ce n'est pas pour des motifs exclusivement théoriques, loin de là, que je soulève toutes ces questions. L'avènement d'un troisième palier de gouvernement présuppose qu'il y a un deuxième ordre à la fois de gouvernement et de pensée politique – la Province – doté de son propre imaginaire. Or, répétons-le, les provinces, y compris le Québec, ne se sont pas créées elles-mêmes, bien que le Québec ne soit pas une province, mais le résidu provincialisé du peuple canadien qui l'a précédé.

Poser ces questions, c'est reconnaître que la question du droit inhérent à l'autonomie gouvernementale (*self-government*), de même que celle de l'instauration d'un troisième palier de gouvernement, véhicule bien autre chose qu'un enjeu administratif, à savoir que, désormais, l'avenir du Canada repose sur l'incorporation de la composante autochtone. Si c'est le Canada lui-même qui a servi d'élément constitutif à la formation de provinces dont les pouvoirs ont été forcément établis après coup, la dimension autochtone et métisse se pose, au contraire, comme le premier élément constitutif de l'identité canadienne.

Dès lors, il est un autre aspect qui apparaît d'une importance capitale. Au-delà du rapport de force historique, il doit bien y avoir quelque part, à l'intérieur d'une nouvelle fédération à établir, un lieu privilégié, un *heartland*, qui puisse servir de fondement territorial autochtone à tout le reste du territoire. Sinon, il faudra l'inventer.

À peu près comme le Canada des Canadiens de 1763 est devenu le Québec contemporain, l'immense territoire indien qu'on a fait disparaître, entre 1774 et 1783, doit bien se retrouver quelque part, dans l'espace constitutif de la Conquête. En d'autres mots, sur un plan territorial, politique et culturel, comment et où établir l'équivalent d'un Québec autochtone qui puisse servir de foyer et de tremplin à tout le reste ?

Ce que le Québec refuse d'être, c'est justement un palier de gouvernement dans une fédération qui refuse de le considérer comme étant sur un pied d'égalité. On voit mal alors pourquoi les Autochtones devraient constituer à leur tour un palier plutôt que d'être partie intégrante d'un pays restant à créer.

Il apparaît utile de rappeler ici qu'on discutait déjà d'une telle idée, dans le cadre des propositions initiales en vue de l'établissement du Nounavoute (Nunavut) et du

Dènendéh, à la fin des années soixante-dix. La transformation éventuelle des Territoirres du Nord-Ouest en nouvelles provinces – ou en nouvelles entités territoriales qui pourraient être autre chose que des provinces, et dont la nature géopolitique resterait à préciser –, une telle transformation devait constituer *de facto* la pierre angulaire du nouveau Canada autochtone. Qu'en est-il maintenant[14] ?

Je ne sais trop, mais une chose est claire. À la question de Thomas Berger : « Allons-nous suivre ou pas le modèle de l'Ouest de la fin du XIXe siècle ? », l'existence de cette Commission apporte déjà une réponse.

Le Québec est loin de correspondre, pour sa part, à la présence québécoise en Amérique. Il constitue l'extension du territoire qui, au XVIIIe siècle, a été « mis en réserve » sous le nom de *Province of Quebec* pour les Canadiens, c'est-à-dire pour la tribu des Canadiens, pour employer les termes de certains observateurs de l'époque.

Dès qu'on examine, en effet, avec quelque attention, la première carte britannique publiée après le traité de Paris et les documents afférents, une évidence saute aux yeux. C'est à Londres, en Angleterre, et non au Canada, qu'a été créée la *Province of Quebec*, afin d'y concentrer tous les Canadiens de la Nord-Amérique. Cela dans l'intention de les séparer de leurs alliés indiens[15] pour lesquels on établira un territoire d'autant plus grand qu'on le fera entièrement disparaître par la suite. De fait, une fois qu'on aura eu les preuves stratégiques et militaires que l'alliance entre Canadiens et Autochtones, le rêve de Pontiac, ne survivrait pas à la disparition de ce dernier, en 1769, le pays indien sera effacé des annales impériales.

Dans un tel contexte géopolitique, le Québec, ou plutôt la *Province of Quebec* créée en vertu de la Proclamation royale de 1763, constitue, et de loin, la première grande réserve indienne, non seulement de l'Amérique du Nord, mais de tout l'Empire britannique, auquel elle servira d'ailleurs de modèle. Mais qu'est-ce que tout cela peut bien signifier par rapport au devenir autochtone contemporain ? Beaucoup plus qu'on ne le pense.

Dans l'esprit même du droit britannique impérial, lequel est déclaratoire de droit plutôt que constitutif[16], la reconnaissance du droit inhérent à l'autonomie en matière de gouvernement implique, pour demeurer logique avec lui-même, un exercice géopolitique à rebours. Dans cette perspective, il faut donc refaire, et l'étendre à l'ensemble du Canada, c'est-à-dire à la totalité du territoire couvert par l'AANB, le modèle mis au point pour le Québec après la Conquête, afin d'adapter ce dernier à l'espace autochtone. En d'autres mots, comment expliquer qu'il n'y ait pas, pour l'ensemble des instances autochtones unifiées, l'équivalent des gouvernements du Haut-Canada et du Bas-Canada de la première moitié du XIXe siècle (1791 à 1840) ?

J'en arrive enfin à une proposition de conclusion qui flotte dans l'air depuis des années et qui se tient, tout comme le pays lui-même, entre la tradition et l'innovation.

Il doit bien exister un moyen terme quelque part.

Ce pays continuera-t-il à se fonder sur l'idée de « dévolution » ou y aura-t-il un acte fondateur, comme ce fut le cas de tous les pays du Nouveau Monde : États-Unis d'Amérique en 1776, États-Unis du Mexique (Estados Unidos Mexicanos) en 1824 ou États-Unis du Brésil (Estados Unidos do Brasil devenus la République fédérative du Brésil) en 1822, etc. ?

On se prend à souhaiter que le premier geste en ce sens puisse être le fait de cette Commission. Sinon ? Eh bien, on risque fort d'assister soit à l'éclatement du Canada, soit à l'assimilation intégrale, à long terme, de tout fondement autochtone et ce, par le processus même de sa reconnaissance.

Car se pourrait-il que le processus de reconnaissance d'un gouvernement autochtone, en raison des enjeux juridico-administratifs et linguistiques qu'il implique, devienne *ipso facto* le processus d'assimilation culturelle de ceux dont il devait préserver l'identité ? Et alors, une fois les Autochtones transformés juridiquement en anglophones, que restera-t-il au juste des enseignements des Windigos, des Adoctés, des Autmoins et de toute la pensée chamanique, dont tentent de se nourrir, pour changer le monde et leur monde, les filles et les fils des hauts fonctionnaires et des doctes professeurs qui gagnent leur vie à même ces commissions d'enquête ?

Il est une dernière question, si prégnante qu'on s'en voudrait de ne pas la soulever une nouvelle fois, qui constitue l'aspect politiquement et culturellement le plus important du débat actuel : celle de la liaison inextricable entre Franco-Canada, Autochtones et Anglo-Canada.

Un récent titre du quotidien *Le Devoir* (9 avril 1992) se lisait comme suit : « Anglo-Canadiens et Autochtones seraient protégés de la [clause] "société distincte" offerte par le Canada [au Québec] ». Faudrait-il en déduire, en vertu d'un esprit de réciprocité constitutionnelle, que le Québec se doit d'être également protégé de toute clause de « société non distincte » qu'il pourrait se voir imposer ?

Allons donc ! il y a quelque chose de terriblement désolant dans cet éternel jeu de cache-cache. Ou l'on s'apprête à (re)former un pays et l'on en parle ouvertement, ou l'on passe à autre chose. Cette façon de s'accorder des privilèges d'une main pour s'en protéger ou se les arracher de l'autre, et vice versa, est d'une mesquinerie politique destructrice qui finit par atteindre tout le monde.

Ce n'est surtout pas d'une unité nationale que nous avons besoin, mais d'un dépassement transnational. Ce pays est malade d'une vision.

Ce pays a besoin d'imaginer, aussi bien pour le temps présent que pour l'histoire et pour l'espace géographique imparti par l'histoire, ce que sont et ce que seront les Autochtones dans la fabrication du Canada.

Plus que toute autre chose, c'est le droit au *self-enlightment* dont il faut réclamer l'avènement pour tous.

Bien sûr, nous disposons de cartes et de documents. Nous disposons de milliers de pages, de milliers de témoignages sur la question dite autochtone.

Nous disposons de cartes représentant les traités, de documents où apparaît la localisation des quelque 600 réserves, de cartes montrant la distribution des groupes linguistiques, etc. Mais tout cela est toujours plaqué après coup sur des catégories et des territoires imposés par un autre esprit. Si bien qu'on ne définit jamais la chose comme telle, on l'appréhende toujours dans le rapport à celui qui en a déjà prescrit la définition.

Une réserve, dans ce pays, a presque toujours correspondu à la terre pour laquelle on ne trouvait pas d'autre affectation que de la remettre aux Indiens. Ce qui fait que la carte des réserves ne reflète pas la présence indienne, mais, au contraire, la résultante des impératifs, et non pas des négociations, ayant abouti à l'établissement des réserves par les représentants du gouvernement.

C'est pourquoi l'on éprouve l'urgent besoin de voir autre chose. Voir à la fois dans le temps et dans l'espace la dimension autochtone et métisse qui aura permis au pays de Canada d'être projeté en existence quelque part au nord et à l'ouest des États-Unis d'Amérique, au XVIIIᵉ siècle.

À force d'être obligé de concevoir la géographie imposée par l'histoire et la Conquête comme un fait naturel et préétabli, on finit par oublier qu'un Canada de plusieurs siècles, un Canada métis, précède l'emprise britannique. C'est pourquoi s'impose une vision nouvelle déjà inscrite dans la terre de ce pays.

Vision sans laquelle ce pays non seulement ne saura jamais atteindre le potentiel que lui a imparti la géographie, mais risque d'éclater, au moment où les yeux de tout l'hémisphère sont braqués sur lui pour la première fois de son histoire.

Et où l'on se demande, du Brésil, de la Caraïbe ou du Mexique, ce qui s'est passé au juste, depuis quelques siècles, au nord de ce modèle établi depuis le Rio Grande jusqu'au 49ᵉ parallèle et appelé États-Unis d'Amérique. Et partant, risque-t-il de se produire quelque surprise dont le Monde Nouveau a toujours besoin ?

C'est le Canada en tant qu'instance autochtone et canadienne qu'il importe de mettre au point comme la condition *sine qua non* de sa survie. Et ce Canada est né quelque part le long des rives d'un fleuve qu'on a appelé Saint-Laurent – la Grande Rivière de Canada – et nulle part ailleurs.

J. M.
Côte-des-Neiges (Montréal), 1992

Notes

1. À preuve, parmi tant d'autres éléments, et comme mentionné précédemment, la publication, au Brésil, d'une ode poétique en l'honneur de Louis Riel, à la fin du XIXe siècle, au moment même de son assassinat politique. Voir Mathias Carvalho, *Poemas americanos. I : Riel*, Rio de Janeiro, Typ. Central de E. Costa, 1886, 32 p. J'ai traduit ce texte en français pour en faire le document clé de mon livre *Louis Riel. Poèmes américains*, Éditions Trois-Pistoles, 1997.

2. Ce que j'ai appelé, ailleurs, le « playboyisme géographique pancanadien ». Pour compenser sa carence identitaire et neutraliser tout présence antérieure qui pourrait lui faire obstacle, l'Anglo-Canada aime bien se procurer une identité géopolitique à partir des paysages crus et nus du Grand Nord qu'il s'offre alors comme une espèce de *playmate* compensatoire. Sans aucune autre figure à l'horizon susceptible, alors, de lui disputer l'exclusivité d'un tel levain identitaire. Sous cet aspect, la fonction politique exercée par le Groupe des Sept est assez éloquente. Un Inouk, un Indien ou un French voyageur apparaissent-ils dans le décor, les stratèges littéraires de l'establishment s'en emparent aussitôt pour les nationaliser comme éléments intrinsèques du paysage, et ils remplissent ainsi la même fonction symbolique que la banquise arctique ou les Rocheuses.
Ces propos ne faisaient pas partie, on le devine, du mémoire original. J'avais alors censuré ma pensée, n'osant exprimer de telles évidences devant des commissaires et une Commission auprès de laquelle mon nom circulait comme l'un des sous-directeurs de recherche éventuels. En fait, je crois savoir que j'avais été virtuellement nommé… et c'est après le dépôt du présent texte que j'ai été « dénommé ».
Il faudra bien faire la lumière, un jour, sur tous les *a priori* de la Commission et l'esprit qui l'inspirait par rapport à l'histoire de ce pays. Il y avait, *de facto*, un mandat caché et inavouable – un *hidden agenda* – derrière les objectifs officiels d'une Commission royale qui avait été promise pour tempérer les effets de la crise d'Oka et établir de nouveaux paramètres sociopolitiques susceptibles de « régler » et de régir la question autochtone. Derrière un tel objectif, il s'agissait essentiellement de « défrencher » ou, autrement dit, de « décanadianiser » ou « déquébéquiser » l'histoire du Canada, en faisant remonter sa naissance à 1867, avec bien sûr, en arrière-plan, le traité de Paris du 10 février 1763 et la Proclamation royale qui s'ensuivit, le 7 octobre de la même année, à Londres. Je reviendrai sur tout cela dans le texte, mais il importe de rappeler avec force que ce sont ces documents qui viennent sceller le sort des « Sauvages » et des Canadiens (essentiellement, les ancêtres des Québécois actuels, puisqu'il n'y avait pas de ressortissant britannique au Canada et que les Français s'apprêtaient à quitter les lieux). Bref, les Québécois et les Autochtones, peu importe ce que les uns et les autres tenteront de formuler par la suite, se voient coucher dans les mêmes documents impériaux sans que ni les uns ni les autres aient été consultés en tant que conquis, évidemment.

2. Ce n'est pas pour rien qu'on trouve dans l'Ouest et le Nord-Ouest des gens dont le patronyme est Canadien (Jean ou Joseph Canadien) et quelquefois

Canaouache (Jean-Baptiste Canaouache). Qu'on se rappelle également la série romanesque de Raoul de Navery, *Jean Canada*, qu'on nous donnait à lire dans le milieu des années cinquante. Il n'existe pas, en revanche, d'individus ayant pour nom de famille le vocable « Canadian », en anglais, à moins qu'il n'ait été traduit pour masquer son origine.

La présence de la langue canadienne, ou *French*, pour mieux me faire comprendre, dans les langues autochtones est un phénomène présent partout, de l'Atlantique aux Grands Lacs, du Mississipi aux Rocheuses, et de la « crête des têtes » jusqu'au Pacifique. Je fais référence ici à ce qu'il est convenu d'appeler le « jargon chinouque » (*Chinook jargon*), mais aussi au métchiff, métis, michif ou *French Cree*. Voir, par exemple, Patline Laverdure et Ida-Rose Allard, *The Michiff Dictionary. Turtle Mountain Chippewa Cree*, sous la direction de John C. Crawford, Winnipeg, Pemmican Publications, 1983.

4. Il est vrai que le Musée canadien des civilisations, à Hull, a été conçu par un architecte métis pied-noir du nom de Cardinal (et non pas de Bishop) et que l'art et l'inspiration autochtones se posent peu à peu comme la dimension sous-jacente d'un pays fondé précisément sur leur rejet !

5. Un curieux processus, à vrai dire, vu de l'extérieur. Quel est cet étrange pays qui doit rapatrier, importer en quelque sorte, les fondements de sa propre constitution ? Que peut bien avoir à faire avec la patrie une Constitution qu'on se voit forcer de rapatrier ?

6. Peut-être faudrait-il, en contrepartie, tant qu'à jouer le jeu, une Loi sur les Blancs, dont l'application serait assurée par quelque communauté autochtone mobile circulant en chasse-galerie, au-dessus du territoire.

7. Lorsque j'ai travaillé au dossier micmac, à la fin des années soixante-dix, j'ai appris avec autant d'effarement que de consternation que la présence acadienne et canadienne, dans le cas de la vallée du Saint-Laurent et du territoire adjacent, avait effacé tout droit autochtone à la terre. C'était là une interprétation anglo, servie d'autorité aux Autochtones, sans que nous ayons pu nous donner, comme Canadiens, aucun droit de réplique. Ce que le gouvernement disait aux associations autochtones des provinces atlantiques était ceci : aux yeux de la « Couronne britannique canadienne », vos droits ont été effacés, messieurs les Sauvages, par la présence extérieure des Canadiens et des Acadiens.

8. C'est bien là le mot qui est écrit dans le texte du traité de Paris. Je souligne, une fois encore, que ces textes, le traité de Paris et la Proclamation, n'ont pas été rédigés ni imprimés ici, en Amérique, et qu'on nous a empêchés, Canadiens aussi bien que Sauvages, de participer aux négociations et aux délibérations qui portaient sur notre destin.

9. « Nos fils marieront vos filles et nous formerons une nouvelle nation », avait dit Champlain aux Sagamos et autres Grands Braves. On espère qu'ils auront répondu : « Oui, oui ! Mais pressez-vous de nous envoyer également vos filles – du roy ou autres, peu importe –, que nous formions une nouvelle nation, en toute réciprocité. »

10. C'est en raison, entre autres, de ses liens avec le Commonwealth qu'Ottawa s'opposait à l'entrée du Canada dans l'Organisation des États américains (OEA).

11. Dans une allocution prononcée le 2 août 1991, à Ottawa.

12. Le mot Canada est la transcription phonétique de ce que Cartier a cru entendre : ca-na-da. Ainsi en est-il pour Stadaconé, Hochelaga, etc. Il s'agit là, bien sûr, d'appellations bâtardes, et c'est pourquoi la France retiendra le nom de Nouvelle-France.

13. Quand je parle de « conquête », c'est pour signifier la double conquête de 1759 – conquête des Canadiens et des Indiens.

14. En révisant, quelque huit ans plus tard, ce texte rédigé en 1992, je me rends compte que la création du Nounavoute (Nunavut), en 1999, vient sans doute sonner le glas du nouveau pays qu'on se plaisait à envisager et à rêver, nous qui travaillions alors, à Yellowknife et ailleurs, dans le vaste domaine des dossiers de revendications territoriales, d'un bout à l'autre du pays. À savoir qu'un Grand Nord et un Québec autonomes puissent servir de socle géopolitique respectif, pour tous les Autochtones et les francophones du pays, afin de créer une nouvelle carte territoriale et un nouveau pacte politique pour l'ensemble de l'Amérique du Nord britannique et faire éclater la structure provinciale actuelle.

15. Quant aux Canadiens métissés, il n'en sera pas question, une telle catégorie n'existant tout simplement pas dans la pensée juridique britannique.

16. Ainsi en est-il de l'établissement des réserves et de la fixation des limites territoriales, la frontière Québec-Labrador, en 1927, par exemple. Le droit britannique ne pose pas un principe, une année zéro à partir de laquelle on procédera par la suite, il dit plutôt : nous établissons maintenant la démarcation territoriale qui existait potentiellement de tout temps. On voit les conséquences d'une telle philosophie. Tous les peuples autochtones et « autochtonisés », tels le Québec, les Cris, les Inuits…, qui sont handicapés de façon intrinsèque par leur culture et leur langue, peuvent accéder un jour au développement moyennant leur assimilation aux vertus britanniques. S'ils ont été mis là où ils sont par le caprice d'un destin défavorable ou d'une histoire injuste, c'était pour être conquis un jour par l'Angleterre et être par elle civilisés. Le droit aborigène qui émane de l'esprit britannique et non pas des « aborigènes » eux-mêmes, évidemment, constitue alors l'équivalent humain de la frontière qu'on trace sur le territoire en prétendant que ce dernier l'attendait depuis toujours. Que les Autochtones et les Québécois se le tiennent alors pour dit, ils ont eu la chance d'être « mis en réserve » par le système le plus juste que l'Occident ait produit, qui leur offre avec bien-veillance de les assimiler pour les élever au-delà d'eux-mêmes. On les aime tellement, mais pourquoi donc continuent-ils de rouspéter et d'exiger le maintien de leur culture, sans doute admirable *in its own way, under* certains aspects, mais qui était globalement déficitaire… avant de nous avoir rencontrés ?

Quand Chat sauvage et Coyote se mettent à parler et qu'émerge une tête de Québécois*

À propos d'*Histoire de lynx*
de Claude Lévi-Strauss[1]

En cette année d'interrogations « quincentenaires », durant laquelle l'Europe se célèbre à travers l'Amérique, qu'en est-il de l'avant Nouveau Monde ? se demande-t-on soudain, avec intérêt et gravité.

En cette année de contre-interrogations et de *mea culpa*, où apologie et culpabilité se tendent les bras pour tenter d'aller chercher un nouveau sens sous les sédiments balayés par la poudrerie de la Conquête, la *pensée sauvage* se voit réhabilitée de tous côtés. Documents, témoignages, réinterprétations, poésies, narrations fusent de partout, et cela au moment où une telle pensée ne semble plus devoir se renouveler que par son appropriation finale. C'est à qui, en effet, se saisirait avec le plus de brio de la désappropriation autochtone pour en faire resurgir tous les sucs fondateurs dissous dans la légende des siècles.

Comme on insère à vif un chalumeau dans l'érable convoité par tous les confiseurs, l'Europe de la Renaissance allait faire une grande plaie dans le corps autochtone afin d'y laisser couler la sève sanguine dont elle avait un si urgent besoin pour se révéler à elle-même. Mais le goulot d'un seul chalumeau n'a pas suffi pour extirper la nouvelle ambroisie susceptible d'apaiser sa soif – et cent chalumeaux

---

* Ce texte a paru sous le titre « Le chat sauvage, le coyote et le Québécois », dans *Spirale*, été 1992, p. 12-13.

n'ont pas suffi davantage –, il lui fallait l'érable en entier, sa frondaison, ses racines, sa respiration. Et bientôt, toute la forêt n'arrivait plus à combler son manque, à mesure que cette Europe s'enfonçait au cœur d'un continent qui continuait toujours de lui échapper.

Mais, une fois la forêt presque entièrement détruite par les descendants des fils mâtinés de sauvagerie mal digérée qu'elle avait laissés sur place, voilà que l'ancêtre qui n'avait jamais quitté les « vieux pays », le père resté en amont de toute découverte, se donne un objectif démesuré, voire impossible : celui de débusquer la vérité première qui nous a mis au monde, de retrouver le Saint-Graal non baptisé du Monde Nouveau disparu avec tous les dieux écartelés et les codex brûlés en holocauste sur l'autel de la civilisation.

Car, il y a l'Amérique de l'Europe et l'Amérique du Nouveau Monde.

L'Amérique pré-américaine, en quelque sorte, dont toute l'œuvre de Lévi-Strauss s'est efforcée d'analyser la cosmogonie afin de la domestiquer et de la rendre disponible à la pensée de l'Occident chrétien. Il aura donc fallu cinq siècles, le temps d'une grande implosion identitaire dont nous sommes tous le produit, nous Américains de la première heure, pour que l'avènement des peuples « sans foi, ni loi, ni roy » se transforme dans une métaphysique sauvage détenant un secret essentiel qui perdure jusqu'à nos jours.

« En regard de la découverte du Nouveau Monde, l'alunissage de l'homme ne signifie rien du tout », écrit Lévi-Strauss. Que faire alors, mais que faire ? sinon alunir sur la terre américaine afin de décrypter, dans un grand élan zoologique aux accents théogoniques, la vérité des passages réciproques de la géographie à l'homme, de l'animal à l'homme, des dieux à la terre, et leurs va-et-vient incessants d'un état à l'autre.

C'est là le propos de son *Histoire de lynx*, histoire au cours de laquelle l'académicien poursuit, par mythes interposés, ses entrevues systématiques avec Lynx, Coyote, Thompson, Cœur d'Alêne, Aigle, Chilcotin, Porteur,

Brouillard, Vent, Chinouk, Hibou, Kwakioutl, Tlingite, Saumon, Chouchouape[2], Mouflon, Brume, Climatologie et tous leurs congénères.

Par cet exercice, Lévi-Strauss cherche à percer – derrière la grande rencontre qui eut lieu, à une époque disparue, entre éléments naturels, animaux et êtres sylvestres – le secret essentiel de l'être qui aurait échappé à la Révélation et à la Raison sur lesquelles l'Occident aura voulu se fonder une exclusivité. Car, en tuant le Sauvage, n'est-ce pas cette partie occultée de sa propre trajectoire ontologique que l'Homme Blanc a tenté de faire basculer par-dessus bord sans jamais y parvenir complètement ?

> Synthèse de réflexions éparpillées au cours des ans, la rédaction de ce livre fut laborieuse. Devant des faits du genre de ceux que j'ai évoqués, les catégories habituelles de la pensée vacillent. On ne sait plus ce que l'on cherche : une communauté d'origine, indémontrable tant sont ténues les traces qui pourraient l'attester ? Ou une structure, réduite par des généralisations successives à des contours si évanescents qu'on désespère de la saisir ? À moins que le changement d'échelle ne permette d'entrevoir un aspect du monde moral où, comme les physiciens le disent de l'infiniment grand et de l'infiniment petit, l'espace, le temps et la structure se confondent : monde dont nous devrions nous borner à concevoir de très loin l'existence en abandonnant l'ambition d'y entrer.

En abandonnant l'ambition d'y entrer !

Telles sont les dernières lignes, quasi testamentaires, de l'œuvre d'un Claude Lévi-Strauss.

Après plus d'un demi-siècle de travaux et de recherches, des milliers de pages de réflexions, d'analyses et d'explications, des journées de labeur incessant et des milliers de nuits, avec ou sans rêves, la conclusion ne saurait être plus claire. « Monde dont nous devrions nous borner à concevoir de très loin l'existence en abandonnant l'ambition d'y entrer. »

Et pourtant, nous savons très bien que nous y sommes entrés. Nous sommes même la résultante d'une telle pénétration. Quand je dis « nous », je fais référence à nous tous,

Brésiliens ou Canadiens, et à nos ancêtres coureurs de bois ou *bandeirantes*. À nous tous, Américains de la première heure, issus de tous les métissages et de toutes les géographies, qui venons de faire « triomphalement » notre entrée dans l'œuvre de l'Anthropologue. Dans un chapitre extrêmement révélateur intitulé « Mythes indiens, contes français » (c'est-à-dire *québécois*, au sens contemporain du terme), l'auteur des *Mythologiques* écrit :

> Dans le nord-ouest américain, et dès le début du XIXe siècle, au cours de la traite des fourrures, les Indiens eurent des contacts étroits avec les « voyageurs » canadiens. Il s'agissait de gens pauvres, de petits trafiquants, qui ne se contentaient pas d'acheter des peaux, mais qui voyageaient, chassaient, campaient, vivaient avec les Indiens.

> Le soir, autour des feux, les « voyageurs » racontaient, probablement en jargon chinook, nombre d'histoires tirées du folklore français [*sic*]. On retrouve le nom Ti-Jean (Petit-Jean) d'un héros particulièrement populaire au Canada dans des versions recueillies plus tard de la bouche des conteurs indiens […]. On conçoit que les Indiens aient été séduits par la verve, le merveilleux, les détails pittoresques ou fantastiques de contes qui […] ne le cédaient en rien aux leurs […]. Entre les récits français et les leurs, les Indiens ont vite saisi les ressemblances, et ils ont incorporé maints incidents des premiers à leurs propres traditions.

> Pour une large part la mythologie des Indiens de l'Orégon et de la Colombie britannique est faite d'emprunts au folklore franco-canadien… Il est très surprenant de constater combien la pensée amérindienne allait s'alimenter à même la bouche de ces voyageurs, transformant et intégrant à sa propre mythologie une partie de leurs narrations […].

> Au-delà de la capacité d'ouverture que cela révèle une fois de plus, une telle assimilation soulève une question fantastique : pourquoi, à travers les siècles et les peuples, les mythes se ressemblent-ils suffisamment au point de pouvoir s'interpénétrer ainsi[3] ?

À cette constatation s'ajoute immédiatement une autre considération, plus significative encore. Il semble évident, en effet, que la narration s'est poursuivie bien au-delà du feu de camp, puisque allait naître bientôt de ces interrelations, dans l'alcôve du tipi, non seulement un nouveau peuple, les Métis (ou Bois-Brûlés, en langue crise), mais aussi une langue nouvelle, le métchiff, véritable créole québéco-autochtone de la Nord-Amérique[4].

Dans le fond, c'est le passé oublié, occulté, affaissé de l'Europe, pour ne pas dire le passé géologique de l'humanité entière, fondu au fil des siècles de christianisme, de bouddhisme ou d'islamisme, que Lévi-Strauss semblait rechercher en Amérique. Mais ce qu'il y a aussi rencontré – oh surprise imprévue ! –, c'est la double dissolution de l'Europe et de l'Autochtonie dans une indianité maganée que vient subrepticement incarner la parole d'un Québec intégré et assimilé au Sauvage. Que peut-on en déduire ? L'identité autochtone accréditée par l'œil anthropologique officiel s'en trouve entièrement remise en question, et, conséquemment, le fondement de l'identité québécoise, qui s'est tellement efforcée par la suite de se réeuropéaniser, vole en mille éclats.

Ni les Indiens ni les Québécois ne sont donc ce qu'ils croyaient être, à moins qu'ils ne l'aient caché durant tout ce temps, ce dont on peut bien douter. C'est que la question des métissages trans-américains et, surtout, la question de l'indianisation des enfants ayant complètement échappé à l'Europe pour se voir rescaper et rebaptiser par le Noble Sauvage viennent remettre tout en cause. Il n'y a plus de pureté cosmogonique primale, il n'y a jamais eu non plus de pureté fondatrice en amont de la pensée apprivoisée. Il n'y a que deux regards qui se rencontrent. Deux regards qui se fuient ou qui se fusionnent, à tous de choisir.

Quant à Lévi-Strauss, il ne choisit pas, il tente d'expliquer. Le projet de l'Européen se penchant sur le Nouveau Monde semble être de comprendre et non pas de jouir pleinement de la baignade dans l'américanité dénudée. Le projet de l'Amérique est moins de comprendre que de prendre corps, ou, pour emprunter l'expression de l'écrivain brésilien Affonso Romano de Sant'Anna, de pratiquer un « cannibalisme amoureux » à double service ou à double tranchant.

La question de la dualité, de la gémellité première, de l'inceste, des manières de table et des rapports amoureux cosmogoniques a toujours hautement préoccupé Lévi-Strauss. Il veut savoir. Et essentiellement, en conclusion, il dira ceci :

> La mythologie des deux Amériques n'est certainement pas la seule où la gémellité tient une grande place. On peut en dire autant des mythes du monde entier […]. Les jumeaux sont voués à l'inceste (à la fermeture à une troisième voie ?) que préfigurait déjà leur promiscuité dans le sein maternel. Comment produire la dualité à partir de l'unité, ou plus exactement à partir d'une image assez ambiguë de l'unité pour qu'on puisse concevoir que la diversité en émerge ?

À ces questions, Lévi-Strauss répond que la pensée européenne (Castor et Pollux, par exemple) a toujours favorisé une solution rejetant les disparités pour conduire à une espèce d'androgynie, une même identité « partagée » par deux êtres qui « se partagent » leurs différences pour mieux se fondre, si j'ai bien saisi. La pensée américaine, bien au contraire, « préfère des formes intermédiaires, un dualisme en perpétuel déséquilibre […] pour attribuer à la symétrie une valeur négative, maléfique même […]. Cette notion fondamentale d'un dualisme en perpétuel déséquilibre ne transparaît pas seulement dans l'idéologie, la cosmologie et la sociologie indigène lui doivent leur ressort interne ».

Cette distinction a valeur constitutive : la pensée sauvage possède un *built-in*, une dynamique ouvrant la porte de la tente et les bras de la tribu à un troisième larron. En d'autres mots, c'est comme si la place du Blanc – la place de la Conquête insoupçonnée – était déjà inscrite en creux avant son arrivée, « de sorte que la création des Indiens par le démiurge rendait du même coup nécessaire qu'il eût créé aussi des non-Indiens ».

Il y a là un jeu de bascule extraordinaire. Le Blanc européen n'a pas compris qu'il était déjà attendu pour être aimé – ou pour être mangé ou martyrisé, peu importe –, afin que se produise un troisième larron : le Métis. Démiurge, à son tour, et qui deviendra rapidement chef de tribu.

Mais l'académicien ne dit pas cela. Il ne va pas jusque-là ; il s'arrête, regarde et reste à la porte de la tente tremblante. Jamais il ne pénètre. Descartes, Jésus-Christ et la Raison l'en empêchent. Il se tient immobile sur le parvis de la conclusion et devant les membres de la tribu qui se lèvent les uns après les autres pour participer à la danse du soleil ou entrer dans une *drum dance,* et il s'étonne, perplexe.

Quand on se prend à regarder le livre et l'œuvre de Lévi-Strauss comme un objet – un bel et magnifique objet qui en impose –, on se dit : mais quel appareil élaboré de crécelles et de hochets de toutes sortes aura donc été nécessaire pour composer sa symphonie ? Toutes ces références, ces notes en bas de page, ces renvois et contre-renvois qui, tels un alphabet secret, une mythologique implicite, rappellent constamment qu'il s'agit là d'un monument de l'Occident, d'une géologie aérienne de la pensée qui se pense. *Histoire de lynx* apparaît donc comme le chef-d'œuvre d'une posture intellectuelle et morale poussée à son ultime logique et qui porte sur nous tous.

Mais une question demeure, cruciale. Peut-on aller plus loin dans la ténacité, le travail assidu et le questionnement sans pénétrer, et s'en laisser pénétrer, le corps de l'autre. « Je est un autre. » A-t-on assez répété l'aphorisme rimbaldien ! Mais l'Amérique suit cependant une trajectoire inverse. Plutôt que d'incarner une gémellité intégrée, Chat sauvage et Coyote, les Castor et Pollux de l'Amérique forestière, s'échangent leurs attributs, et il en ressort un nouvel être, insoupçonné jusque-là, un impossible projet : cet autre qui est déjà dans le « je » et raconte une histoire dans une langue qu'il invente à mesure que ses exploits prennent de l'expansion.

Quelque chose échappera toujours à la pensée domestiquée : la noirceur du corbeau, la transe de la muskègue, le sourire du crapaud ou le clin d'œil d'un chat sauvage passant en chasse-galerie, dans le ciel de Québec, entre le canot d'écorce et le Boeing 747.

J. M.
Belo Horizonte (Brésil), 1992

Notes

1. Cet ouvrage a été publié à Paris, chez Plon, en 1991.

2. Évidemment, Lévi-Strauss, qui se définit comme un Occidental, c'est-à-dire un homme de science, utilise la graphie et la toponymie consacrées par la science, c'est-à-dire par la langue anglaise. Ainsi, il écrira les Indiens Cœur-d'Alêne ou les Nez-Percé (toujours au singulier), parce que les Anglo-Américains ont adopté ces noms qui leur viennent des voyageurs canadiens. Par contre, il écrira les Indiens Cree. Or le mot *cree*, en anglais, est une déformation et une rephonétisation saxonne de la première syllabe du mot canadien « Cristinaux » (Cris).

3. Les propos de Lévi-Strauss cités ici sont tirés de deux sources : *Histoire de lynx*, ouvr. cité, p. 241-243 et 292, et une entrevue de l'auteur reproduite dans Manuela Carneiro da Cunha, « Novo estudo de Lévi-Strauss sai na França », *A Folha de São Paulo*, 5 octobre 1991 ; traduction libre.

4. Avec le chinouk, bien sûr, cette langue de troc de la côte du Pacifique dont presque le tiers des mots était du canadien « sauvagisé ». Quant au métchiff, il ne faut pas oublier que plusieurs des Canadiens de la vallée de la Grande Rivière de Canada qui se rendirent au Nord-Ouest, dès la fin du XVIIIe siècle, étaient déjà passablement métissés. Ce sont eux qui amenèrent jusqu'au Pacifique et à l'Arctique des fragments de parler huron, algonquin, iroquois, etc. qui seront réincorporés, par la suite, dans les langues autochtones des Prairies et de l'Athabaska jusqu'à l'Arizona.

Paroles de Québécois
traduites du tchippewayan...
et autres dialectiques géographiques*

Lorsqu'on se prend à jeter un coup d'œil à certaines œuvres de Norval Morrisseau, telles que Joseph ou la Vierge Marie avec l'Enfant-Jésus et saint Jean-Baptiste, on se dit que, derrière la zoologie animiste qui inspire l'artiste saulteux-ojibwé, apparaît quelque chaman d'obédience bien catholique ou quelque windigo inspiré directement par l'Esprit-Saint. Évidemment, derrière le patronyme de l'artiste métis, on se doute certes qu'il y a du « canadien pure laine » autochtone et de l'oiseau-tonnerre bien baptisé entre les mailles de « cette course à relais qu'est la tradition orale[1] ».

Mais la tradition orale est une porte à double battant, sinon un lac à plusieurs entrées et multiples déversoirs. Et qui peut dire comment sortira des pattes d'une rivière ce qui est entré par les bras de l'autre, après avoir bien mijoté dans l'utérus lacustre, sous l'accompagnement choral du *loûne* (huart) et du *mitchipichou* (esprit). Dans *Histoire de lynx*, Claude Lévi-Strauss s'étonne de constater à quel point des légendes indiennes de la côte Ouest ont puisé dans le folklore franco-canadien certaines de ses aventures et les ont intégrées avec la plus grande liberté et le plus grand plaisir (voir le texte précédent). Ainsi Ti-Jean (Ti-Jean-le-Fripon, Grand-Jean-l'Intrépide, Ti-Jean-Grand-Jean, etc.) et tout le reste de la chibagne se révèlent-ils être les cousins germains

---

* Paru dans *Recherches amérindiennes au Québec*, vol. 22, nᵒˢ 2-3, 1992, p. 117-122.

anthropologiques des *tricksters*, magiciens, fripons et autres enjôleurs de la forêt.

Et souvent, même si le rapport annuel de l'État n'a pas toujours pensé à signaler la chose, le grand chef indien de l'Ouest et de la Prairie est l'héritier d'un ex-Québécois avant la lettre ayant choisi de regagner la grande tribu maternelle plutôt que de s'associer aux « Zanglais » et aux Saganaches. Il arrivera même que l'*Indian Agent* et l'*Indian Chief* seront tous deux des mâtinés de « frenchés » projetés à leur corps défendant – et à leur âme mi-éplorée, mi-consentante – dans la grande fabrique bostonnache-yanquee[2].

En effet, après les guerres d'extermination autochtone menées par l'Union triomphante et qui culmineront au lieu si bien dit de Genou-Blessé (Wounded Knee[3]), le *French Half-Breed*, précurseur à sa façon du syndrome de Maria Chapdelaine, n'aura qu'une alternative : soit travailler pour le conquérant, comme mercenaire à tout faire, et s'y assimiler en tentant de cacher son origine, soit choisir la résistance en devenant un Indien à plein temps. Mais ce qu'on oublie de dire, c'est que l'apport culturel et même spirituel du Métis à l'expression artistique autochtone fut énorme. On ne parle pas très souvent de l'origine canadienne (ou québécoise, si l'on préfère) des motifs floraux, des enluminures fléchées et des cuirs en franges ornant ou décorant les mocassins, les mitasses et les vêtements des Indiens « pure laine » de la Prairie.

J'ouvre ici une brève parenthèse pour souligner une réalité restée passablement occultée et qui risque fort de modifier complètement la vision qu'on a bien voulu laisser flotter sur l'histoire de l'Ouest américain. Dans une série de textes disparates consacrés, au cours des ans, à l'art des Métis à travers l'art autochtone, Ted J. Brasser, après avoir précisé que les Métis étaient désignés par les Sioux sous le nom de *Peuple qui brode des fleurs*, affirme ce qui suit :

> Grâce au commerce de l'artisanat métis [...] et à la migration de ces peuples vers les régions les plus éloignées du Nord-Ouest, les Métis ont apposé leur signature sur les objets d'art de presque toutes les tribus des plaines du Nord et des Territoires du Nord-Ouest[4].

De façon à peu près inaperçue, l'art métis apparaît à travers les différents styles de l'art indien pour se voir submerger, à son tour, par ce dernier, quand les Métis commencèrent à perdre de la visibilité en tant que « population distincte ». Durant la période classique, vers le milieu du XIXᵉ siècle, on peut détecter la présence d'un continuum multiethnique s'étendant des Assiniboines, à l'une des extrémités, jusqu'aux Canadiens français, à l'autre extrémité, en passant par les Métis Sioux, Cris et Saulteux. Leur art et leur artisanat sont entremêlés et mélangés les uns dans les autres[5].

Les Indiens achetaient [des] articles des Métis et, en retour, les vendaient aux voyageurs blancs qui préféraient faire l'acquisition de souvenirs indiens « authentiques ». Il s'ensuivit que la plus grande partie de l'art métis conservé dans les musées passe pour être le fait de diverses tribus indiennes ; *il est rare que leur origine métisse soit tenue pour telle*[6].

Il est évident, par ailleurs, que tout métissage joue dans les deux sens. Si donc, comme se sont plu à le souligner de si nombreux observateurs, les « Frenchés » sont souvent devenus des Sauvages, pour employer une expression d'époque, il va également de soi que plus d'un autochtone sera devenu « frenché », sous des dehors *natives*. Et alors, comment définir et préciser le système de valeurs qui en résulte, si tant est que la chose apparaisse nécessaire ?

La présence dite française – mais, en réalité, de nette prédominance canadienne – aux quatre coins du continent a toujours fait constitutivement partie de la légende anglo-américaine, yanquie ou saganache. Et cette présence a été documentée grâce à de si nombreux témoignages[7] qu'on peut pratiquement affirmer que les alluvions québécoises constituent, avec la roche mère autochtone, l'un des traits essentiels du paysage mythologique anglo-américain. Ainsi, le grand héros créé par James A. Michener pour célébrer le deuxième centenaire des États-Unis, en 1976, dans son roman *Centennial* (*Colorado Saga,* dans la traduction française), porte le nom de Pasquinel, sorte de Franco mâtiné de Sauvage dont les héritiers mocassinés seront, par la suite, investis d'un apport calédonien important. Dans la même veine, les héros fondateurs dont se sera servi un James

Fenimore Cooper, qu'ils se nomment Bas de Cuir, Natty Bumpoo ou le dernier des Mohicans, ne sont autre chose que des coureurs de bois canadiens déguisés en Anglos pour les besoins de la cause ! Et, comme l'avait fort judicieusement fait remarquer Jacques Ferron, on découvre l'influence franco jusque dans le comportement des chiens de Jack London qui marchent, jappent et aboient en québécois dans ses romans de l'Alaska et du Grand Nord.

À cet égard, le récit d'un vieux coureur de prairie, né vers 1860 « à quelques milles en aval des États-Unis », récrit sans faire plus de bruit qu'un vol d'hirondelles sur la barre du crépuscule par Guillaume Charette sous le titre de *L'Espace de Louis Goulet*[8], en 1976, apparaît exemplaire. Il révèle d'un coup un univers qu'on aura toujours refusé de voir : celui de la libre circulation métisse à travers la géographie autochtone, derrière les lattes de la Conquête ou les jalousies de la maison seigneuriale.

La présence des Métis canadiens fut à ce point répandue qu'elle fera naître en Nord-Amérique une langue nouvelle demeurée longtemps ignorée de l'histoire officielle : le parler métis, métchiff, michif, *French Cree* et que sais-je encore ! C'est ainsi que paraissait, il y a quelques années, sous la direction de John C. Crawford, de l'Université du Nord-Dakota, un ouvrage intitulé : *The Michiff Dictionary. Turtle Mountain Chippewa Cree*, dans lequel on s'aperçoit que le « Canadien » ou « Québécois » est devenu l'un des grands créoles autochtones de la Nord-Amérique.

Durant des années, m'avait alors confié le directeur de recherche pendant une visite à la réserve de la Montagne-à-la-Tortue, des chercheurs, venus de la Californie ou d'ailleurs, avaient vainement tenter d'identifier cet étrange parler qui différait quelque peu des autres *native dialects*. Peu importe que ce fût une variante du sioux, du cris ou de l'assiniboine, les Autochtones recelaient encore bien des secrets, telles leur langue et leur pensée, entre autres choses, qui allaient alimenter la recherche durant de nombreuses années encore. C'est alors qu'on s'avisa, un jour, qu'il s'agissait tout simplement de *French Cree* ou *French-Canadian-Indian*, pour ne pas dire du « canindien ». On avait tout simplement oublié d'émettre une hypothèse pourtant facile, à savoir que s'il y avait, d'une part, des Métis, il devait bien y avoir une langue métisse, et, s'il y avait, d'autre part, une langue métisse, il devait bien y avoir une pensée métisse à l'intérieur du grand tout autochtone !

Évidemment, le rayonnement d'une langue qui a existé dès l'aube des rencontres anonymes à la grandeur du continent, du Mississipi au Koyoukon, et qu'il faudrait peut-être appeler le « métis québécois », remet complètement en question l'histoire anthropologique reçue et les identités qu'elle propose. Car s'il existe un « créole autochtone québécois » ayant librement poussé entre les chasses et les confluences, les bivouacs et les dégustations de pemmican, une grande question se pose alors : qu'est-ce au juste que ce Québec et qu'en est-il de ce prétendu fait français en Nord-Amérique ? Se pourrait-il que les *French Canadians* aient réussi à joualiser jusqu'aux plus pures et plus nobles pensées autochtones, celles que tout visiteur outre-Atlantique rêve de réinventer dans leur virginité première[9] ?

En guise de réponse à une telle question, on trouve à la fin d'un recueil de mythes autochtones recueillis et publiés par le missionnaire oblat Émile Petitot, à la fin du XIXᵉ siècle, intitulé *Traditions indiennes du Canada Nord-Ouest*[10] une histoire bien spéciale, « Mackenzie Long-Cou, récit véridique d'un chasseur métis franco-dènè ». Sans entrer dans son contenu, je veux tout de même souligner que le fait qu'une telle histoire a été traduite d'une langue aborigène par un narrateur métis dont le père était canadien-canayen en révèle long sur ce qu'il faut bien appeler « les mythes non fondateurs de la nation québécoise ».

Mais que faut-il déduire de la simple existence d'une telle histoire ?

Prototype, en langage contemporain, de tous les *Rednecks* et de tous les Dos-Blancs de l'histoire de la Nord-Amérique, Mackenzie Long-Cou ne déguise ni sa pensée ni ses sentiments. « À condition que vous oublierez tout, et que vous ne rapporterez à personne la scène qui vient de se passer, proclame-t-il en quelque sorte, je cesserai de vous taillader. »

Mais de quelle scène s'agit-il au juste ? L'histoire du Canada ou l'esclandre d'un petit-bourgeois écossais à la solde des Anglais, exerçant minablement son pouvoir sur le dos des Canadiens afin qu'ils mettent plus rapidement en place les infrastructures permettant d'exploiter à meilleur profit les Autochtones pour le bien de l'Empire ! Ou alors, l'histoire de demi-révoltés repentis qui, devant la promesse d'un ventre bien rempli, pardonneront aussitôt à celui qui les aura frappés, à la suite des tractations de l'un des leurs, récemment monté en grade ! Tout cela, bien sûr. Tout cela.

Mais il n'y a pas que cela. « À cette vue, je fus saisi de colère ; quoique Sauvage, j'aimais les Français parce que mon grand-père raconte le raconteur, plus de trois quarts de siècles plus tard… » La morale se trouve donc bien ailleurs, du côté de la constatation soudaine que l'histoire des deux puretés – le Canadien « pure laine » et l'Indien *pure-breed* – est à faire voler en éclats ou pétiller en étincelles au prochain feu de camp. Mais il aura fallu, reconnaissons-le pleinement, la rencontre d'un missionnaire français de France et d'un « Quoique-Sauvage » franco-cris-dènè pour tirer de l'oubli le scénario théâtral du Nouveau Monde, version Canado-Québec.

Il faut fouiller ailleurs que dans les sédiments de la morale pour que renaisse une parole qui n'existe désormais plus qu'en lambeaux dans l'écriture, l'art et l'histoire de l'autre. D'un autre qu'on appelle Métis et qui disparaît à son tour dans la mise en anthropologie de sa propre parole.

Car il semble de plus en plus évident que les Autochtones de l'Ouest américain, anglicisés et forcés de se voir à travers un prisme se réfractant aux mêmes sources, ne pourront jamais reprendre en main leur propre histoire, et donc leur propre destin, sans passer par ces quelques textes rédigés en français, cette langue qu'à peu près plus personne ne lit ou ne veut lire, faute de savoir quoi en faire. Cette langue ayant échappé à l'Europe et à la Nord-Amérique triomphante et qu'on appelle comment déjà ? Ah oui, c'est bien cela : le français. Et aussi, le *françâ-du-nôr* dont toutes les histoires se sont réfugiées, tels des artefacts vivants et des quatre-pattes à fourrure en voie de disparition, dans quelque antre invisible de la forêt pour s'abriter !

Palabre de l'Amérique tchippewayane ou autre, attendant depuis bientôt cinq siècles, et peut-être une marée ou deux de plus, d'être enfin retraduite dans la langue disparue dans le processus même de traduction. Parole devenue sang, sang devenu géographie sans laquelle jamais ne reverront le jour les mille passages ensevelis sous le masque de la découverte.

Maçi Tcho (« grand merci »).

J. M.

Notes

1. L'expression est de Jacques Rousseau. Voir *Le Monde enchanté de Norval Morrisseau* (en collaboration avec Madeleine Rousseau), présentation du catalogue de l'exposition consacrée au peintre qui s'est tenue au Musée du Québec en 1966.

2. Dans son ouvrage portant sur *Les Canadiens de l'Ouest* (Montréal, Compagnie d'imprimerie canadienne, 1878, 2 vol.), Joseph Tassé raconte de nombreux faits sur le rôle que jouèrent, de part et d'autre, les Canadiens « québécois », au cours du XIXᵉ siècle, durant la négociation des traités et ce qu'il est convenu d'appeler les guerres d'extermination des Indiens de la Prairie entreprises par l'Union yankie.

3. Auquel Élise Marienstras a d'ailleurs consacré un ouvrage essentiel, *1890, Wounded Knee ou l'Amérique fin de siècle*, Paris, Éditions complexe, 1992.

4. Ted J. Brasser, « Par le pouvoir de leurs rêves. Les traditions artistiques des peuples des plaines du Nord », dans Julia D. Harrison et Institut Glenbow-Alberta (dir.), *Le Souffle de l'esprit : traditions artistiques des premiers habitants du Canada*, Montréal et Paris, Québec Amérique et Éditions Jean Piccolec, 1988, p. 131.

5. Ted J. Brasser, « In Search of Métis Art », dans Jacqueline Peterson et Jennifer S. H. Brown (dir.), *The New Peoples. Being and Becoming Metis in North America*, Winnipeg, University of Manitoba Press, 1985, p. 226 ; traduction libre.

6. Ted J. Brasser, « Par le pouvoir de leurs rêves. Les traditions artistiques des peuples des plaines du Nord », art. cité, p. 131 ; c'est moi qui souligne.

7. L'ouvrage de Philippe Jacquin, *Les Indiens blancs. Français et Indiens en Amérique du Nord (XVIᵉ- XVIIIᵉ siècle)* [Paris, Payot, 1987], constitue un document exceptionnel. Comme la majorité des auteurs franco-européens et autres, Jacquin confond cependant systématiquement les Canadiens « français » avec les Français, faussant ainsi entièrement la réalité de l'histoire de l'Ouest.

8. Guillaume Charette, *L'Espace de Louis Goulet,* Winnipeg, Éditions Bois-Brûlés, 1976.

9. Voir, entre autres, Stith Thompson, « European Tales Among the North American Indians », *Colorado College Publications*, vol. 2, nº 34, 1919, p. 319-471.

10. Émile Petitot, *Traditions indiennes du Canada Nord-Ouest,* Paris, Maisonneuve et Leclerc, 1886.

Le rêve francophone et l'Amérique

Kérouac, le Québec, l'Amérique… et moi*

«Mais, comment en es-tu arrivé à Kérouac, toi ? »

C'est là une question qui m'a été posée des dizaines de fois par des passionnés de l'homme et de son œuvre. Lorsqu'on leur renvoie la balle, leurs réponses sont extrêmement variées. Certains m'ont parlé, parfois, de William Saroyan, l'écrivain américain d'origine arménienne, ou parfois de Bob Dylan, ou tout simplement du jazz. D'autres, par ailleurs, se souviennent d'avoir été assis sur leur sac à dos, dans une quelconque gare en Italie, en train de lire *Sur la route*, ou bien d'avoir été tiraillés, à la fin des années cinquante, entre *La Route* et *La Révolution* et d'avoir choisi, comme dans le cas de Pierre Vallières, l'auteur de *Nègres blancs d'Amérique*, la deuxième voie.

À travers tout cela, je ne parvenais pas à me souvenir comment j'avais moi-même pris goût à Kérouac ! Certes, j'avais accumulé plusieurs de ses livres au fil des ans, un énorme dossier de coupures de journaux, diverses biographies achetées à Montréal, Washington, San Francisco, Amsterdam ou en Angleterre, sans oublier le très précieux disque *Poetry Readings in The Cellar* avec Kenneth Rexroth et Lawrence Ferlinghetti[1]. Et je me rendais compte aussi combien tout cela était intimement lié à ma fascination pour la francophonie nord-américaine. Fragment de mémoire, quoi !

Ainsi, je me suis mis à chercher, à plonger dans mon propre passé, et j'ai vite identifié trois ou quatre repères

---

* Ce texte, légèrement remanié ici, a paru dans Pierre Anctil, Louis Dupont, Rémi Ferland et Éric Waddell, *Un homme grand : Jack Kerouac à la confluence des cultures*, Ottawa, Presses de l'Université de Carleton, 1990, p. 1-18.

importants qui ont marqué mon itinéraire personnel sur ce continent.

Première découverte

Le recueil *Howl and Other Poems* d'Allen Ginsberg, acheté à Montréal, en décembre 1961, soit trois mois après « mon arrivée en Amérique », avec sa dédicace à Jack « nouveau Bouddha de la prose de l'Amérique » (*new Buddha of American prose*) et ses premières lignes brûlantes :

> J'ai vu les meilleurs esprits de ma génération détruits par
> la folie, crevant d'une hystérique nue,
> se traînant à travers les rues nègres à l'aube
> cherchant quelque point fixe en furie[2]

Sur les rayons de ma bibliothèque, ce livre de Ginsberg côtoie d'autres recueils de poésie comme *The Happy Birthday of Death* de Gregory Corso et *A Coney Island of the Mind* de Lawrence Ferlinghetti. Je ne peux oublier, transposées au contexte américain, les réflexions de ce dernier sur les toiles de Goya :

> Ce sont les mêmes personnages
> rien que plus loin de chez eux
> sur les autoroutes à cinquante voies
> sur un continent de ciment
> séparées de tableaux qui se moquent
> affichant d'imbéciles illusions de bonheur
> Le tableau montre moins de tombereaux
> mais plus de citoyens mutilés
> dans des bagnoles peinturées
> et elles ont d'étranges immatriculations
> et des moteurs qui dévorent l'Amérique[3]

Et cela m'a rappelé ma propre découverte de ce continent : les grands espaces, la liberté, le sentiment d'exaltation alors éprouvé, mais aussi la misère, la laideur du bâti, ces petites villes qui ne sont nulle part en Amérique du Nord et où il n'y a rien à faire ni rien à voir. Je me suis revu sortant du métro ou descendant du train à la mauvaise gare à New York ou à Chicago et me croyant sur le coup à Bombay ou à Calcutta ; et, descendant « sur le pouce » de Montréal à Baltimore en 1963, apprenant (comme Jack) à sauter dans les trains et recevant, des amis mêmes à qui je venais de rendre visite, de l'argent pour prendre l'autocar (c'est beaucoup plus sécuritaire, me disaient-ils) !

Ces poèmes m'ont aidé à donner un sens à mon émotion, à articuler ma relation d'amour/haine avec ce continent fait de multiples trajectoires individuelles, solitaires, toutes nourries par l'espoir et se penchant toutes vers l'avenir sans disposer de passé vers lequel se tourner.

Deuxième mouvement

Je suis resté saisi devant le magnifique supplément littéraire paru en octobre 1972 dans *Le Devoir* et qui signalait la sortie de la biographie de Jack Kérouac par Victor-Lévy Beaulieu, *Jack Kérouac : essai-poulet*[4].

J'ai conservé les deux, ratatinés et lourdement annotés. Le supplément du *Devoir* est un document exceptionnel où l'on tentait pour la première fois d'étudier sérieusement Kérouac du point de vue québécois, dans la perspective de la migration massive des Québécois vers la Nouvelle-Angleterre. Composé de réflexions très diverses – titrées « Kérouac québécois », « La tragédie de ce Canadien français que l'on a pris pour un Américain », « Redire en joual ce que l'on a déjà dit en 16 langues » –, c'était en quelque sorte un énorme album impressionniste révélant les témoignages et les confessions d'un des plus grands écrivains du XXe siècle, qui ne cessait de répéter à tous ceux qui voulaient bien l'entendre : « Je suis Canuck, vous savez. » Ce qu'on découvrait, au travers de cet album, c'est un portrait de Jack Kérouac choriste à la fois de la fin d'une civilisation et de la naissance d'une autre, et ignoré par l'une et l'autre en raison de ce qu'il ressentait dans le tréfonds de lui-même. Cette Amérique était incapable de reconnaître le côté franco-américain de Jack, tandis que le Québec se montrait trop « immature » pour l'accueillir comme l'un des siens.

Victor-Lévy Beaulieu et les autres critiques avaient réussi, de façon remarquable, à lire Kérouac et à s'identifier à lui de manière troublante, le replaçant dans son contexte culturel et sociétal en tant que Canadien français exilé. Ils établissaient donc un lien direct entre le Québec d'en haut et le Québec d'en bas, comme André Major l'avait exprimé en apprenant sa mort :

> Kerouac, une sorte de frère exilé, un cousin né aux Zétats et qui voudrait bien, chaque fois qu'il nous voit, effacer les frontières d'un grand geste de la main. Mais les frontières existent, et le cousin, le frère exilé n'est pas tout à fait celui que nous avions imaginé. Son French Canadian Ghetto ne l'a pas protégé du « cauchemar climatisé » ; il est devenu un semblable différent de nous. Dans ses livres, il me semble que nous nous mettons à ressembler à ses personnages ; est-ce parce qu'il est resté ce que nous sommes ou est-ce plutôt parce que nous sommes en train de devenir ce qu'il était ? J'ai peur de la réponse[5].

Ce fut le coup de foudre pour moi. Par la suite, j'ai religieusement ramassé tout ce que l'on écrivait sur Kérouac dans la presse québécoise. Et il y avait pas mal de choses.

C'est à cette époque que commença à poindre pour moi, en tant que géographe culturel interrogeant l'Amérique du Nord, un début de convergence entre mes intérêts personnels et professionnels. Je commençais à établir des liens entre bien des éléments – la relation dialectique entre les langues française et anglaise au Canada et au Québec, les rapports majorité/minorité – et résolus alors d'entreprendre des voyages d'études à la recherche des communautés francophones éparpillées aux quatre coins du continent, pour en savoir davantage à partir du terrain. À travers tout cela s'ensuivirent une série d'engagements personnels à l'endroit du pluralisme culturel, de la richesse et de la diversité de l'expérience humaine, et voilà que bientôt je ressentis une opposition viscérale au rouleau compresseur qu'est l'Amérique anglicisante. La lecture des critiques et des spécialistes anglo-américains de Kérouac provoqua alors en moi un malaise extrême. Ainsi ai-je pris, par exemple, des pages et des pages de notes à la lecture de la biographie qu'Ann

Charters consacrait à Kérouac[6] et en découvrant l'énorme difficulté qu'elle éprouvait à le lire en tant que Franco-Américain.

Troisième révélation

Comme dans *The Book of Dreams*, ma troisième révélation est survenue il y a un an ou deux, lorsque j'ai découvert le film d'Antonelli sur Kérouac, où l'on voyait Jack en train de lire des extraits de *Sur la route,* sur fond de jazz, à l'émission de Steve Allen. L'incroyable beauté de son maniement de la langue anglaise, les images utilisées, toute cette sonorité propre à Kérouac me subjugua entièrement. Et j'ai alors pensé à Dylan Thomas, à mon amour pour ses écrits, à la première pièce de théâtre, *Under Milk Wood,* que j'avais choisi d'aller voir moi-même, au festival d'Édimbourg, à l'âge de seize ans ; et, dans une telle mouvance, à l'association entre première et deuxième langue, au fait de grandir dans un environnement bilingue et biculturel.

Je suis rentré à la maison en courant pour extirper de ma bibliothèque la biographie écrite par Constantine Fitzgibbon. Et voilà qu'elle commençait justement par une longue réflexion sur l'identité galloise de Thomas, et la façon dont la pensée et la manière d'être du poète en avaient été modelées. « Dylan Thomas était imprégné des souvenirs, tant personnels qu'ataviques, de cette vie qui se profilait derrière la vie de ses parents[7] » !

Fitzgibbon se mettait ensuite à énumérer les qualités émanant de l'ordre social gallois, surtout en ce qui concernait la langue et la culture, mais également la religion. Les parents de Dylan Thomas étaient bilingues – vivant à Swansea, ils portaient individuellement et collectivement les cicatrices de l'effritement de la société galloise rurale – et ne lui avaient pourtant pas enseigné le gallois, même s'il s'agissait de leur langue première d'expression. Cependant, le gallois les a certainement influencés (ses parents et Thomas lui-même) dans leur façon de manier l'autre langue (en matière de structure, d'images et d'associations). Cela a donné à Thomas la capacité d'écrire la langue anglaise comme aucun anglophone de naissance n'aurait pu le faire. Une telle « ligne de pensée », une telle réflexion, amenèrent Fitzgibbon à se pencher sur la question de savoir « combien de temps ces qualités particulières de l'imagerie survivent à la perte de la langue dans laquelle elles trouveraient leur expression la plus naturelle[8] ».

Cette dernière question me renvoya immédiatement aux réflexions de Kérouac lui-même et à ce qu'il avait révélé à Yvonne Le Maître dans sa fameuse lettre en date du 8 septembre 1950 :

> Toute ma connaissance repose sur ma franco-canadianité et nulle part ailleurs. La langue anglaise est un outil trouvé récemment si tardivement (je n'ai jamais parlé anglais avant d'avoir six ou sept ans), à vingt et un ans, je paraissais encore un peu gauche et je sonnais analphabète dans ma façon de parler et d'écrire. Quel pot-pourri. La raison pour laquelle je manie si facilement les mots de l'anglais, c'est parce que ce n'est pas ma langue. Je refais l'anglais pour le coller aux images du français. Sentez-vous cela[9] ?

Il s'agit là d'un thème que reprendra à son tour Gerald Nicosia dans sa biographie :

> Hal adorait écouter parler Jack. Souvent, Jack décrivait des lieux qu'il avait vus en ville lorsqu'il prenait des marches et Hal était ébloui par sa maîtrise de l'anglais, impressionné par son amour de la langue, son enthousiasme à juxtaposer des mots, seulement pour entendre leur sonorité même s'ils n'aboutissaient à aucun sens. Hal estimait que Jack était le premier écrivain depuis Joyce à prêter une aussi délicate attention au son du langage. De fait, ils avaient l'habitude de se lire tout haut, l'un à l'autre, des pages de *La Veillée de Finnegan* (*Finnegans Wake*), seulement pour prendre plaisir aux feux d'artifice verbaux et aux tournures de mots, car ils ne comprenaient guère ce que Joyce avait voulu signifier. Jack admettait préférer, sur le plan du contenu, le *Portrait de l'artiste*, mais il aimait l'idée d'un livre comme *La Veillée de Finnegan*. Sa propre spontanéité avec la langue, pensait Jack, venait du fait qu'il avait appris l'anglais comme deuxième langue. Se comparant à Joseph Conrad, il disait avoir été chanceux d'avoir pu écouter d'abord

le son, la musique de l'anglais, avant de rattacher quelque sens aux mots pris individuellement. Jack considérait que l'anglais avait, à son meilleur, une fraîcheur comparable aux dialogues dans les films de Cocteau, une distance qui permettait au locuteur de se tenir à l'écart et de se regarder lui-même tandis qu'il parlait ou écrivait[10].

James Joyce, Joseph Conrad, Dylan Thomas : des écrivains pris entre deux langues, entre deux cultures. Des vies qui, en ce qui concerne Thomas et Kérouac, ont suivi une même trajectoire et qui se révèlent d'une sensibilité extrême, avec cette même incapacité à assumer leurs réussites ; des hommes éprouvant un profond malaise dans leur relation avec les femmes, des hommes aux prises avec l'alcoolisme et animés de violentes pulsions de mort et de fuite vers les profondeurs de l'Amérique. En fait, tous deux, Kérouac et Thomas, étaient aussi bien l'un que l'autre originaires de petites villes et appartenaient à des cultures marginalisées, là où « les jeunes hommes avaient le temps de mettre au point leur propre système de valeurs artistiques, créer leur propre technique, trouver leur propre mode d'expression sans subir la pression des modes[11] ».

Déjà, le Grand Jack commence à prendre place au sein d'une famille élargie d'écrivains : celle des hommes désespérément sensibles, formés par des valeurs traditionnelles, imprégnés des rêves de l'innocence enfantine, de tout un passé, et tout à coup projetés dans un monde désert ; et aussi celle des hommes issus de milieux minoritaires véhiculant un message universel et arrivant à l'exprimer dans une langue qui n'était pas la leur («Je transcris du français qui est dans ma tête[12] », affirmera Jack).

Libérés des contraintes linguistiques des anglophones au seul passé unilingue, tant Kérouac que Thomas ont réussi à introduire dans cette deuxième langue forcée un mode étrange et étranger nous poussant en dehors de nous-mêmes avec une incroyable magie et amenant une nouvelle vision, parfois joyeuse, parfois effrayante, d'un monde échappant à tout contrôle. Tels des adolescents à mi-chemin entre l'enfance et la vie adulte, des hommes pris entre deux

cultures – sans aucun retour possible –, acculés à l'inévitable perte de la foi et de la certitude… avec l'alcool, la fuite
en avant et les bras d'une mère, leur mère, comme seuls
refuges possibles !

Un homme que nous avons rencontré *ailleurs*

Je pourrais continuer à l'infini à détailler les chocs et
parler des révélations subséquentes, les miennes aussi
bien que celles de mes amis et de mes étudiants. Je pense,
par exemple, à cette incroyable entrevue de Kérouac avec
Fernand Séguin pour l'émission *Le Sel de la semaine,* à
Radio-Canada, en 1967. Elle révèle non seulement la véritable identité canadienne-française de Kérouac (comme le
cinéaste André Gladu l'a dit : si lui n'est pas canadien français, moi je suis japonais !), mais également la totale incapacité du Québec de l'époque à le comprendre et à l'accepter[13].

J'espère, néanmoins, me bien faire comprendre. Pour
nous tous ou presque, Kérouac relève de la découverte personnelle et non professionnelle. Ce n'est pas dans les salles
de cours que nous avons dévoré son œuvre ; on ne nous en
a pas gavés comme du Molière ou du Shakespeare. Nous
l'avons plutôt rencontré *ailleurs,* tout comme Jack lui-même
découvrit l'essence de la condition humaine à Times Square
et quelque part le long de la route.

Les voies qui mènent à l'auteur d'*On the Road* sont multiples, et ce parce qu'il était situé au point de convergence
des forces créatrices qui ont animé l'Amérique de l'après-
guerre : l'écriture spontanée (l'héritage de Céline, Dos-
toïevski, Melville, Wolfe), le jazz (Dizzy Gillespie, Charlie
Parker et Thelonious Monk), l'art contemporain (de Koo-
ning, Franz Kline, Jackson Pollock), les religions orientales
et la recherche d'un sens à l'existence (Gary Snyder, Allen
Ginsberg), sans oublier la photographie et le cinéma
contemporain (Robert Frank et, donc, Jim Jarmusch, dans
son expression la plus récente avec *Stranger than Paradise* et
Down by Law). Et c'est peut-être tout cela qui explique que

Kérouac ne soit que rarement étudié dans les institutions scolaires : *il est trop grand pour y entrer !*

Alors, où placer Kérouac intellectuellement ? Comment le situer ? Dans le domaine de la littérature ? Mais laquelle ? En littérature américaine ? En littérature québécoise ? Comme Robert-Guy Scully l'écrivait en 1972, dans *Le Devoir* :

> Si la culture québécoise était aussi connue et étudiée à travers le monde que la culture USA, les littéraires les plus futés auraient tout de suite compris, et classé certains romans de Jack parmi les œuvres québécoises en traduction. Mais nous sommes inconnus et personne ne s'est donné la peine de comprendre.

Et si l'œuvre de Jack marquait le déclin de l'univers franco-américain (puisqu'il semblait raconter un monde qui échappait à tous, y compris à lui-même) et l'impossible intégration au grand tout anglo-américain ? On se rappelle sans doute le conseil désespéré que lui donna son père, Léo : « *Be a good American,* Ti-Jean. » En d'autres mots, et c'est une constatation capitale, Kérouac faisait partie de la dernière génération pour laquelle être franco-américain était une nécessité, une obligation, et non pas un choix personnel. Alors, importe-t-il de lui faire une place dans les sciences humaines, ou encore en sciences sociales ?

Je crois que si l'on cherche une réponse intellectuelle à ce dilemme, on la trouve dans le mot *vécriture*. C'est dire qu'il est impossible, dans le cas de Kérouac, de séparer sa vie de ses écrits.

C'est le littéraire québécois François Ricard qui, en 1980, fut le premier à appliquer ce concept à Kérouac, pour parler d'un continuum, d'une relation complexe, globale et réciproque entre sa vie et ses écrits[14]. L'écriture spontanée constitue à la fois le témoin et le produit de cette condition, fait partie intégrante de cette expérience.

Ricard identifie deux grandes catégories d'œuvres chez Kérouac. D'une part, celles qui ont été rédigées au fur et à mesure, assujetties aux événements, parfois amorcées sans même que l'issue en soit à l'avance connue, et, d'autre part, celles qui racontent des événements liés au passé (autobiographie traditionnelle) – son enfance, sa vie à Lowell –, mais où il est évident qu'un tel passé vient hanter Kérouac, le nourrir et même déterminer son expérience immédiate. Les meilleurs exemples des œuvres du premier groupe sont sans doute *Sur la route* et *Satori à Paris*, tandis que *Docteur Sax* et *Visions de Gérard* appartiennent au deuxième.

Ainsi, selon Ricard, lire Kérouac c'est « entrer en contact avec un destin ». Il considère qu'une bonne biographie de Kérouac devrait obligatoirement aborder la totalité de son expérience, de façon à fournir « la réplique de l'autre biographie qui, elle, est déjà *vécrite*, la *Légende de Duluoz* ».

Il est intéressant de signaler qu'Hector Bianciotti, lui-même transfuge linguistique, a exprimé une réflexion semblable dans son commentaire concernant l'édition française de la biographie d'Ann Charters, parue en 1975 : « Camarade, ceci n'est pas un livre, celui qui y touche, touche un homme[15]. »

Mais quel genre d'homme ?

Je suppose que ce qui nous attire tous vers Kérouac, c'est la complexité de l'écrivain, son caractère kaléidoscopique, et aussi le côté tragique de sa personnalité. Deux citations me viennent immédiatement à l'esprit – l'une de Kérouac lui-même et l'autre de John Clellon Holmes – qui illustrent tout le pouvoir de « séduction » qu'il peut exercer :

> Je suis un Canadien français iroquois américain breton aristocrate et démocrate des Cornouailles ou même un beat branché[16].

> Je crois que, dans le fond des fonds, il veut mourir. Et aucun excès d'alcool, de désastre ou de tristesse ne peut expurger le sentiment de rupture et de perte qui l'a toujours dévasté, harcelé, commandé. Quand il buvait, il prétendait être le Christ, Satan, un grand chef indien, une variété de saints appartenant à une demi-douzaine de cultures, le génie universel, et qui d'autre encore, qui peut se souvenir ! La quête de sa place. L'impossible casse-tête de l'identité qui vient assaillir celui qui peut imaginer toutes les possibilités, tous les rôles[17].

Tout cela évoque pour moi une image d'exil, d'errance, révèle un être suspendu dans une sorte d'état existentiel, quelque part entre le passé et l'avenir, et qui cherche le sens de son existence à travers une innocence douloureusement dévastée par l'absurdité de la condition humaine.

On peut lire à plusieurs niveaux cet exil, chez Kérouac, et entreprendre de poursuivre une véritable archéologie de la condition humaine de l'Amérique du Nord, telle qu'elle sera apparue dans la deuxième moitié du XXe siècle.

Kérouac, l'homme universel

La trajectoire de Kérouac exprime, depuis l'arrière-Amérique, l'étape ultime du mode de production capitaliste. L'écrivain célèbre et non prévu de l'univers franco-américain se retrouve victime d'avoir grandi dans un monde dépourvu de repères familiers, sans lieux sûrs, et privé de racines. Dernière étape d'un long processus qui aura impliqué d'abord la libre circulation des biens, puis de la main-d'œuvre, de l'information et, finalement, de la culture, et qui aboutira à l'articulation d'un seul ordre économique mondial – se nourrissant de gens arrachés à leur lieu de naissance et à leur environnement familier pour être projetés, nus, sur le marché du travail des êtres solitaires et culturellement démunis. Espace sans bornes que celui de l'Amérique, mais aussi sans jalons ni terre sacrée.

Kérouac raconte autant l'exaltation de cette « libération » – qui est à la fois recherchée et imposée – que la déception qu'elle fait inexorablement naître au bout du chemin.

Comme il l'exprime si bien dans la lettre qu'il adressait à Yvonne Le Maître, il était « étonné de l'horrible privation d'un chez-soi qui constitue le lot de tous les Canadiens français à l'étranger aux États-Unis » (*amazed by that horrible homelessness all French-Canadians abroad in America have*). Mais c'est loin, cependant, d'être là le lot des seuls Canadiens français. En fait, de quoi Kérouac parle-t-il ici sinon du triomphe du matérialisme, de la perte du sens de notre existence ou de l'absence du sacré ?

Quelle est sa réponse devant tout cela ? Si l'on s'y arrête, on se rend compte qu'il en formulait plusieurs. D'abord, par sa recherche d'une nouvelle spiritualité dans le bouddhisme et les religions orientales. Ensuite, par ses tentatives répétées pour remonter le temps, pour retourner vers son enfance, vers mémère et la protection qu'elle lui assurait.

Enfin, son désir perpétuel et désespéré de vouloir retourner vivre à Lowell constitue aussi une réponse. Son ami Al Sublette disait en plaisantant que « Jack avait passé toute sa vie à chercher une hutte au toit de chaume à Lowell » (*he had spent all his life looking for a thatched hut in Lowell*). Ce que Jack confirmait d'ailleurs par cet impossible désir de retour à un lieu et à un temps d'innocence. Et par la quête obsessionnelle de ses racines, le désir d'identifier ses propres origines, de connaître sa généalogie, les lieux de ses ancêtres, au Canada.

Kérouac, l'Américain

Si Kérouac atteint l'universel, il demeure aussi profondément américain. L'Amérique est la quintessence d'une civilisation fondée sur l'exil et la mobilité (venir d'autres lieux, d'ailleurs, et appartenir à d'autres lieux), et la vie de Kérouac est un témoignage poignant de la difficulté, voire de la tragédie, de cette condition. Mais Kérouac avait également la capacité de la décrire, cette vie, de lire ce qui traversait les yeux des gens, ce qui se passait dans leur tête, de communier et de communiquer avec eux. La meilleure expression de tout cela se trouve, selon moi, dans la fusion d'énergie créatrice qui se produisit entre Kérouac et le cinéaste Robert Frank (auteur, faut-il le rappeler, de ce que l'on peut considérer comme le plus important recueil de photographies des années cinquante, *Les Américains*[18]).

Dans sa préface pour l'édition new-yorkaise, Jack montre une incroyable capacité à plonger dans le vide de l'image et des lieux pour y trouver le monde réel, les gens vrais, l'humanité. Il raconte une Amérique où l'avenir n'arrive jamais et où le passé nous a désertés pour toujours – une

Amérique qui n'a pas de lieux, ou alors des lieux sans pertinence aucune et où le temps se résume à un instant.

C'est l'Amérique des films récents comme *Paris, Texas* et *Down by Law*, d'une étrange beauté, sans doute, mais aussi d'un mélange de frivolité, de fatalisme et de désespoir. C'est comme si Kérouac avait cherché le sens caché de cette Amérique et assuré sa renaissance par l'entremise de sa quête personnelle : trouver ses racines dans cette terre, créer une langue nouvelle, faire éclater les frontières pour y englober tant le Mexique que le Canada (et, donc, refuser de réduire l'*Amérique* aux seuls USA). Mais cela n'a pas marché, parce qu'à l'instar de tous les autres lui aussi a été trompé, comme le peuple canadien-français, par le « rêve américain ».

Kérouac, le Franco-Américain

En tant que Franco-Américain, Kérouac aura vécu comme un drame ce rêve qui fascine tellement les Européens. Sa vie, ses romans sont imprégnés d'un sentiment de dépossession qui provenait de sa lucidité et de la constatation qu'il possédait une identité différente, à part. Cette dernière se manifestait à travers sa langue, ses réflexes, ses craintes, sa mère (et sa relation avec celle-ci), son frère Gérard, qui eut, de l'avis de Jack, le privilège de vivre et de mourir, à l'âge de neuf ans, « sans avoir vraiment parlé l'anglais ni vraiment connu l'Amérique[19] ».

Il savait également que cette identité différente – la sienne – était incomprise, non admise et inexplicable à tous les autres, ses amis. Il était Canuck, Canadien français, mais personne ne savait ce que cela voulait dire, et lui le premier ! Il n'avait pas reçu de souvenirs rattachés à la vieille France, qui auraient pu être transmis par sa famille. Le Canada français n'était également pour lui qu'un lieu clair-obscur dont il était incapable de dessiner la forme ou les limites. Il évoquait au mieux, dans ses écrits, soit un village, soit la rue Sainte-Catherine, à Montréal, et les relations difficiles, là-bas, entre Français et Anglais, mais également une patrie où personne ne se souvenait de lui. Le cordon ombilical entre le Canada français et la Nouvelle-Angleterre était coupé depuis fort longtemps, et le Québec nouveau n'avait pas encore pris forme. Or la tragédie de Jack fut d'être une sorte d'homme invisible – cet Homme invisible et très marginalisé que Ralph Ellison, Noir américain, évoque dans son roman, tout comme Patrice Desbiens, poète franco-ontarien, dans son remarquable recueil au même titre, *L'Homme invisible/The Invisible Man*, rédigé en deux langues, lesquelles se répondent en parallèle, en faisant varier le sens d'une langue à l'autre, mais pas toujours[20] !...

L'homme invisible avait une femme.
Maintenant il ne peut même plus se rappeler son nom.
L'homme invisible avait un pays.
Maintenant il ne peut même plus se rappeler son nom.
Il pensait que tous les Canadiens français dignes de leur nom appartenait à ce pays.
Il y a des bateaux coulés dans ses yeux coulés.
Sa douleur n'a pas de nom.
Des violoneux canadiens-français jouent une triste musique dans le *background*.
Quelques-uns rient[21].

C'est un univers désespéré de double identité schizophrène, d'alcool, de rêves déchus et de fatalisme, celui d'un homme (et d'un peuple) qui a « besoin d'une femme ». Il n'est pas surprenant alors que Patrice Desbiens écrive ce qui suit dans un autre recueil, intitulé *L'espace qui reste* :

le rêve de la plupart des
francophones de la péninsule
du Niagara est de s'en aller
vivre au Québec dit michel
dans le *blue cellar room*.
la place est pleine et juste
derrière nous un hongrois
se voit refuser une autre
bière.
des révolutions sont avortées
dans son verre vide.
michel ne peut pas me parler
sans jeter l'œil sur chaque
femme qui passe.

j'ai la grippe et tout ce à quoi
je peux penser c'est
« aurais-tu trente piastres
pour que je retourne
au québec ? »
mais je ne dis rien.
mon ennui se mélange
à la mucosité du moment
et j'étouffe sur mes mots[22].

Voilà un état d'âme explosif, un état d'être fait de fragilité et de violence, comparable à ce que Kérouac portait en lui, comme tant d'autres qui lui ressemblaient. Jack, lui aussi, aurait voulu retourner au Québec, d'une façon ou d'une autre, à un moment ou à un autre de sa vie.

Kérouac, le Québécois

Toutefois, le Québec ne pouvait pas apprivoiser Kérouac et lui, à son tour, ne pouvait pas apprivoiser le Québec non plus. D'une façon particulière, il représentait le passé et l'avenir du Québec, dans les années soixante tout comme aujourd'hui.

L'entrevue avec Fernand Séguin à Radio-Canada en 1967 est très révélatrice à cet égard. Avec le recul, ce qui se dégage de ces images, c'est un Québec qui cherche à rattraper le temps perdu, à devenir moderne aussi rapidement que possible, mais selon des comportements empruntés à l'Europe comme seuls modèles acceptables pour sa bourgeoisie. Aussi, au lieu de rencontrer en Kérouac l'un des leurs devenu écrivain célèbre, les Québécois, à la fois amusés, gênés, honteux et bouleversés, auront préféré voir, à l'ombre d'un passé fraîchement enseveli, un Canuck quétaine imprégné d'un fort esprit de clocher.

À certains égards, Jack était plus chanceux que ses cousins québécois. Son autre modèle à lui, c'était l'Amérique. En tant que Canadien français né de ce continent (et non pas d'une mère patrie lointaine située outre-Atlantique), il pouvait épouser ce modèle avec plus de facilité et d'enthousiasme. Il le faisait d'ailleurs avec encore plus de facilité que Ginsberg et ses autres « compagnons ethniques », originaires de New York. Il n'est pas surprenant que Jack ait été un pionnier, un précurseur, « un jeune homme timide qui avait prédit l'esprit d'une génération[23] ».

Il voulait partager son rêve tout autant avec les gens de la rue qu'avec ses amis intellectuels. C'est là le rêve qui met fin à *On the Road* et que nous connaissons tous :

> Ainsi en Amérique, quand descend le soleil et que je m'assieds sur le vieux quai tout brisé de la rivière, contemplant le long, si long ciel sur le New Jersey, et que je sens toute cette terre crue qui roule d'un seul trait comme un ventre immense et incroyable jusqu'à la côte Ouest, et toute cette route qui s'en va, tous ces gens qui rêvent dans son étendue, alors que dans l'Iowa, je le sais maintenant, les enfants doivent être en train de brailler dans le pays où on laisse les enfants brailler, et ce soir les étoiles seront là, et vous savez bien que Dieu est le Gros-Ours-qui-fait-Peuh ! L'étoile du soir doit être en train de s'affaisser en jetant de faibles scintillements sur la Prairie, juste avant qu'arrive la nuit complète qui bénit la terre, assombrit les rivières, découpe les pics et abrille le dernier rivage, et personne, absolument personne ne sait ce qui va arriver à qui que ce soit, à part les tristes guenilles du vieillissement, et je pense à Dean Moriarty, je pense même au vieux Dean Moriarty père que jamais on n'a trouvé, je pense à Dean Moriarty[24].

Mais, plus que tout, c'est avec ses « cousins » canadiens-français qu'il voulait le partager, ce rêve, découvre-t-on avec émotion, si l'on se rapporte aux recherches de Gerald Nicosia :

> Le nouvel héros qu'il [Kérouac] imaginait était un Canadien français bien au fait de la langue et de la culture « anglo ». Le compagnon du héros serait, par contre, un Canadien français « pure laine », qu'il appellerait « mon cousin », appellation signifiant littéralement « l'un des miens » dans le parler du Québec de la campagne. L'un et l'autre auraient voyagé ensemble comme Don Quichotte et Sancho Pança, et le cousin aurait constamment réprimandé le héros pour ses « niaiseries à l'anglaise ». Jack voulait représenter le conflit entre le Canuck sérieux et véritable, fidèle à son clan, et le Canuck au romantisme pas possible qui, tout comme lui-même, s'était lancé à la conquête du monde anglo-américain[25].

Toutefois, dans le roman qui a finalement vu le jour, les protagonistes sont devenus Dean Moriarty, un Irlandais, et Sal Paradise, un Italien, qui, peut-être, n'évoquaient tout simplement que ce « sale paradis » qu'est l'Amérique. Le reste n'étant qu'un rêve impossible :

Les rêves les rêves les rêves
Pourquoi rêver quand on connaît
déjà son futur[26] ?

Certes, c'est la seule histoire que Jack a jamais réussi à raconter, celle de sa propre famille, et, à travers celle-ci, l'histoire de la grande famille canadienne-française établie ici en Amérique. Ironie du sort, c'est cette histoire-là qu'il aurait le plus désiré raconter dans sa langue première. Le Québec d'alors ne l'a pas aidé, n'arrivant pas à se rendre compte que Kérouac était un homme moderne, voire postmoderne, représentant en quelque sorte le Québec en Amérique. Et comme le Québec d'alors n'avait pas cerné sa véritable place en Amérique, en tant que réalité tangible, l'Amérique ne pouvait pas à son tour comprendre Kérouac.

Or, aujourd'hui encore, la suite à donner à ce grand rêve non accompli, non réalisé, de Jack dépend autant de l'Amérique d'hier que de l'Amérique de demain. Et aussi, de la façon dont le Québec approchera l'expérience franco-américaine et dont les États-Unis percevront dorénavant Jack Kérouac… et au-delà de tout cela, de la façon dont nous traiterons ensemble, tous, sur ce continent, de la vie et de la mort, tant collective qu'individuelle.

É. W.
Québec, octobre 1987

Notes

1. Disque *Fantasy 7002*.
2. « *I saw the best minds of my generation destroyed by/madness, starving hysterical naked,/dragging themselves through the negro streets at dawn/looking for an*

angry fix » (Allen Ginsberg, *Howl and Others Poems*, San Francisco, City Lights Books, 1956 ; traduction libre.)

3. « *They are the same people/only further from home/on freeways fifty lanes wide/on a concrete continent/spaced with bland billboards/illustrating imbecile illusions of happiness/The scene shows fewer turnbrils/but more maimed citizens/in painted cars/and they have strange license plates/and engines that devour America* » (Traduction libre.)

4. Paru aux Éditions du Jour, en 1972.

5. André Major, *Le Devoir*, 25 octobre 1969, p. 14.

6. Ann Charters, *Kerouac, A Biography*, New York, Straight Arrow, 1973.

7. « *Dylan Thomas was steeped in memories, both personal and atavistic, of the life that lay behind his parents'lives.* » (Constantine Fitzgibbon, *The Life of Dylan Thomas*, Londres, Dent, 1965, p. 1-2 ; traduction libre.)

8. «*How long do these special qualities of imagery survive the loss of the language in which they are most naturally expressed ?* » (*Ibid.*, p. 2 ; traduction libre.)

9. « *All my knowledge rests in my* French-Canadianness *and nowhere else. The English language is a tool lately found so late (I never spoke English before I was 6 or 7), at 21, I was still somewhat awkward and illiterate sounding in my speech and writings. What a mix-up. The reason I handle English words so easily is because it is not my own language. I refashion it to fit French images. Do you see that ?* » (Jack Kérouac, lettre à Yvonne Le Maître, le 8 septembre 1950, publiée dans *Le FAROG Forum*, Orono [Maine], mai-juin 1984, p. 15 ; traduction libre.)

10. « *Hal loved to hear Jack talk. Often Jack described places in the city he had seen on his walks, dazzling Hal with his virtuoso command of English. Hal was impressed with his love of the language, his enthusiasm for putting words together just to hear their sound even if they didn't always make sense. Hal thought Jack the first writer since Joyce to pay such exquisite attention to the sound of language. Indeed, they used to read aloud random pages of* Finnegans Wake *to each other, just to appreciate the verbal pyrotechnics and sleight-of-tongue, since they understood little of Joyce's meaning. Jack confessed that for content he still preferred Joyce's* Portrait of the Artist, *but he liked the idea of a book like* Finnegans Wake. *His own freshness with the language was due, Jack thought, to having learned English as a second language. Comparing himself to Joseph Conrad, he said he had been fortunate to be able to listen to the sound of English before he attached any significance to the individual words. At its best, Jack felt English had a coolness like the dialogues in Cocteau's movies, a detachment that let the speaker stand back and view himself while talking or writing.* » (Gerald Nicosia, *Memory Babe. A Critical Biography of Jack Kerouac*, New York, Grove Press, 1983, p. 147 ; traduction libre.)

11. « [...] *the young men had time to formulate their own artistic values, create their own techniques, and find their own modes of expression unpressurized by fashion.* » (Constantine Fitzgibbon, ouvr. cité, p. 20 ; traduction libre.)

12. « *I'm translating from the French that is in my head.* »

13. Voir l'article de Robert-Guy Scully, dans *Le Devoir*, 28 octobre 1972, p. XXIX.

14. François Ricard, *La Littérature contre elle-même*, Montréal, Boréal Express, 1985, p. 93-98.

15. Hector Bianciotti, *Le Nouvel Observateur*, n° 537, 1975, p. 58.

16. « *I'm a French Canadian iroquois american aristocrat breton cornish demo-crat or even a beat hipster.* » (Traduction libre.) Cette confession apparaît dans *Les Anges de la désolation*.

17. « *Way deep down, I think, he wants to die, and no amount of self-abuse, di-saster or sadness can expurge the feeling of loss and estrangement which has always scarred him, dogged him, driven him. He claimed, in his drink, that he was Christ, Satan, an Indian cheftain, various holy men of half a dozen cultures, the universal genius, and who knows who else, who can remember. The search for the role. The miledeep puzzle of identity that goes on in someone who can imagine all alternatives, all roles.* » (John Clellon Holmes, *Visitor : Jack in Old Saybrook*, 1962 ; traduction libre.)

18. Robert Frank, *Les Américains*, Lausanne, Delpire, 1958 ; *The Americans*, avec une préface de Jack Kérouac, New York, Grove Press, 1959. Une nouvelle édition a été récemment publiée.

19. Comme le rapporte Robert-Guy Scully, art. cité.

20. Voir Ralph Ellison, *Invisible Man*, New York, New American Library, 1952, et Patrice Desbiens, *L'Homme invisible/The Invisible Man*, Sudbury et Moonbeam, Éditions Prise de Parole et Penumbra Press, 1981.

21. «*The invisible man had a woman./ Now he can't even remember her name./ The invisible man had a country./ Now he can't even remember its name./ He thought all French-Canadians worthy of their name/belonged there./ Sunken ships in his sunken eyes./ His pain has no name./ Drunken French-Canadian fiddlers play sad music in the/background./ Some of them are laughing.* » (Patrice Desbiens, ouvr. cité, p. 43 ; traduction libre.) Ce poème n'apparaît pas en français dans le recueil de Desbiens parce que c'est en anglais que le poète le vit, présume-t-on.

22. Patrice Desbiens, *L'espace qui reste*, Sudbury, Éditions Prise de Parole, 1979, p. 14.

23. «[…] *a shy young man, who foretold the mood of a generation.*» Ces mots sont ceux de Ken Kesey. Voir « Is there Any End to Kerouac Highway ? », *Esquire*, n° 100, 1983, p. 60.

24. « *So in America when the sun goes down and I sit on the old broken-down river pier watching the long, long skies over New Jersey and sense all that raw land that rolls in one unbelievable huge bulge over to the West Coast, and all that road going, all the people dreaming in the immensity of it, and in Iowa I know by now the children must be crying in the land where they let the children cry, and tonight the stars'll be out, and don't you know that God is Pooh Bear ? The evening star must be drooping and shedding her sparkler dims on the prai-rie, which is just before the coming of complete night that blesses the earth, dar-kens all rivers, cups the peaks and folds the final shore in, and nobody, nobody knows what's going to happen to anybody besides the forlorn rags of growing old, I think of Dean Moriarty, I even think of Old Dean Moriarty the father we never found, I think of Dean Moriarty.* » (Jack Kérouac, *On the Road*, New York, Viking, 1957 ; traduction libre.)

25. *The new hero he [Kérouac] conceived was a French-Canadian well versed in the English language and culture. The hero's companion would be a "pure" French-Canadian, whom the hero calls "Cousin", which among the country folk in*

Quebec literally means "my kind". The two would travel together like Don Quixote and Sancho Panza, and the cousin would continually reprimand the hero for his "English silliness". Jack wanted to portray the conflict between the unrelieved gravity of the true, clannish Canuck and the romantic hopefulness of a Canuck like himself who had set out to conquer the Anglo-American world. » (Gerald Nicosia, ouvr. cité, p. 325 ; traduction libre.)

26. Patrice Desbiens, *Sudbury*, Sudbury, Éditions Prise de Parole, 1983, p. 35.

Promenade dans une Amérique
en quête de Québec*

Il est révélateur de constater combien, et jusqu'à quel point, la « poésie du pays » que tous fuyaient à grands pas, ces dernières années, prétextant l'évacuation du soi collectif sous l'empire de la postmodernité, fête son retour aujourd'hui au Québec, mais par le biais, cette fois, de l'américanité et d'une écriture poétique appelée *cinéma*.

Qui aurait cru, en effet, que le langage et la quête d'un Paul Chamberland, d'un Gatien Lapointe ainsi que la trame imaginaire des années soixante émergeraient de nouveau, quelque vingt ans plus tard, dans la foulée d'une démarche venant s'inscrire dans la même lignée – démarche nous invitant, aujourd'hui, à appareiller pour un *Voyage en Amérique avec un cheval emprunté* (Jean Chabot) avant de nous embarquer pour *Le Voyage au bout de la route* (Jean-Daniel Lafond), en faisant d'abord une embardée du côté d'un témoignage tout à fait extraordinaire, *Oscar Thiffault : Ah ! Ouigne in hin in !* (Serge Giguère). Si l'on n'a pas jugé pertinent de faire participer ce dernier film à la série *L'Américanité*, c'est sans doute parce qu'il en exprimait une dimension trop viscérale. Soit dit en passant, le film de Jean-Daniel Lafond n'était pas originellement destiné à figurer dans la même série, mais avec un sous-titre aussi magnifique que *La ballade du pays qui attend*, comment ne pas l'inviter à rejoindre les rangs de la promenade géographique évoquée !

---

* Version modifiée et légèrement augmentée d'un texte sous-titré « À propos de la série *L'Américanité* » et ayant paru dans *Séquences*, n°s 135-136, septembre 1988, p. 38-43.

Ces films présentent des aspects à ce point complémentaires de l'aventure-Québec qu'on se demande si leur sortie conjointe, au VIe Rendez-vous du cinéma québécois, en février 1988, ne correspondrait pas à la planification bien orchestrée de ce hasard qui l'emporte, une fois de plus, comme révélateur de l'invisible qui nous habite. C'est pourquoi il apparaît essentiel de s'arrêter quelque peu pour tenter de cerner, à travers ces trajectoires – « pistes *movies* » plutôt que *road movies* –, l'espace qui leur sert de soustrame en nous lançant de vibrants appels.

Mais d'abord, une remarque préliminaire que j'aimerais faire tout de suite afin d'enfourcher au plus vite le « cheval qui rêve » et partager mon émotion tout au long du « chemin qui marche », une remarque pour dire que la série de l'Office national du film (ONF) appelée *L'Américanité* ne déroge pas d'un iota à la conception géographique restrictive, intégrée à tout le mouvement intellectuel québécois de ces dernières années, qui aura vaillamment confondu l'Amérique avec les États-Yanquis.

Ainsi, aux grands yeux bleus du désir-Québec, New York, la Californie, la Floride, les Chicanos, les Noirs-*Blacks,* les natifs-*natives* se situeraient beaucoup plus près du *core* de l'Amérique que ne peuvent le prétendre le Brésil, le Nicaragua, Haïti ou la Haute-Bolivie. Et, bien évidemment, le Québec lui-même. Dans la mesure, cependant, où il est, par son histoire géographique, non seulement synonyme d'américanité, mais encore, et surtout, synonyme d'antériorité américaine, pour souligner l'une de ses dimensions géologiques maîtresses[1], le Québec ne peut plus, dès lors, se saisir de la formule Amérique-America pour jouer à la rencontre avec l'autre, puisqu'il incarne déjà cet autre, peu importe qu'il en soit conscient ou pas.

Cet autre présumé – l'Américano-Wasp chromé postmod – qui serait enfin venu sortir le « Québéco » de lui-même afin de le projeter dans le vaste monde du « détricoté desserré » ! Je sens monter une vieille rage devant ce jeu de cache-cache avec soi-même et ne peux m'empêcher de pousser un triple *¡ basta !*

Comme les Paléo-Québécois, c'est-à-dire, si l'on daigne se souvenir, ceux qu'on appelait Canadiens, se sont établis sur le territoire devenu celui des États-Unis bien avant l'arrivée des Yanquis, jouer l'« américanité », depuis Montréal ou ailleurs, le long des rives du Saint-Laurent, c'est faire semblant de ne pas être « américain » ! Pour faire oublier, sans doute, sa honte de Métis issu de la première heure du Monde Nouveau et d'avoir été perçu comme tel par la plupart des observateurs étrangers ayant longé les rives du Saint-Laurent jusqu'à l'Athabaska-Mackenzie !

C'est pourquoi on a sans cesse l'impression de buter sur un paradoxe bien entretenu dès qu'il est question de l'un de ces tout premiers lieux de la Nord-Amérique, au nom indigène de Québec. Comme s'il fallait désaméricaniser le Québec, faire semblant qu'ils se situe quelque part ailleurs sur la planète, à la dérive dans quelque Atlantique Nord, pour le faire entrer ensuite exactement en lui-même et le frapper à l'effigie d'une américanité mythique, exactement au centre de ce lieu impossible qu'il faudrait bien appeler le *Québec hors Québec*.

Mais d'où vient cette obligation qu'on se donne de s'offrir, par complaisance privative, une telle perte de mémoire si savamment entretenue à coups de subventions, pour s'assurer qu'on ne rencontrera jamais, caché sous une peau de Yanqui qui nous avait déjà par ailleurs emprunté la nôtre ou bien dissimulé sous le scalp des « traités indiens » du siècle dernier, l'ancêtre à plumes qui avait séduit à peu près tous les voyageurs du Nouveau Monde ? Sauf, bien sûr, ses propres descendants en quête de promotion anthropologique et historique avec, au revers du cœur, une carte du Parti Québécois, pour réaliser la souveraineté en refusant de prendre à bord de son imaginaire tous ces ancêtres disparus dans le courant des Amériques.

C'est pourquoi la rencontre avec l'Amérique, c'est d'abord la rencontre avec le Québec – le Québec en ubacs et en adrets ou, si l'on préfère, le Québec recto verso jusqu'aux confins des Amériques !

« L'Américanité est vraiment un projet collectif (regroupant cinq-six cinéastes)», expliquait Jean Chabot dans une entrevue parue dans *Le Devoir* du 6 février 1988. « En réunion préparatoire, nous nous sommes interrogés sur notre rapport à l'Amérique. On s'est rendu compte que chacun avait une relation particulière avec l'espace américain, le mode de vie, les images de l'Amérique. Chacun est donc parti de son côté développer sa propre vision des choses, et tous les films se répondent. Il arrive souvent, continuait-il, que les Québécois puissent identifier la plupart des grandes villes de l'Europe de l'Ouest, mais qui connaît la capitale de l'Idaho ? En fait, nous avons tous une certaine "ignorance défensive" face à l'Amérique. Il existe plus de non-dits que de choses exprimables », concluait-il.

Eh bien, je ne sais pas si je connais bien la capitale de l'Idaho. Mais je sais qu'elle n'est pas loin de Cœur-d'Alêne, qu'elle s'appelle Boisé et que ce sont des Canadiens qui l'ont nommée ainsi, alors que ce sont des Européens qui ont appelé Richelieu le cours d'eau que nous avions nommé la rivière des Iroquois, près de Montréal. J'imagine alors que de ne pas savoir que la capitale de l'Idaho porte un nom québécois, c'est ne pas connaître le Québec. Et alors, qu'est-ce qu'on fait d'une telle information qui fait que l'Idaho – sans oublier le pays de l'Ohio et tous les autres – est partie constituante du Québec tout autant que Chicoutimi ou le lac Saint-Jean ? Si Chabot avait fait référence au Dakota du Sud dont la capitale est Pierre, le problème serait le même, car qui donc est ce Pierre, un prénom si familier mais qui n'est ici précédé d'aucune marque de sanctification[2] ?

Que dire ? Il semble bien que la première *ignorance défensive* du Québec par rapport à l'Amérique est d'abord l'ignorance du Québec face à lui-même en tant qu'américanité ignorée ou refusée.

Or c'est justement le périple géographique qu'accomplissent ces films : l'américanité n'est en fait qu'une grande boucle pour rentrer dans un chez-soi dont on peut difficilement s'extirper pour la bonne raison que ce chez-soi n'a vraiment jamais existé en dehors de l'américanité.

Cette profonde ambiguïté traverse le film de Jean Chabot, parti en quête de lui-même à travers une géographie qui ne fait que lui renvoyer le reflet déformé de sa propre image. Sans changer ni de voiture ni de vêtements, sans avoir besoin de visa sur son passeport, mais revêtu d'une nouvelle langue familière qu'on parle aussi à Montréal – cet anglais attribué en exclusivité à l'américanité et qui est, de fait, la langue la plus répandue sur le territoire québécois[3] –, le cinéaste part en voyage en Amérique de la Nouvelle-Angleterre (c'est-à-dire « aux Zétats », comme on dit toujours fort justement en créole). Le pays nouveau et étranger est au demeurant fort bien connu : aucun laissez-passer touristique spécifique n'est nécessaire pour observer ou ausculter le cœur de cette « américanisation » galopante susceptible d'engloutir un jour prochain le Québec. Quand on pense que les Yanquis du siècle dernier avaient peur de se faire « américaniser » dans les cotonneries de la côte Atlantique – ou, si l'on préfère, « canuckiser » – par ces Canadiens français appelés « Chinois de l'Est », au point de pousser de grands holas dans le *New York Times*, il y a de quoi se poser certaines questions.

Qu'est-ce à dire, et qu'est-ce que le Québec, ce pays cheminant toujours parallèlement aux Zétats dans la tête du cinéaste, ce pays qui n'a ménagé aucun effort pour quitter à jamais l'imaginaire de son enfance, tout en oubliant quelque part de faire des enfants, et qui se retrouve ainsi orphelin à la fois de son passé et de son avenir ? « L'américanisation est une menace à notre identité, explique Chabot. On risque de disparaître, mais on refuse de l'admettre. Va-t-on laisser un pays derrière nous ? Les gens d'ici ont le sentiment de ne pas être vraiment chez eux, d'avoir emprunté un pays à ceux qui y habitaient déjà (les Sauvages). »

Questions angoissantes ! Comme si le génocide fondateur n'était pas l'apanage de toutes les Amériques. Comme si l'américanité venait constituer, en contrepartie, un pouvoir identitaire légitime dont le Québec serait curieusement dépourvu pour des raisons connues de lui seul. Comme si le Québec ne constituait pas l'une des rares instances d'extraction européenne – mais métisse algonquienne, il faudra bien le reconnaître un jour – à avoir été conquises, en terre d'Amérique, par une coalition anglo-iroquoise. Le Canada et les Canadiens, devenus Québécois, n'ont pas été conquis exclusivement par l'Angleterre, mais aussi par les Iroquois, et on voit mal pourquoi ils devraient plus grande allégeance à Londres qu'à Caughnawaga ! Mais continuons notre périple.

Chabot transporte dans sa besace une espèce de mensonge ontologique face à un non-savoir de l'Amérique qui devient, pour le besoin de la démonstration, une ignorance patiemment construite par une élite qui aura eu peur ou honte, ou les deux, de l'ancêtre canadien en amont du Québécois et de son identité. Car je ne crois pas que le Québec ignore l'Amérique – l'Amérique en lui et autour de lui – plus que l'Amérique n'ignore le Québec. Bien au contraire. Et c'est pourquoi cette Amérique, qu'on ne cesse de pousser tout doucement hors du Québec, devient rapidement une fausse Amérique au regard d'un Québec qui doit, à son tour, devenir tout aussi faux, dans l'espoir de découvrir, comme étranger, le continent auquel il appartient depuis le début.

Questions angoissantes, ai-je dit. Mais dans la mesure où le Québec constitue un pays non fondé, ou tout au moins mal fondé, il serait plus réaliste de parler d'un génocide non fondateur. Dans la mesure également où les Canadiens (c'est-à-dire, s'il faut le préciser encore, les Québécois) ont été, qu'ils le veuillent ou non, un peuple conquis aussi bien par les Indiens que par les Anglais, il vaudrait mieux se donner la peine d'y regarder de plus près. Car il se pourrait que le Grand Sauvage, dont on cherche la trace avec obstination, se trouve ailleurs que dans l'Indien contemporain « authentique et sophistiqué » parlant exclusivement anglais, jouant dans les westerns et défendant les *Native's Rights.* Il se pourrait qu'il se trouve exactement au centre de ce Québec sauvage et indompté qui a tellement peur de n'être pas sorti du bois qu'il s'en est fait l'un des plus grands sécateurs au profit des autres.

Mais poursuivons plutôt la route avec Jean Chabot, dont la voix poétique si chaleureuse constitue la meilleure invitation qui soit pour monter en douce à l'abordage de l'Amérique.

Lorsque le voyageur-cinéaste revient à son point de départ – Montréal –, il y découvre une trame urbaine tout à fait semblable à celle qu'il vient de parcourir dans son New England Tour. Aussi, on se rend compte que son voyage à l'étranger aurait pu se passer tout autant chez lui, à Montréal. Si bien que cette échappée aux États-Yanquis devient vite une fausse altérité présupposant un Québec hors américanité, campé en porte-à-faux avec lui-même. C'est qu'on se voit, au fond, convié par l'ONF à découvrir une Amérique de l'américanité définie à l'européenne pour mieux faire anglo, et qui ne colle en fait ni aux Zétats ni au Québec.

Parce que les choses et les géographies ne sont pas désignées par leur nom, on est entraîné dans une confusion révélatrice d'un état des lieux qui appelle sans cesse l'histoire à son secours. Et c'est précisément cela qui présente des difficultés.

Au fait, le néologisme « américanité » qu'au Québec on associe, depuis peu, aux seuls États-Unis n'a pas de véritable équivalent en anglais ; il a été forgé par les Hispanos, au XIXe siècle, qui s'en sont servis précisément pour se dissocier des États-Unis en valorisant leur identité constitutive – la *americanidad*. Puisque le Québec se sert de la même idée, dans une perspective différente, le glissement identitaire ne saurait en ce cas être plus total. L'identité continentale devient alors, envisagée du Québec, celle d'une langue prétendument plus européenne que les autres langues d'Amérique – le français – et sa géographie devient alors forcément la fille de son histoire. Mais de quelle histoire peut-il bien s'agir, alors ? Tous les autres peuples de l'Amérique, des Hispano-Guaranis aux Francos-Dènès, doivent bien avoir, eux aussi, une histoire américaine ou plutôt américaine…

Si je n'arrive pas à répondre à cette question – on a toujours un peu l'histoire qu'on se raconte –, je ne peux m'empêcher d'observer le fait suivant : à mesure que le cinéaste descend dans la géographie des États-Unis, il remonte dans l'histoire du Canada. Pour tenter de cerner ainsi, vers la fin du voyage, aux portes mêmes de Montréal, l'élément clé qui rendra évidente notre survie et viendra, du même coup, assurer notre avenir. Cette substitution de l'histoire à la géographie, par le biais de la route, apparaît comme une constante chez Chabot – constante incertaine et conscience, par ailleurs, jamais tout à fait sûre de ses assises. Le cinéaste est à la recherche d'un lieu qu'il n'arrive jamais à définir et qui n'est ni le Québec ni les États-Unis, mais autre chose !

Un non-lieu ? Je ne saurais dire. Peut-être est-il justement à la poursuite du non-lieu authentique qui nous rassemblerait tous ? L'impression qu'on éprouve en fin de compte, c'est que le voyage n'est pas vrai ; il sent le préfabriqué à plein nez. Mais, d'un autre côté, il n'est pas tout à fait faux non plus, et cela laisse perplexe. Bah ! Ni vrai ni faux, comme ce voyage ressemble après tout au Québec lui-même, et, mon Dieu, que je voudrais me joindre spirituellement au cinéaste et adhérer à son projet ! Mais le ton ne réussit pas à convaincre, malgré la voix si chaude et l'accent lyrique de Chabot. La voix poétique oublie de dire pourquoi elle a suivi cette voie routière, comme si on l'y avait un peu forcé en quelque sorte. Non pas qu'elle ait à se justifier, loin de là, mais c'est comme si elle refusait de se donner le souffle qui s'accorderait à sa propre dimension.

Pourtant, j'avais tellement aimé son film précédent, *La Fiction nucléaire*, le film le plus révélateur, à mon avis, qui ait jamais été consacré à la géopolitique de ce coin d'Amérique. C'était là un essai qui s'inscrivait tout à fait dans une tradition *latina* et une américanité passionnée, qui m'apparaissent complètement absentes ici, sans doute parce que trop ostensiblement recherchées. J'avoue avoir été déçu par ce *cheval emprunté*, et je voudrais savoir pourquoi. Peut-être un dernier effort analytique jettera-t-il quelque clarté insoupçonnée ?

Plutôt que de s'échapper lui-même, dans une quête qui s'avouerait pour se transformer en désir, en renouvellement ou en voyage initiatique quelconque, Chabot laisse l'impression trouble, malgré tout ce qu'il raconte, de vouloir échapper à son propre imaginaire géographique. Le film ne cesse de tourner à l'intérieur d'une promenade qui semble arrêtée dans son mouvement même.

Le cinéaste regarde, il se promène, il nous prend presque par la main et nous invite si délicatement à l'accompagner, comment ne s'y laisserait-on pas prendre ? Il a de bons mots, il s'amuse même à nous offrir des scènes, quelquefois désopilantes ou carrément dérisoires – tels ces Québécois « yanquisés » qu'il aperçoit vers la fin de son voyage, juste avant de rentrer à Montréal, et qui accepteront de falsifier leur identité et de jouer aux Français de France pour donner le show qu'on attend d'eux, aux célébrations du 4 juillet. Quel contraste révélateur, lorsqu'on se rapporte à la petite observation en apparence anodine au départ du film : à partir de quel point la voix des stations de radio montréalaises – *On the road* et *Sur le temps* – se perd-elle pour être entièrement recouverte et noyée par l'anglais ? Ainsi le Canadien perd-il sa voix à l'aller, pour devenir, au retour de lui-même et de l'assimilation, un pauvre pastiche du véritable « frenché de Parisse ».

De nouveau, le cinéaste se promène, regarde, et voilà que tout à coup la lumière se fait. Il se souvient d'être passé par ici, dans ce village perdu de la Nouvelle-Angleterre, mais il l'avait oublié. D'ailleurs, c'est peut-être le village lui-même qui avait oublié le cinéaste ; et c'est ce double oubli qui dévoile mieux que tout autre fait l'histoire de notre américanité. Nous oublions que nous sommes américains et le melting-pot oublie, du moment qu'il se tait, qu'il y a là un *French-speaking territory*. Et nous oublions, nous aussi, parce que ça nous convient très bien et que l'amnésie atténue la souffrance, qu'il y a là une diaspora québécoise sans territoire déjà engloutie depuis si longtemps dans l'ouverture à l'autre. Alors que faire ? Comment croire au mensonge selon lequel nous sommes à court d'« américanité » ou, plus justement, de « yanquité », alors que le recensement des États-Unis révèle la présence de près de 18 millions de Francos d'origine québécoise, soit trois fois le Québec ? Il faut inventer quelque chose d'autre, un mythe plus mythifiant pour s'en sortir.

C'est alors qu'on se rend compte que le « Voyage aux Zétats sur un cheval-moteur emprunté » constitue, en fait, l'envers du voyage de gestation qui est en train de s'accomplir là-bas. Pour combattre le néant-USA, il y a un enfant qui germe peu à peu dans le ventre du pays laissé derrière soi ; et c'est comme si le temps du voyage et l'espace de la gestation se répondaient mutuellement. On a quitté cette fois-ci l'histoire pour apercevoir le corps et les membres du fœtus projetés sur un écran cathodique venant justement servir de ventre extra-utérin. Et le même système qui est en passe de caresser le Québec de douces pluies acides est celui qui permet aussi de voir l'enfant à naître sur l'écran *made in USA*.

Un tel système apparaît alors comme le symbole de la survie d'une société morte, avance Chabot, faute d'avoir su être suffisamment complexe. Pourtant, nous avions été conviés, un peu plus tôt, à déambuler du côté de la réserve Saint-Régis (autre nom pour Akwesasné) pour entendre les Indiens raconter, en anglais, qu'ils avaient survécu en raison de la simplicité philosophique et spirituelle du grand cercle. Incidemment, la rencontre avec les Iroquois est la seule séquence du film où le cinéaste a recours à l'anglais. Pourquoi ? Serait-ce que *the only Good Indian* n'est plus l'Indien mort, mais celui qui parle la langue du vainqueur ? Ce qui n'est pas le cas de Chabot. *Bad Indian* alors !

Mauvais Indien, en effet, que ce cinéaste qui vient nous raconter comment son grand-père forgeron, du côté des Trois-Rivières, faisait sécher ses noisettes et ses glands pour les conserver dans le grenier l'hiver durant. Et pour empêcher les enfants d'aller chiper le tout et bien leur faire peur, il leur racontait qu'un vieux Sauvage, maître des lieux, y assurait une surveillance continuelle.

Bien sûr, entre le Mohawk sophistiqué tenant en anglais un discours *grass-root* assorti d'arguments anthropologiques et le vieux Sauvage hiératique du grenier, le film n'établit pas l'ombre d'une relation. Mais je sais, pour ma part, que le vieux Sauvage et le grand-père sont une seule et même personne.

Et c'est pourquoi je remercie Jean Chabot, son petit-fils, qui aura tenté d'aller chercher, au passage d'une réserve, le sens territorial et spirituel qui était déjà celui de son grand-père, de nous avoir fait une suggestion, mine de rien. Aussi sauvage que les Indiens, aussi américain que les Yanquis (vocable qui serait, en fait, un mot d'origine huronne-québécoise), ce peuple n'a jamais cessé de prendre la route à la recherche d'un impossible lui-même en guise de pays. Le film suivant, *Oscar Thiffault*, en fait la plus convaincante des démonstrations.

Ah ! Ouigne in hin in ! d'Oscar Thiffault. Voilà le grand Sauvage de l'Amérique franco ! Ah ! ouigne in hin in ! Le chanteur western sans cheval, ni prêté ni emprunté, assis sans selle sur la croupe de son camion et parcourant inlassablement le pays depuis trente ans – depuis toujours – en composant du ruine-babines pour accordéon et de la guitare symphonique pour les parterres de tous les bars, de toutes les sacristies et de toutes les arrière-cours du pays.

Colette Renard, l'illustre chanteuse française du vieux pays de France et de Navarre, tout à fait charmée par un tel talent, l'avait invité en Hexagone. Mais gêné jusqu'à la moelle, de cette gêne atavique qui est le lot de tous les Sauvages, surtout s'ils ne prennent pas un coup à mort comme c'est le cas d'Oscar Thiffault, il avait refusé les larmes aux yeux. « Dommage que tu n'aies pas osé venir avec moi en France », lui confiera Colette Renard, à l'aéroport, le jour de son départ, « dommage car je t'aurais fait faire le tour du monde avec moi. » Mais Oscar se désiste derrière ce « nous aurions conquis Paris et l'univers » pour continuer sa tournée dans le Rapide-Blanc et tous les recoins de l'arrière-pays Québec, dans le *back-stage* de l'américanité. Mais cette larme au coin de l'œil animal du cow-boy, tendre et endurci, en révèle long sur la peine découlant de la tentation refusée.

La peur de quitter sa femme, la peur de faire rire de lui là-bas de l'autre côté du monde, la peur de donner en spectacle son être même au-delà de ses chansons, la peur d'exhiber son chapeau de cow-boy du Nouveau Monde inculte et barbare lui ont fait refuser une telle offre, comme La Bolduc se serait peut-être désistée si on lui avait servi sur un plateau d'argent une tournée européenne.

Yehudi Menuhin peut interpréter Ti-Jean Carignan, Charles Trenet peut turluter à la façon de La Bolduc sur les planches de l'Olympia, Marcel Amont et Colette Renard peuvent chanter *Ah ! Ouigne in hin in !* Mais Oscar Thiffault, Ti-Jean Carignan et La Bolduc ne peuvent interpréter pour l'Occident chrétien *La Mer*, la *Symphonie pastorale* ou l'*Oratorio pour une infante maganée*, ils sont trop sauvages pour en avoir le droit.

J'ai entendu, juste après la projection, dans les dernières rangées de la salle, quelqu'un de l'ONF dire textuellement ces mots pour exprimer son soulagement : « Lorsque j'ai vu le dernier montage, j'ai vraiment eu peur que ça fasse quétaine [bien sûr, bien sûr] et que ce film fasse rire de nous (*of course, of course*), mais le public a vraiment eu l'air d'accrocher. Quelle surprise ! »

Encore la peur, mais quel film extraordinaire. Pauvre Canada ! Pauvre Canada qui continue à avoir honte de sa substance. La honte de soi, l'immense honte de soi, toujours prégnante, toujours présente. Glauber Rocha l'avait très bien dit : « Les Brésiliens ont faim, mais ils ne savent pas de quoi ; les Brésiliens ont honte, mais ils ne savent pas pourquoi. » Ils ont honte d'avoir faim. Ils ont faim de leur propre faim. Ils ont honte de leur propre honte. Mais pourquoi les Canadiens éprouvent-ils la même honte, puisqu'ils mangent à leur faim ? Pourquoi cette faim qui continue de tenailler juste après les repas ? La honte d'avoir eu faim ? Thiffault raconte ceci : « Jusqu'à l'âge de seize ans, je n'ai bu que de l'eau. On était tellement pauvre ! C'est seulement après que j'ai commencé à boire du café. Mais comme je suis devenu chef de famille à dix-huit ans… »

Toute la série sur l'américanité s'efforce justement de préparer le meilleur masque pour aller danser au carnaval de l'américanité ! Le meilleur déguisement susceptible de masquer cette Amérique canadienne, tout en se proposant de la dévoiler en même temps. Comment contourner cette réalité ? Comme tabler sur notre ambiguïté pour la métamorphoser en éclats de neige verte coulant sur le glacis de l'été ? Une telle énergie, une telle joie, une telle santé se dégagent des airs *folk-blues-country* (je le dis en anglais, parce que) du magicien patenteux sans baguette nommé Oscar Thiffault qu'on a mal au ventre à l'idée que Radio-

Canada le censurait au point de refuser de faire tourner sa musique, tandis que des lecteurs offusqués écrivaient au journal *Le Devoir*, à l'époque, pour demander à la police des mœurs du bon parler français de bannir un tel individu, tout en ouvrant en même temps les bras à n'importe quelle forme de pollution musicale, pourvu qu'elle soit issue d'Europe. C'est à pleurer. Avec Colette Renard !

Comment contourner cela ? Il y a une scène dans le film où l'on voit Oscar Thiffault, bien cravaté et l'habit empesé, en compagnie de son accompagnateur, c'est-à-dire de son « starteur de char », pêcheur de truite, pelleteur de neige en hiver ou « casseur de trail » en été, bref tout ce qu'un bon impresario devrait être. Mais où vont donc ces messieurs endimanchés ? À un mariage ou à un enterrement ? Mais non, mais non. Ils se rendent chez le réputé folkloriste et universitaire Luc Lacoursière, à Beaumont, dans Bellechasse, et franchissent le seuil de la demeure du savant. Celui-ci, au lieu de réclamer le bannissement et l'exil du poète, lui avait écrit une lettre d'amour fort bien déguisée, dans les années cinquante, au moment de la grande popularité de la chanson *Le Rapide-Blanc* ou de *Ah ! Ouigne in hin in !* (chanson qui avait fait également scandale dans ce temps-là parce qu'elle parlait joyeusement des bûcherons entrant trop « ben hardiment » entre les cuisses des maisons esseulées, au retour du chantier). La lettre disait à peu près ceci : « Mais où est donc passé le moine dans la chanson *Le Rapide-Blanc* [Thiffault avait modifié et adapté un vieil air folklorique parlant de moine, faut-il croire] et surtout d'où vient donc le *Ah ! Ouigne in hin in* ? »

Lacoursière explique alors qu'il a consulté une série de dictionnaires, mené des enquêtes approfondies sur les versions originales sinon médiévales du folklore en France et ailleurs, pour se rendre finalement compte un jour (hourra, hourra, hourra !) que le mot « ouigne » venait du vieux français « hongre ». L'honneur était ainsi sauf. Le mot était effectivement français et ceux qui accusaient de façon inconsidérée Oscar Thiffault de parler « ouigne » étaient donc renvoyés, sur-le-champ, à leur ignorance linguistique.

Luc Lacoursière aura fait tous les efforts du monde pour retrouver les fondements non sauvages – c'est-à-dire non américains – du troubadour des chantiers et pour aller lui débusquer de véritables racines européennes héréditaires, pures et sans taches. Et Thiffault lui-même l'écoute, médusé. Que pourrait-il bien faire d'autre ? Il est impressionné, bien élevé et presque sorti de sa riche et talentueuse pauvreté. Tous ces gros dictionnaires, alors, pour trouver ce qu'il a dans sa tête. *Hongre* ! Les mots « Ah ! ouigne in hin in » ou plutôt le mot « ouigne » vient du français « hongre ». Eh bien, je n'en crois pas un traître mot. Cela vient du sauvage *wigwam – ah ! wig à wam ah*. Mieux encore, c'est du sauvage bâtard, phonétiquement déformé par le français, comme l'indiquent très bien tous les dictionnaires de la nature.

Oscar Thiffault écoute Luc Lacoursière lui expliquer ses origines ethniques, à peu près comme le ferait un renard croisé dressant les oreilles devant la science d'un regard argenté. Il se laisse complètement manipuler par la science, du moins en apparence. Quelques secondes plus tard, on le retrouve dans sa chemise mackinaw (de Michillimakinac, comme on ne le dit pas dans le *Larousse universel*), son *truck* et sa liberté, redevenu sauvage. Et on se rend bien compte que les larmes de regret qu'il versait devant Colette Renard, de peur de se voir exhiber comme un barbare recyclé ou comme un ours savant, cachaient la crainte de ne plus savoir comment assumer son identité canadienne et sauvage, une fois sorti de sa tribu, de sa géographie, de son camion-*truck,* de ses jouets de bois ou de métal.

Car Oscar Thiffault, tout comme les Métis de l'Ouest, fabriquait des girouettes, agitant des petits bonshommes et « toutes sortes de bebelles » dans sa cour, y compris des avions miniatures, comme on fait du *cargo cult* en Nouvelle-Guinée. C'est alors qu'il pouvait prendre son envol et partir en chasse-galerie chanter pour tout un peuple, ce peuple qui avait si honte de se trouver quétaine, si jamais il lui avouait son amour. Mais voilà qu'avec ce film de Serge Giguère un des grands « américains » est enfin réhabilité. Ah ! Wouingne ah ! Hongre ! Ha !

C'est alors qu'un autre personnage fait son apparition, transporté sur le roulis et les vagues du film tout en émotion de Jean-Daniel Lafond : *Le Voyage au bout de la route*. Et ce personnage est, je crois bien, le pays lui-même. Le pays du fleuve, plus exactement.

Et derrière le fleuve, au gré des marées et des embruns, du jonc et du varech, on sent circuler un air bien connu et bien de chez nous auquel le cinéaste a donné un sous-titre révélateur : *La ballade du pays qui attend*. Le fleuve comme ballade et comme pays regardant inlassablement clapoter sa mémoire au hasard d'une histoire et d'une géopolitique dont il n'est jamais arrivé à entrer en pleine possession.

Mais le pays qui attend quoi, au juste ? Qu'on le découvre, qu'on l'écoute ou qu'on le prenne en main ? C'est tout cela à la fois et un peu plus encore : ce pays qui attend simplement d'arriver à sa propre rencontre et à la reconnaissance de lui-même. Et cela depuis bientôt cinq siècles et pour quelques siècles encore, semble-t-il. Il y a des pays qui sont des géologies, et des géologies qui coulent comme des fleuves le long de l'histoire. Telle est la thématique que vient explorer Jean-Daniel Lafond.

« Il s'agit d'un vibrant hommage à la langue française », déclarait le critique français invité pour la circonstance (incidemment, je crois qu'il ne viendrait à l'idée de personne de dire que tel ou tel documentaire « anglo » constitue un vibrant hommage à la langue anglaise), alors que *Le Voyage au bout de la route* se veut d'abord un vibrant hommage à l'espace québécois.

Prenant prétexte, ou créant le prétexte, du retour du chanteur français Jacques Douai au pays de Neufve-France, le film accompagne les pérégrinations du ménestrel de l'aéroport international de Montréal, où il est arrivé dans ce canot aérien de la chasse-galerie contemporaine appelé Boeing 747, jusqu'au bout de la route, c'est-à-dire à Havre-Saint-Pierre, dans ce pays mi-terre mi-mer appelé Minganie.

Ce faisant, Lafond fait alors accomplir à l'identité québécoise un grand virage lof pour lof, la retournant de 180 degrés par rapport à elle-même. Le voyage de Jacques Douai se poursuit, en effet, dans le sens contraire de la découverte du Canada, puisqu'il nous invite à descendre un fleuve que nous avions remonté jusqu'à sa source – l'Ouest sauvage et mississipien – pour nous incarner et nous métisser à une terre autochtone qui nous assimilerait une fois devenue yankee.

Cette fois, la source mythique du fleuve est Montréal (ce même Montréal d'où partait Chabot sur son cheval emprunté). Un Montréal devenu, en fait, un point de départ pour la descente vers le Québec-d'en-bas. Bref, l'Amérique servant à elle-même de point de départ vers la confluence d'une autre Amérique devenue « langue française ».

Il s'agit, à vrai dire, d'une descente vers l'Europe devenue l'Amérique ; descente au cours de laquelle Jacques Douai et Jacques Cartier se retrouvent nez à nez à travers les siècles de notre géographie. Car au bout de la route qui va vers l'est, de ce côté-ci de l'Atlantique, se trouve forcément l'Europe, non ? Il est révélateur de constater que notre source est devenue confluence et que notre confluence correspond à un bout de route s'arrêtant quelque part entre l'Ancien Monde et le Nouveau Monde. Une espèce de pays suspendu entre le *nowhere* et le je-me-demande ! Contrairement à tous les cours d'eau de l'univers, le Saint-Laurent est un fleuve qui descend vers sa source : la France. Et la France, une rivière à la recherche de son Amérique à travers notre trajectoire américaine. Oh ! Oh ! qu'en penserait Oscar Thiffault ?

Rarement la grande inversion France-Québec aura-t-elle été montrée avec autant d'à-propos. C'est comme si cette France et cette Amérique, qui se sont perdues, n'arrivaient vraiment à se retrouver qu'en dehors d'une Amérique et d'une Europe qui restent constamment à inventer. Car le film se dirige, en fin de compte, vers ce lieu appelé Côte-Nord – c'est-à-dire vers ce lieu sans nom qui lui soit propre, puisqu'il y a des côtes nord partout au monde. La Côte-Nord, cet espoir refusé et laissé pour compte quelque part entre la terre que Dieu donna à Caïn (et à la France) et la terre que Caïn refusa à Dieu pour la transmettre à l'Angleterre qui en échappa une partie en cours de conquête. La Côte-Nord ? Voilà sans doute pourquoi on y parle toujours français, un français si pur qu'il est farci de tournures sauvages, cadiennes et nioufies. Et… un pays si beau et si sauvage que tous ont préféré le quitter pour la ville.

Mais Jean-Daniel Lafond qui, lui, vient de France et de la ville (et qui, de plus, a choisi de vivre dans ce pays du Québec) n'a pas ces problèmes de définition caïnique. Voilà pourquoi il voit ce pays autant qu'il l'entend, à mi-chemin entre l'Europe et l'Amérique, ce qui est, il faut le dire, une position de choix, mais à condition qu'on l'assume. Ce que le cinéaste n'hésite pas à faire, à la fois pour notre plaisir et pour l'enrichissement de la vision du pays : on sent émerger, en effet, comme une parole nouvelle, un coup d'œil ému sur une terre et sur une situation dont on n'arrivait plus à s'émouvoir. Français de naissance et québécois d'adoption, Lafond n'est ni l'un ni l'autre. Il jouit, en conséquence, d'un dédoublement de sensibilité riche de toutes ces promesses dans cette société en quête d'Amériques et de géographies trop grandioses pour qu'on parvienne à s'en saisir.

À l'exception de rares échappées, celle d'un Pierre Perrault, par exemple, à qui le cinéaste consacrait son film précédent, le cinéma de ce pays a généralement détourné les yeux de ce pays et de ses paysages. C'est pourquoi on reçoit comme un effleurement caressant le louvoiement esthétique d'une caméra devenant une écriture poétique en quête du pays dans le pays. Car *Le Voyage au bout de la route* est d'abord un beau film et *La ballade du pays qui attend* est une magnifique chanson d'amour. Cette terre aux paysages fulgurants toujours décrits comme rébarbatifs, cette terre à la langue écorchée toujours présentée comme anachronique est chantée ici dans l'ample mouvement d'une symphonie inachevée appelant moins l'histoire à sa rescousse que le rythme musical d'une cinquième saison.

Cinquième saison ou saison de la pré-Amérique, comme on voudra. Car s'il est un élément commun entre ces trois films, c'est bien la présence autochtone. Et cependant, c'est la question qui apparaît le plus en porte-à-faux et le plus maltraitée dans ce « Voyage au pays qui attend ». Il y a, entre autres, un dialogue assez pénible mené par Jacques

Douai avec un couple de chercheurs montagnais. Dialogue au cours duquel l'interprète de « ma besace en bandoulière » se montre incapable d'accepter que des Indiens puissent être non seulement des intellectuels, mais des intellectuels bilingues, parlant à la fois montagnais et québécois.

C'est comme si l'Europe débarquait toujours ici à la découverte d'une parole déjà prononcée et stratifiée quelque part dans le paysage. Encore une fois, c'est le personnage de Roland Jomphe – un vieux Nord-Côtier ayant fait des poèmes toute sa vie et qui n'a trouvé d'éditeur qu'à la veille de l'âge d'or – qui devient le véritable Sauvage parlant français, alors que l'intellectuel montagnais apparaît comme un Québécois parlant indien.

Mais comment un Indien peut-il faire figure à la fois d'autochtone et de francophone ? Comment est-il possible de se définir en même temps comme francophone et comme américain lorsqu'on est minoritaire par rapport à l'image de rêve projetée par l'ensemble d'un continent ? Le rêve de l'Amérique n'est-il pas le rêve de l'autre, ou plutôt le rêve d'un autre qui nous subsume ? Mais le fait est que jamais le franco du Nouveau Monde n'arrivera à rêver et à subsumer la France. Alors que la France n'hésitera nullement à s'approprier l'Amérique par le biais du Québec. C'est comme si le Québec servait de levain et de porte d'entrée à un rêve, le rêve d'Amérique, dont il risque sans cesse d'être exclu après coup, la vraie Amérique, aux yeux de la France, se poursuivant toujours sans le Québec et sans la langue française.

Dans ce contexte, ce *Voyage au bout de la route* tend à un but fort différent. Et c'est pourquoi je le trouve à ce point significatif, quels que soient ses balbutiements. C'est que le film est une tentative pour exprimer directement l'Amérique par l'évocation du seul fleuve américain parlant français : le Québec. Alors que l'Amérique de l'américanité appartiendrait aux Anglos, l'existence du Québec permet à la France de rentrer en possession de la géographie du Nouveau Monde par le canal de la langue. Voilà sans doute pourquoi on pouvait parler de ce film comme d'un hommage à la langue française. Alors que Jean-Daniel Lafond a choisi pour sa part d'exprimer son émotion devant un pays-peuple, qui est aussi un paysage mobile, généralement désemparé face à un rêve qui le dépasse et qui le gêne. De là le bannissement, quasi systématique, de tous les Roland Jomphe et de tous les Indiens, sauvages ou domestiqués, des écrans de la modernité dite américanité.

Car il est évident, tout comme le Sauvage ne sait pas qu'il est sauvage, que le poète Roland Jomphe ne sait pas qu'il représente, aux yeux de Jacques Douai, une américanité incarnée. Et lorsque ce dernier se met à chanter devant lui, c'est la langue française qui tente de prendre tout à coup, à travers lui, l'amplitude du précambrien qui l'entoure et le dépasse. Jacques Douai incarne une langue venue du firmament, l'instant d'un éclat de pellicule ; Roland Jomphe transforme le granit, la muskègue et le calcaire des isles en paroles. Et le cinéaste Jean-Daniel Lafond se situe quelque part entre les deux.

Quant au Québec, où se situe-t-il exactement dans toutes ces allées et venues du désir géographique et de l'esprit ? Où est, où se trouve ce pays qui est nôtre et qui apparaît morphologiquement semblable à tous les territoires qui l'environnent ? C'est la question que posent ces trois films, sans y apporter toutefois de réponse précise. Le Québec est un pays sauvage suspendu entre un cheval disparu et la route en construction qui attend la chanson qui voudra bien la terminer. Cheval ou orignal, route ou piste, fleuve ou Grand Nord, ballade ou jazz, joual ou sauvage ? Tout cela à la fois et quoi encore ?

Mais le problème est que la ballade elle-même attend la fin de la route pour s'épanouir tout à fait. Ni l'Amérique ni l'Europe ne parviennent à se conjuguer pour attraper ce Sauvage qui disparaît toujours de l'autre côté du rêve : lorsqu'on parle de géographie, ce pays se réfugie dans l'histoire ; lorsqu'on parle d'histoire, ce pays se réfugie dans la nature ; lorsqu'on parle de nature, ce pays se réfugie dans sa langue ; lorsqu'on parle de sa langue, ce pays se réfugie dans les bois. Le problème n'en est alors que plus aigu, puisqu'on a coupé presque tout le bois de la Nord-Amérique.

Mis à part, dans ce ravage, une petite clairière tranquille qui réapparaît quelquefois, assise à la brunante sur le crépuscule de l'horizon ou montée à cheval sur le dos d'un Windigo franco. *Have you ever seen it, hermano ?*

Quelque part en amont de l'américanité et en aval du Sauvage, à quoi bon chercher ce pays ayant précédé l'ailleurs sans le savoir ? Ce pays irrémédiablement condamné à devenir le pays de l'espace mobile remontant vers sa confluence.

J. M.
Côte-des-Neiges (Montréal), 1988

Notes

1. Je fais allusion ici au bouclier canadien qu'on n'ose encore appeler « québécois », mais des centaines de questions d'ordre toponymique demeurent, par exemple qui a appelé « beaufort » la mer de Beaufort, dans l'océan Arctique, aux confins du Youkon, de l'Alaska et du Dèh-Tcho ? Et, tant qu'à faire, qui a transformé la rivière Pelée en Peel River ? Et ainsi de suite.

2. Pour en savoir plus sur Pierre Chouteau, Pierre Bottineau et tous les autres, on est prié de se reporter à l'histoire non écrite de la Franco-Amérique…

3. Pour des raisons historiques, c'est l'anglais qui, avec le cris et l'inouktitoute (l'esquimau), au nord du 52e parallèle, constitue la langue la plus répandue au Québec. Depuis la signature, en 1975, de la Convention de la Baie James et du Nord québécois, le français monte, cependant, de plus en plus vers le nord de la péninsule, au point où le Nounavik et tout le territoire visé par la Convention risquent de devenir, à plus ou moins long terme, les premiers territoires trilingues de la Nord-Amérique.

La grande famille canadienne-française :
divorce et réconciliation*

Un de mes collègues de l'Université Laval a écrit dernièrement que l'Amérique française « fut et demeure un monde imaginaire : une hypothèse sans cesse réitérée sur le passé et l'avenir, un grandiose empire de rêve[1] ».

Eh oui, l'Amérique française n'existe pas, elle n'a jamais existé au sens juridique ou territorial, on ne la trouve nulle part sur les cartes. Il y a eu, bien sûr, la Nouvelle-France, elle aussi de dimensions continentales. Mais l'idée d'une Amérique française est née beaucoup plus tard – vers la fin du XIX⁰ siècle, très probablement. Ce nom évoque l'affrontement tantôt latent, tantôt ouvert, mais terriblement vrai, entre, d'une part, une Amérique anglo-saxonne et *protestante* et, d'autre part, un « rameau » nord-américain de civilisation française et *catholique*. L'Amérique française était mélange de projets et d'espérances, du curé Labelle, par exemple, et de sa « conquête » des Pays-d'en-Haut qui devait déboucher sur la rivière Rouge, et donc porter secours aux Canadiens français et aux Métis assiégés de l'Ouest. Ce projet entrevoyait l'effondrement même de l'Amérique anglaise, si l'on se fie aux paroles de l'abbé Casgrain en 1864 :

> Ici comme en Europe, et plus vite encore qu'en Europe, le protestantisme se meurt. Fractionné en mille sectes, il tombe en

---

* L'original a paru dans un numéro thématique, « Les autres littératures d'expression française en Amérique du Nord », dirigé par Pierre-Louis Vaillancourt, dans la *Revue de l'Université d'Ottawa*, vol. 56, n⁰ 3, 1986, p. 9-18.

poussière et va se perdre dans le rationalisme. Bientôt – pour nous servir d'une expression du Comte de Maistre – l'empire du protestantisme, pressé du côté du Golfe mexicain et du Saint-Laurent, fendra par le milieu ; et les enfants de la vérité, accourant du Nord et du Midi, s'embrasseront sur les rives du Mississippi, où ils établiront pour jamais le règne du catholicisme[2].

Nourrie par le déversement de plusieurs centaines de milliers de Québécois dans les villes industrielles de la Nouvelle-Angleterre et par l'évidente vitalité de la civilisation francophone et catholique, une telle vision a même, à l'occasion, ébranlé l'*autre*. Ainsi, le *New York Times*, dans un éditorial alarmiste du 6 juin 1892, écrit :

> [...] leur singulière ténacité, en tant que race, de même que leur attachement extrême à leur religion [...], et leur transplantation dans les centres manufacturiers et dans les districts ruraux de la Nouvelle-Angleterre signifient que Québec est transporté massivement à Manchester, Fall River et Lowell. Non seulement le « French » curé accompagne-t-il le « French » paysanat à ses nouvelles demeures, mais il apporte avec lui l'église paroissiale, le vaste presbytère, le couvent pour les sœurs et l'école paroissiale pour l'éducation des enfants. Il perpétue également les idées et aspirations « French » à travers la langue « French », et dresse tous les obstacles possibles pour empêcher l'assimilation de ces gens à notre vie et notre pensée américaines. Il y a quelque chose de plus grande importance encore dans cette transplantation. Ces gens sont en Nouvelle-Angleterre en tant que corps organisé et sous la gouverne de la devise « *Notre religion, notre langue et nos mœurs* ». Un tel corps obéit à un principe directement opposé à ce qui a fait de la Nouvelle-Angleterre ce qu'elle est[3].

Quel sentiment d'euphorie, quel dynamisme, quand Henri Bourassa, s'adressant à l'évêque de Westminster (Angleterre) en visite à Montréal en 1910, affirme :

> De cette petite province de Québec, de cette minuscule colonie française [...] sont sortis les trois quarts du clergé de l'Amérique du Nord [...].
>
> Éminence, il vous faudrait rester deux ans en Amérique, franchir cinq mille kilomètres de pays, depuis le Cap Breton jusqu'à

la Colombie anglaise et visiter la moitié de la glorieuse république américaine – partout où la foi doit s'annoncer, partout où la charité catholique peut s'exercer – pour retracer les fondations de toutes sortes – collèges, couvents, hôpitaux, asiles – filles de ces institutions mères que vous avez visitées ici. Faut-il en conclure que les Canadiens français ont été plus zélés, plus apostoliques que les autres ? Non, mais la providence a voulu qu'ils soient les apôtres de l'Amérique du Nord[4].

Cette vision religieuse et quasi messianique d'une Amérique française n'a pas résisté longtemps. Attaqué de l'extérieur par les pouvoirs judiciaire, gouvernemental et même ecclésiastique – pensons à la pendaison de Louis Riel, en 1885, à l'élimination du français en tant que langue officielle du Manitoba en 1890, à l'élimination de l'enseignement public en français en Ontario en 1912, au Manitoba en 1916, en Saskatchewan en 1929, etc., et à la « crise sentinelliste » en Nouvelle-Angleterre en 1928-1929 –, et submergé par le déversement de centaines de milliers d'immigrants européens sur ce continent, un tel dessein a été également miné de l'intérieur, le peuple participant volontiers à la dynamique des courants économiques et sociaux qu'a connus le continent. Ainsi, aussitôt établis en Nouvelle-Angleterre, de nombreux Québécois sont allés coloniser le Midwest pour ensuite monter vers les Prairies ou se rendre en Californie. Et d'autres, dès les années trente, ont aidé au développement de la Floride.

Avec le recul du temps, on constate la fragilité, voire l'impossibilité, des assises sur lesquelles on voulait construire cette Amérique française : une multitude de paroisses nationales saupoudrées sur un espace immense, dotées d'écoles, de couvents, d'hôpitaux, d'orphelinats, de sociétés d'entraide, de coopératives, etc., mais toutes dépendantes d'un appui humain et matériel venant du Québec et toutes relevant aussi du pouvoir religieux plutôt que du pouvoir séculier. Un chapelet avec nombre de maillons faibles et de chaînons manquants, plutôt qu'une carte politique avec des territoires bien circonscrits.

Voilà pour l'Amérique française. Mais si le pays n'existe pas, le peuple est là, aussi vrai que difficile à circonscrire et à rassembler. Il existe donc des francophones d'Amérique, des gens qui ont survécu aux maints renversements du pouvoir et aux échecs du passé, des gens qui ont traditionnellement manifesté les uns à l'égard des autres une *certaine complicité* et une *certaine solidarité* qui transcendent les ruptures dans le temps et dans l'espace.

De quoi cette complicité est-elle faite ?

S'il y a une notion du passé qu'on peut retenir, c'est bien celle de la famille, la « grande famille canadienne-française ». Qu'il s'agisse des Congrès de la langue française qui se sont tenus à Québec en 1912, 1937 et 1952, des grands rassemblements organisés par la Société Saint-Jean-Baptiste à Montréal, des événements religieux, des réunions d'associations de familles, ou tout simplement de la parenté qui est convoquée à l'occasion d'un anniversaire, *tous ces regroupements évoquaient le sentiment de solidarité*. Des semblables, catholiques, canadiens-français, « cousins », se réunissaient périodiquement pour célébrer et pour faire le point sur leur sort et leur destin en terre américaine.

Partout le même monde, la même lutte, les mêmes menaces, partout des Canadiens français *minoritaires*. Oui, même à Québec, *minoritaires*, parce que tout se faisait, s'affichait en anglais, les pouvoirs économique et politique étant *ailleurs*. N'oublions pas que c'est seulement en 1910 que le gouvernement du Québec a obligé, par une loi, les compagnies de transport et de messageries à utiliser le français aussi bien que l'anglais dans leurs relations avec le public ; que jusqu'en 1925 ce même gouvernement émettait des chèques en anglais et qu'avant la Seconde Guerre mondiale l'affichage dans le Vieux-Québec était essentiellement en anglais. Donc, Québec et Woonsocket, Lowell, Lewiston, Gravelbourg, Windsor ou Lafayette se ressemblaient : c'était la même ambiance, le même combat. Seulement, pour tous ces gens, Québec constituait un lieu *sacré*, un retour aux sources, au berceau de la civilisation française en Amérique. Si la famille se rassemblait ici, c'était pour puiser inspiration et espoir dans ses origines et son destin communs. Donc peu de différences, peu de tensions, peu de rapports de force entre ses constituants, et surtout ce sentiment de solidarité, de complicité, d'intimité axé sur un Québec qui évoquait un *lieu d'origine familiale*, des *racines profondes*.

Incidemment, dans son récit *Ély ! Ély ! Ély !*, Gabrielle Roy rend très bien compte de cette convivialité empreinte de nostalgie en parlant d'un bref séjour dans un village perdu à une trentaine de milles de Winnipeg, avant la Seconde Guerre. Après un premier contact marqué par la méfiance, la glace se brise entre elle et Dave, le propriétaire de l'hôtel où elle s'est installée :

« Je suis David », recommença-t-il, avec espoir.

Alors, du fond de mes vagues souvenirs lointains, remonta le nom de David que j'avais dû entendre prononcer à la maison. S'agissait-il d'un fils, d'un neveu de mon père ? Je revins sur mes pas.

« Seriez-vous ?

– Eh oui ! s'écria-t-il tout joyeux et triomphant. Je suis votre cousin Dave. »

Il n'en finissait plus de rappeler : je le disais aussi, je le disais à ma femme, tu vas voir, elle va se faire à connaître. Venez-vous souper à la maison ce soir ? En famille ?

J'y allai. Dave avec sa femme Rosalee et sa fille Jacinthe habitait une charmante petite maison à toit pointu, toute basse entre de grands arbres et des fleurs innombrables. Depuis des heures, la table était mise, à m'attendre. Rosalee s'était donné beaucoup de peine pour préparer un repas digne de ces mystérieuses retrouvailles.

Nous avons passé quelques heures très gaiement ensemble. Je n'étais pas tout à fait sûre qu'ils fussent mes cousins. Certainement ils citaient de mémoire bien des propos et expressions de mon père, mais dans ce village qui ne l'avait connu ? Qui du moins ne se rappelait son œuvre de colonisateur ? De toute façon, peu importait. Au mur, il y avait tout comme chez nous, lorsque j'étais enfant, un portrait du pape Benoît XV et, bien entendu, du frère André. Il y avait aussi la même image de la Sainte-Famille que j'avais toujours vue dans notre cuisine au-dessus de la machine à coudre de maman, et ici aussi elle était exactement au-dessus de la machine à coudre. Manifestement nous étions en famille. Le Québec était partout présent, où que vous tourniez l'œil, chez ces gens qui n'y avaient pourtant jamais remis les pieds depuis leur départ pour ainsi dire du berceau. Mais leur doux parler était celui du Québec. Leur amitié si chaude et bienveillante en était.

Curieuse chose ! Longtemps avant la télévision et la radio, le vieux Québec, le Québec seul et pauvre émettait des ondes de vie. Elles se propageaient en tous sens ; elles atteignaient des villages lointains, les hameaux perdus, même des maisons seules comme celle où j'étais ce soir, et elles les réchauffaient de l'humble feu partout ressenti[5].

Eh bien, cette grande famille canadienne-française n'existe plus. Elle s'est effacée avec les années cinquante, victime de l'éclatement des Petits Canadas et aussi de la famille, du délaissement des paroisses agricoles, mais également de la pratique religieuse, de la disparition d'institutions communes, du retrait de l'Église des nombreux champs d'intervention sociale, de la dénatalité, de l'éloignement et de l'usure du temps et donc, aussi, de l'enracinement au Québec et ailleurs en Amérique.

Pas surprenant que les grandes assemblées fraternelles à Québec et à Montréal s'estompent, et que celle de 1967 (les États généraux du Canada français) ait été marquée par une rupture définitive lorsque les Québécois ont affirmé leur droit à l'autodétermination.

Avec la Révolution tranquille, on assiste à la naissance d'une *nation québécoise* dont les instruments de pouvoir appartiennent à l'État plutôt qu'à l'Église et dont un nombre croissant de citoyens ne sont pas de souche canadienne-française. Nation dont les compétences, par ailleurs, ont des limites géographiques beaucoup plus explicites et dont le peuple, par ses gestes, ses sentiments et son comportement, est devenu majoritaire.

D'une part, donc, un État francophone et, d'autre part, une diaspora démunie sur le plan politique. Il y a alors non seulement rupture, mais éclatement. Là où autrefois il n'y avait que des Canadiens français et des Acadiens, il y a maintenant des Québécois, mais aussi des Franco-Ontariens, des Franco-Américains, des Fransaskois, des Franco-Colombiens, des Franco-Ténois, etc. Et que dire alors d'une

Acadie qui se résume de plus en plus au nord-est du Nouveau-Brunswick, donnant ainsi naissance à sa propre diaspora à travers les provinces maritimes et contribuant également à la formation d'un peuple créolisé du Sud, mieux connu sous l'appellation de Cadjun – déformation phonétique du mot « Cadien », que les Anglos n'arrivent pas à prononcer ? Virage brutal, donc, très brutal, que ces années soixante. Pas étonnant, alors, que, pendant une bonne quinzaine d'années, nous ayons tous été ensevelis sous le silence et l'ignorance réciproques.

Si, en effet, pour certains, cette décennie était l'occasion de construire un État parlant français, et pour d'autres, celle d'acquérir quelques droits élémentaires, ce devait être, pour les moins choyés géopolitiquement ou autrement, le moment de disparaître à tout jamais de la carte des francophones d'Amérique.

Nul souvenir ne résume mieux pour moi cette époque que le passage à Montréal de Jack Kérouac, dans le cadre du *Sel de la semaine*. Animée par Fernand Séguin, cette émission marquera un tournant où éclateront, de manière troublante, l'incompréhension totale de l'animateur québécois et le désarroi de son invité franco-américain. Et pourtant, cet invité, c'était bien le Jack Kérouac qui avait écrit dans une lettre à la journaliste franco-américaine Yvonne Le Maître : « Toute ma connaissance repose sur ma franco-canadianité et nulle part ailleurs[6] ». Celui qui affirmait également, je ne me lasse pas de le répéter, à quel point il était « étonné de l'horrible privation d'un chez-soi qui constitue le lot de tous les Canadiens français à l'étranger aux États-Unis » (*amazed by that horrible homelessness all French Canadians abroad in America have*). C'est enfin celui qui, dit-on, avait gardé pendant des années dans son portefeuille une image sainte de Notre-Dame-de-la-Guadeloupe, « sale, vieille et fripée », au verso de laquelle sa mère avait inscrit ceci : « Mon fils, ne te laisse pas achaler par n'importe quoi : n'aie pas peur de la maladie ou de choses épeurantes – je t'ai pris sur mes genoux et je suis responsable de toi. As-tu besoin d'autre chose[7] ? » Tout cela m'a révélé plus sur la condition et l'histoire du Québec et de l'Amérique franco que tout ce que j'ai pu lire ailleurs !

Eh bien, ce grand Jack solitaire et dérangeant, ce Canuck d'outre-frontière n'arrivait pas à se retrouver au Québec et à s'y ressourcer ? Et, bien sûr, s'il hésitait à parler français à Séguin et aux autres Québécois, c'était par crainte de faire rire de lui.

Pour Séguin, c'est le sentiment d'échec qui a dominé la rencontre : une entrevue ratée avec un homme déjà suicidé, sans intérêt, qui ne traîne même pas son œuvre derrière lui[8]. Pas la moindre solidarité, pas la moindre compassion ; l'animateur n'avait visiblement pas le sentiment d'être en présence d'un compatriote, d'un autre Canadien français et d'un « frère exilé aux États-Unis ». Il n'est pas surprenant qu'après l'entrevue Kérouac soit « allé chercher querelle dans quelque taverne, fracassant les tables et hurlant aux buveurs interdits : "Vous me prenez pour un bum, mais je suis un grand artiste[9] !" »

Rencontre d'autant plus tragique, n'est-ce pas, que les Québécois ont eux aussi ressenti trop souvent l'impuissance et l'aliénation devant les Canadiens anglais ou devant les Français et qu'ils auraient dû comprendre le désespoir de cet être dérivant sur un continent sans bornes, sans balises ni lieux sûrs.

Le silence a duré si longtemps qu'on a oublié au Québec la parenté outre-frontière, qu'on en vient même à nier parfois l'existence d'une diaspora, allant jusqu'à refuser de reconnaître l'existence de quelque survivant. Ce silence a valeur d'avertissement pour le Québec – « témoin de ce qui pourrait lui arriver si le peuple refuse de prendre en main son propre destin politique : un langage en plein dépérissement, une culture devenue folklore, et un peuple totalement dépourvu d'expression politique ». À cet effet, la chanson de Gilles Vigneault, *Anne, ma sœur Anne,* et celle de Pauline Julien, *Mommy,* nous laissent des papillons au cœur et on ose espérer qu'elles ne sont pas prémonitoires.

Et de plus, l'adaptation au continent se poursuivant, les autres francophones, pour souffrir un peu moins, cherchaient à oublier leurs origines québécoises, aidés avec bienveillance par les politiques de leurs gouvernements et les programmes scolaires.

C'est, en fait, la musique, au milieu des années soixante-dix, qui est venue fracasser ce mur dont le Québec s'était entouré : Édith Butler, CANO, Zachary Richard. Dans l'esprit d'une certaine jeunesse à la recherche de ses propres racines et de son « authenticité », ces musiciens évoquaient la mémoire du peuple, entreposée ailleurs depuis fort longtemps et d'autant plus poignante que « revenue de loin » et colorée d'un exotisme certain. Il s'agissait de véritables découvertes pour nous tous, de « happenings collectifs » qui devaient servir à tisser des liens de solidarité avec des semblables, un peu partout ailleurs en Amérique. Dans ce voyage de découverte d'une Amérique française quasiment céleste, le point focal fut probablement *La Veillée des veillées*, qui se sera prolongée le temps d'une nuit entière, au Gesù, à Montréal, en 1975. Quand Sadie Courville et Dennis McGee, deux vieux violoneux de la Louisiane, ont commencé à jouer, ce fut l'extase dans la salle. Grâce à la puissance, à la joie mêlée inextricablement de tristesse de leurs instruments qui se transformeront en de véritables êtres vivants, ils auront réussi, dans les profondeurs de la nuit montréalaise, à créer une musique à couper le souffle – littéralement –, tellement elle était belle et inattendue.

À vrai dire, Courville et McGee furent tout autant touchés que nous par l'expérience, puisqu'ils ont annoncé, incrédules, au cours de cette soirée inoubliable, qu'il n'y avait « rien que d'la jeunesse dans la salle », chose inimaginable dans leur « chère Louisiane ».

Ce son et ces paroles ont donné lieu par la suite au *trip* de l'Acadie et de la Louisiane. Mais, pour les Québécois, ce *trip* n'a guère duré, la froide réalité venant refrapper à la porte, derrière les retrouvailles du moment ; la violence et le racisme qui couvent au Sud, le conservatisme et l'omniprésence de l'Église caractérisant les milieux minoritaires canadiens, la misère et la laideur des villes industrielles américaines allaient refroidir l'enthousiasme des Québécois. Chez les autres, ce fut vite la méfiance et même le choc au contact d'une jeunesse québécoise qui avait l'air d'être désœuvrée, contestataire, voire carrément subversive, dans son non-respect des conventions et son rejet du milieu anglophone et, également, face à une mère patrie qui ne ressemblait guère à celle de leurs grands-parents – choc des valeurs, choc des comportements et choc des options politiques. Dorénavant, les Québécois francophones et les francophones de la diaspora étaient séparés par deux langues : le français, qui parvenait avec peine à dissimuler de profondes divergences sur le plan idéologique ; mais aussi l'anglais, rejeté par les uns et affectionné par les autres.

Que CANO ait par la suite pris le chemin de Toronto, qu'Édith Butler ait cessé de chanter son Acadie, que Zachary Richard soit rentré en Louisiane, que la boîte à chansons Les Nuits du Nord, à Québec, ait fermé ses portes comme tant d'autres aux quatre coins de la province et que la musique traditionnelle ne « pogne » plus n'ont rien d'étonnant. C'était un *trip* intense, mais il est terminé. Les Québécois, comme les autres francophones sans doute, privilégient maintenant une musique anglo-américaine qui ne connaît pas de patrie : The Police, Michael Jackson, Men Without Hats, Culture Club, et qui sait encore. Et, à travers cette musique, ils découvrent enfin leur américanité, leur anglo-américanité !

Le défi des années quatre-vingt est de construire des liens plus durables entre les francophones d'Amérique. Mais sur quelle base et, finalement, pour quoi faire ? La politique et le destin nous divisent, souvent aussi le choix de société et même, si troublant que cela puisse s'avérer, le choix de la ou des langues. En effet, nous sommes tous otages d'un certain contexte politique, contrainte majeure qui rend le rapprochement, la vision globale et généreuse infiniment plus difficiles. Ainsi, le francophone de la vallée du Saint-Laurent est d'abord québécois et unilingue français, le francophone « hors Québec » est d'abord canadien, profondément enraciné dans son bilinguisme et cherchant à protéger son français contre les constants assauts de l'anglais, tandis que celui des États-Unis est avant tout américain et anglophone.

Pourtant, au-delà de ces brèches, au-delà des modes et de l'esprit partisan des jeunes, des intellectuels et de la classe politique, certains liens et réseaux existent toujours. La trame réelle de l'Amérique française n'est pas encore brisée. Aujourd'hui encore, des ressortissants francophones de tout âge et toute origine se déplacent entre les diverses régions qui constituent notre archipel continental, à la recherche d'un emploi, d'un climat plus propice, d'un milieu familier, d'une patrie ou tout simplement de racines. Et ces déplacements restent mal compris et mal accueillis par nous tous.

Nombreux sont les « revenants » qui ont décidé un jour de plier bagage et de venir vivre au Québec, question de poursuivre une carrière, de « vivre » en français, ou tout simplement de rentrer au bercail. Mais on parle peu de ces gens, très peu. Soit qu'ils sont rapidement récupérés par le Québec, soit qu'ils cherchent par tous les moyens à s'intégrer à la collectivité québécoise, cessant par le fait même d'agir comme témoins et porte-parole d'une expérience en français ailleurs en Amérique. Ainsi a-t-on affirmé en 1984 dans *Le Devoir* que Daniel Lavoie est en fait un chanteur québécois « trébuchant parfois sur la langue française (héritage de son enfance bilingue au Manitoba[10]) ».

On peut aisément comprendre l'urgence de devenir Québécois pour beaucoup de ces transfuges qui espèrent ainsi tourner à tout jamais la page sur un passé douloureux vécu ailleurs. Mais ce faisant, ils épousent totalement la mentalité d'assiégés propre à maints intellectuels québécois.

Au Québec, nombreux sont, en effet, les intellectuels et les artisans de la culture qui agissent comme s'ils refusaient d'être de l'Amérique, se cantonnant à l'intérieur d'un espace-temps se limitant à l'Ancien Régime, à un territoire qui se rétrécit inéluctablement pour s'en tenir aux terres seigneuriales de la vallée du Saint-Laurent, avec la France comme unique et seul repère outre-frontière. Un même drame se traduit en *défoulement* chez les uns, en *refoulement* chez les autres, et engendre, en fin de compte, les pires incongruités géographiques et identitaires. Tel ce Franco-Manitobain ayant quitté son pays pour venir s'installer au Québec afin d'y enseigner la littérature française et québécoise au point d'ignorer totalement l'immense créativité culturelle hors Québec et surtout d'éviter d'en parler à ses étudiants.

Si l'assimilation intégrale caractérise souvent l'expérience du Franco-Canadien qui vient s'installer au Québec, le Québécois qui part ailleurs, en quête de travail, se heurte pour sa part à l'indifférence et à l'hostilité. Une partie importante de l'histoire du Québec, de son identité même, a été façonnée ailleurs en Amérique. Si l'élite a souvent feint de l'ignorer pour tout concentrer au Québec et repartir à zéro, le peuple, lui, connaît sa trajectoire à travers le continent !

C'est une histoire faite de partance, de mouvance et d'enracinement ailleurs que la nôtre. Et les départs sont inscrits dans les grands courants du continent tout entier. Ainsi, quand les jeunes Québécois plient bagage et s'en vont faire la récolte des pommes dans la vallée de l'Okanagan ou sont entraînés par le boom du pétrole en Alberta, ils sont nourris par les mêmes espoirs, vivent le même drame que ceux d'une autre génération, partis coloniser les Prairies. Pourtant, ces derniers, devenus par la suite Franco-Albertains ou Franco-Colombiens, manifestent peu d'empressement pour aller accueillir ces nouveaux venus. Il en résulte bien peu de solidarité ou de compréhension, en dépit du fait qu'il s'agit pourtant du même peuple et du même destin avec à peine la différence de quelques décennies ! Et ce même scénario se répète ailleurs. Ainsi, quand des jeunes Québécois descendent en Floride, aujourd'hui, pour se lancer en affaires, ils partagent inconsciemment le rêve d'Albert Béland, de Louiseville, qui a fondé Bélandville près de Pensacola dans le nord de cet État, vers 1930.

Et si je continue dans la même veine, je dois aussi parler de ceux et celles qui viennent chaque année au Québec pour reprendre possession d'une langue et pour connaître les lieux de leurs ancêtres, donc pour se ressourcer un peu, au sein de la mère patrie. Même si souvent ils remontent aux sources en anglais, ou en négociant un français « difficile », c'est à la recherche et à la rencontre d'une partie d'eux-mêmes qu'ils viennent ici. Pourtant, au Québec, on les confond si facilement avec « les Anglais », on les garroche dans des cours de « français pour non francophones » et on leur propose, sans faire la moindre distinction, quelques sorties culturelles et touristiques pour agrémenter leurs temps libres. Cela fait mal au cœur. Le Québec est si peu sensible au fait que ces gens viennent à la recherche non seulement d'une langue, mais encore et surtout d'une certaine reconnaissance, d'une complicité, voire même d'un peu de solidarité. Se heurtant à l'indifférence de leurs hôtes, ils repartent bredouilles, meurtris à jamais, peut-être… Et pourtant, ils constituent en quelque sorte un prolongement outre-frontière de la civilisation québécoise, tout à fait au même titre que les Chinois d'outre-mer ou les Juifs de la diaspora pour d'autres pays de cette planète.

Peut-être, au fond, notre mémoire, la vôtre et la mienne, est-elle trop courte, et les ombres de Kérouac et Séguin sont-elles toujours là à se reconnaître et ne pas vouloir l'admettre.

Peu importe ou trop importe, ces diverses situations constituent la trame de fond de l'Amérique française, en cette fin de siècle. Beaucoup moins visible que celle des générations précédentes, c'est une trame, une toile géographique plus fragile, moins homogène, moins structurée, et moins politique aussi. Parfois même, oh ! horreur, elle parle anglais ! Mais elle existe quand même, elle est réelle. Faut-il le répéter : *elle est réelle*. Partout, je l'ai croisée, partout je l'ai parcourue d'un bout à l'autre du continent, moi qui suis venu d'ailleurs pour découvrir avec ahurissement et émotion cette richesse extraordinaire Mais, pour assumer cette présence, encore faut-il dépasser nos différences afin que le Québec puisse jouer son rôle de mère patrie à l'égard d'une grande partie de la diaspora française en Amérique tout en servant aussi d'appui culturel pour les autres. Afin que les Franco-Américains ou les Ontarois qui viennent au Québec puissent ainsi vivre leur propre identité et contribuer en conséquence au redéploiement de l'identité québécoise.

C'est à nous tous qui œuvrons dans le domaine culturel – théâtre, folklore, histoire orale, patrimoine ou littérature – de mettre en évidence cette trame et d'approfondir ainsi les liens, tout en faisant ressortir nos différences. C'est en plongeant dans le vécu des gens qu'on défonce les murs de nos arrière-cours et qu'on rencontre les autres, rejoignant ainsi l'universel.

Toute considération politique mise à part, chacun fait partie, consciemment ou pas, de l'espace référentiel de l'autre. Les traditions et les écrits des francophones hors Québec établissent souvent la cartographie de cet espace, là où les paroliers québécois ont tendance à le dissimuler. Voyager à travers cet espace et l'apprivoiser, c'est non seulement apprendre à connaître l'autre, mais aussi appréhender une partie insoupçonnée de soi-même. Occasion unique, donc, de relativiser l'existence de chacun sur ce rude continent, de se libérer du fardeau des « institutions nationales » et du discours des élites et de la classe politique qui ont tant balloté notre existence. Et c'est donc aussi la possibilité inouïe d'alléger le poids de la culture de masse étasunienne qui sert actuellement sans partage de solution de rechange, en l'absence d'un portrait plus fidèle pour décrire le vécu des francophones nord-américains, et finalement, plus séduisant pour ceux qui en sont eux-mêmes les promoteurs et les dépositaires.

Que ce soit les déplacements de gens, d'œuvres littéraires, de pièces de théâtre, de chansons ou d'expositions entre la diaspora et le Québec, le simple fait de les fréquenter, de les affectionner et de les assumer offre à tous l'occasion d'identifier de nouveau la véritable mère patrie en Amérique. Et ce afin de la libérer de son intellectualité farouchement européenne, carrément dévastatrice quelquefois pour ne pas dire suicidaire, lui permettant ainsi de partir à la découverte de l'autre versant de son identité.

Rêve impossible ? Je ne sais pas. Mais je constate une évidence, tout de même, à savoir que lorsque les francophones d'Amérique remontent aux sources et se rassemblent dans des lieux familiers, le chemin ne les conduit pas à Ottawa, mais bien à Québec et à Montréal. Et je constate également une nouvelle humilité qui se manifeste tranquillement au Québec depuis que les discours politiques nous préoccupent moins et que maints problèmes linguistiques et culturels internes semblent avoir été réglés à la satisfaction de la majorité. On est maintenant prêts, au Québec, à jeter un nouveau regard au-delà de la frontière, à le faire sans jugement et sans mépris, parce que ça nous fait moins peur, et qu'on s'y retrouve.

En nous ouvrant à vous, peut-être viendrez-vous plus facilement chez nous, tout en affichant vos vraies couleurs. Alors, enfin, on comprendra que chacun est essentiel à la survie et à l'épanouissement de l'autre.

É. W.
Cornwall (Ontario), 1984

Notes

1. Luc Bureau, *Entre l'éden et l'utopie : les fondements imaginaires de l'espace québécois*, Montréal, Québec Amérique, 1984, p. 13.

2. H.-R. Casgrain, *Histoire de la mère Marie-de-l'Incarnation, première supérieure des Ursulines de la Nouvelle-France*, Québec, G. E. Desbarats, 1864, p. 69.

3. «[...] *their singular tenacity as a race and their extreme devotion to their religion* [...], *and their transplantation to the manufacturing centres and the rural districts in New-England means that Quebec is transferred bodily to Manchester and Fall River and Lowell. Not only does the French curé follow the French peasantry to their new homes, but he takes with him the parish church, the ample clerical residence, the convent for the sisters, and the parochial school for the education of the children. He also perpetuates the French ideas and aspirations through the French language, and places all the obstacles possible in the way of assimilation of these people to our American life and thought. There is something still more important in this transplantation. These people are in New-England as an organized body, whose motto is* Notre religion, notre, langue, et nos mœurs. *This body is ruled by a principle directly opposite to that which has made New-England what it is.* (Éditorial du *New York Times,* 6 juin 1892 ; traduction libre.)

4. Henri Bourassa, « Religion, langue, nationalité », *Le Devoir,* 1910, p. 16.

5. Gabrielle Roy, *De quoi tu t'ennuies, Évelyne ?,* suivi de *Ély ! Ély ! Ély !,* Montréal, Boréal Express, 1984, p. 117-119.

6. « *All my knowledge rests in my French-Canadianness and nowhere else.*» (Jack Kérouac, lettre à Yvonne Le Maître, le 8 septembre 1950, publiée dans *Le FAROG Forum,* Orono (Maine), mai-juin 1984, p. 15 ; traduction libre.)

7. Louise Ingles, « Jack Kérouac ; le "damn canuck" de la québécité », *La Presse,* 7 septembre 1974, p. E19.

8. Fernand Séguin, « Ces propos salés au Sel », *Le Devoir,* 29 octobre 1972, p. XXXIII.

9. *Ibid.*

10. Mireille Simard, « Daniel Lavoie : la tentation de l'électro-pop », *Le Devoir,* 25 février 1984, p. 20.

Un Continent-Québec et une poussière d'îles*

Le rêve d'une Amérique française homogène et solidaire, rayonnant à travers le continent à partir de la vallée du Saint-Laurent, est ô combien tenace ! Qu'une telle idée ait été perçue en tant que force civilisatrice, projet d'empire ou tout simplement face cachée de ce continent – une sorte de « pied de nez » à l'Amérique anglicisante –, nous avons tous, prêtre, politicien, intellectuel ou simple voyageur, été séduits par cette perspective à un moment ou l'autre.

Je ne fais nullement exception à la règle. D'ailleurs, c'est en cherchant à délimiter cette Amérique obscure mais omniprésente que j'ai pu, à ma façon, saisir, comprendre le Québec et apprendre à aimer l'Amérique. Cet itinéraire a débuté pour moi au début de 1969 alors que, témoin des grands bouleversements nationalistes de l'époque, j'ai appris que la Ligue d'intégration scolaire était menée par un « Américain » d'origine québécoise, Raymond Lemieux, lequel avait décidé de quitter son Détroit natal et de rentrer au bercail afin de défendre la seule patrie qui lui restait. Cette démarche l'avait d'ailleurs amené à épouser une Québécoise tout en s'inscrivant à l'Université de Montréal pour se réapproprier la langue de ses ancêtres et plonger dans le Québec moderne.

---

* Texte tiré d'une communication faite au colloque « Langue, espace et société » (qui a eu lieu à l'Université Laval, en 1994, sous l'égide de la Chaire pour le développement de la recherche sur la culture d'expression française en Amérique du Nord) et publié dans Dean Louder, Cécyle Trépanier et Éric Waddell, *Langue, espace, société : Les variétés du français en Amérique du Nord*, Québec, Presses de l'Université Laval, 1994, p. 203-225.

Par la suite, je me suis mis à écouter Robert Charlebois chanter l'Amérique et nous entretenir de ce petit pays « un pouce et demi en haut des États-Unis ». C'est alors que je me suis nourri intellectuellement de la revue *Presqu'Amérique* et que j'ai ainsi découvert avec une exaltation sans cesse grandissante l'américanité québécoise. Cette Amérique-là m'a amené hors frontière, par l'entremise de la littérature d'abord, accompagnant Victor-Lévy Beaulieu à la poursuite de Jack Kérouac ; puis à travers cette trajectoire exemplaire, à la découverte du Québec hors Québec, à la révélation de la propre quête américaine de Kérouac, et aussi de l'impossible retour. J'ai compris que, tout en étant profondément Québécois, Kérouac n'était plus du Québec, qu'il habitait un autre espace-temps : un espace sans bornes, sans limites, et un temps qui s'éloignait et s'amenuisait inexorablement. Aussi ai-je alors décidé de traverser la frontière moi-même, pour aller voir de mes propres yeux, tenter d'appréhender la mémoire des Francos qui semblait s'y maintenir de façon si tangible et fragile, vacillante et pourtant si réelle.

La découverte d'autres réalités géographiques

Tout départ en vacances servait de prétexte à visiter des communautés francophones hors Québec : les Petits Canadas de la Nouvelle-Angleterre, la baie Sainte-Marie, Chéticamp, la péninsule acadienne et tant d'autres territoires témoins de cette Amérique voilée. Simultanément, des conférences universitaires allaient me permettre de visiter le pays des Illinois, le Sud-Ouest ontarien, Maillardville, en banlieue de Vancouver, Moncton en Acadie démembrée. Cependant, c'est en 1972 que se produisit le premier véritable départ à des fins de recherche, en direction de la péninsule de Port-au-Port, à Terre-Neuve, là où les gens parlaient bien français, mais ignoraient presque tout du Québec et étaient d'ailleurs, massivement, d'origine acadienne et française de France ! À partir de 1976, j'ai commencé à faire équipe avec un collègue originaire des États-Unis, Dean Louder, pour d'abord descendre en Louisiane suivre le « renouveau ethnique » qui semblait animer le milieu francophone dans cet État lointain et profond du Sud. Puis, à la suite de cette expérience, nos voyages en Franco-Amérique se sont multipliés, dans le cadre, cette fois-ci, d'un cours intitulé « Le Québec et l'Amérique française » que nous avons rapidement mis au point. Nous avons vécu plus d'une décennie de « stages sur le terrain », nous et quelque 250 étudiants, découvrant ainsi notre propre histoire géographique. Inaugurés, donc, et terminés dix ans plus tard en Acadie néo-brunswickoise, ces stages auront permis de boucler une grande boucle passant par l'Ontario français, la Nouvelle-Angleterre, le Manitoba et le Minnesota, sans oublier de mentionner l'un des stages les plus émouvants, un séjour parmi les Métis du nord de la Saskatchewan, en 1985, façon poignante de commémorer, nous aussi, le centenaire de la pendaison de Louis Riel.

Cet itinéraire fut animé par une préoccupation strictement « scientifique » : tenter de cerner la nature et la dynamique des rapports entre majoritaires et minoritaires et aussi de déterminer en quel sens le statut de minoritaire francophone était foncièrement différent de celui de minoritaire anglophone (au Québec). Mais, au-delà de cet objectif, je ressentais le désir, comme tant d'autres chez ceux de ma génération, de faire sauter les murs de la « prison-Québec », de retrouver la grande famille franco-américaine et ainsi renforcer l'enracinement, sur le grand continent, de l'État-nation naissant, et donc accroître la légitimité et l'autorité de ce Québec nouveau en gestation-formation accélérée. Assumer la direction et faire connaître, Louder et moi, notre ouvrage collectif intitulé *Du continent perdu à l'archipel retrouvé : le Québec et Amérique française*[1] tels auront été les premiers fruits de cette démarche, tandis que l'organisation de la *Rencontre internationale Jack Kérouac*, à Québec, en 1987, qui aura joui d'un succès national et international dépassant toute prévision, en constituera le deuxième moment avec la publication subséquente, en 1990, de l'ouvrage *Un homme grand : Jack Kerouac at the Crossroads of Many Cultures/Jack Kérouac à la confluence des cultures*[2].

L'éveil culturel

En fait, pour le milieu culturel de ma génération, cette Amérique aura été beaucoup plus mise en musique et chantée que transmise par l'écrit ou le cinéma. D'abord par des chansonniers et des groupes de musique traditionnelle d'ici, Georges Langford (*Acadiana*), Renée Claude (*Shippagan*), Gilles Vigneault (*Anne, ma sœur Anne*), Pauline Julien (*Mommy*), puis Le Rêve du diable, Garolou, Ruine Babines ; et ensuite, par des individus et des groupes venus d'ailleurs en Franco-Amérique, tels Édith Butler, Zachary Richard et CANO.

L'Amérique fut également célébrée par des poètes qui voulaient faire tomber les murs de leur isoloir et qui affirmaient la démesure : Lucien Francœur et Denis Vanier, entre autres, et surtout le Français devenu québécois Patrick Straram, *le bison ravi*. J'ai mentionné, dans le texte précédent, *La Veillée des veillées*, au Gesù, en 1975, mais il ne faut pas oublier *La Nuit de la poésie*, toujours au Gesù, en 1971. Tous ces événements furent animés par un seul et même désir : couper le « cordon ombilical » du Québec français et s'inscrire dans la trame d'une Amérique moderne et totale. Claude Péloquin avec son « Vous êtes pas écœurés de mourir, bande de caves, c'est assez ! », inscrit dans la murale de Jordi Bonet, à Québec, et Armand Vaillancourt avec son « Québec libre », à San Francisco, tenaient un seul et même discours identitaire. Ils dressaient les limites d'un nouveau territoire géographique, ouvert et pouvant être apprivoisé par tout francophone qui voulait bien y pénétrer ; territoire traversé, en fait, par une multitude de parcours familiers et peuplé d'âmes de collectivités sœurs et de communautés de diverses souches vibrant à l'unisson. Je me rappelle encore un voyage avec des étudiants en Nouvelle-Écosse, à l'époque. L'un d'eux, esprit vif et nationaliste intransigeant, fut bouleversé par l'accueil reçu chez les Acadiens, constatant à quel point les Québécois possédaient amis et lieux familiers outre-frontière dont il n'avait jamais soupçonné l'existence. (Incidemment, sa carrière professionnelle aura été transformée par cette expérience et cette découverte, puisqu'il deviendra expert de l'américanité québécoise !)

L'œuvre cinématographique d'André Gladu

Mais pour moi, géographe, c'est André Gladu qui aura révélé le mieux cette réalité nouvelle dans sa dimension « franco », autant dans son œuvre cinématographique qu'à travers ses gestes d'animateur socioculturel à l'Université du Québec à Montréal.

Son premier film, *Le Reel du pendu*, est sorti en 1972. Les trois « foyers » – Québec, Acadie et Louisiane – s'y trouvent réunis autour d'une seule légende, celle de ce reel connu et joué partout en Amérique, là où il y a des francophones :

> C'est l'histoire d'un gars qui devait être pendu, le shérif, comme dernière faveur, lui promit de lui rendre sa liberté s'il parvenait à jouer un reel sur un violon désaccordé et brisé. Notre bonhomme accepta, joua le reel du pendu et reprit sa liberté[3].

Bien sûr, pour Gladu, le « reel du pendu » n'est qu'une métaphore qui décrit trop bien le sort d'un peuple qui vit en liberté « conditionnelle » : celui des « travaillants » de ce continent ayant survécu en grande partie, sur le plan identitaire, grâce à leur marginalisation géographique et économique. C'est dans le cadre de sa série cinématographique *Le Son des Français d'Amérique* que Gladu a élaboré cette thèse, tout en établissant, pour l'ensemble de l'archipel francophone, une carte géographique d'une richesse remarquable.

C'était l'époque où les Québécois dirigeaient volontiers leur esprit vers « les sources de notre avenir », lesquelles se trouvaient en partie ailleurs en Nord-Amérique, mais tellement dissimulées sous plusieurs décennies d'« amnésie collective » qu'il était difficile de les trouver. En un certain sens, nous faisions tous « le *trip* de l'Amérique », *trip* qui débouchera sur des retrouvailles fortes en émotions et pourtant fort fragiles !

Gladu parlait de « nos frères » en Louisiane et en Acadie. Il annonçait la solidarité de tous les marginaux (y compris de la Bretagne et de l'Irlande) qui avaient tant souffert aux mains du capitalisme occidental et de la *Protestant ethic*.

Il cherchait à rassembler tous ces « autres » sur les rives du Saint-Laurent, c'est-à-dire chez les seuls qui pouvaient espérer un avenir meilleur et étaient effectivement en train non seulement d'affirmer leur identité, mais aussi de se réapproprier leur territoire.

Pendant cette même décennie, un Georges Langford révélait à tous son importante découverte, qui s'exprimait en ces mots :

> C'est en arrière du Kentucky
> Dans les bebelles et les cochonneries
> Que j'ai trouvé de ma parenté
> Au beau milieu des États-Unis[4]

Et pendant que ce dernier trinquait, chantait et dansait, comme tant d'autres, et jusqu'à l'épuisement dans les bars des villages cadjuns du sud de la Louisiane, certains Acadiens, membres de l'éphémère Parti acadien, envisageaient d'annexer le nord-est du Nouveau-Brunswick à un Québec indépendant. Gérald Godin, poète devenu député à l'Assemblée nationale, évoquait très sérieusement la possibilité de voter une loi afin de faciliter le retour au bercail de tous les francophones de la grande diaspora continentale.

La découverte de la différence et la fin d'un beau rêve

C'était un beau rêve tant qu'il a duré.

Et il dura à peine une décennie, pour s'évanouir, au début des années quatre-vingt, en même temps d'ailleurs que la grande célébration du retour à la nature. Soit dit en passant, *dropper* à la campagne ou partir vers les tréfonds de l'Amérique revenaient un peu à la même chose. Quoi de plus normal, alors, qu'un groupe comme Garolou s'installe dans les Bois-Francs et chante *Aux Illinois* ou *Le Départ pour les États*[5] !

Ces lancées ludiques à travers le continent manifestaient dès le départ des dimensions d'une générosité spontanée mais extérieures aux conditions réelles d'existence et qui allaient mener à leur propre échec. Les voyageurs québécois se sont vite rendus à l'évidence : les Francos de ce continent ne venaient pas d'une seule souche, ils ne parlaient pas une seule et même langue, ne tenaient pas le même discours et n'avaient pas, non plus, les mêmes aspirations.

Dans sa chanson *Acadiana,* après avoir annoncé la découverte de sa « parenté », Georges Langford confesse, quelques strophes plus loin :

> On s'est mis à parler français
> C'était une langue que je r'connaissais pas
> À mesure que j'le comprenais
> C'était lui qui m'comprenait pas.

Or les jeunes Québécois « appelés » à enseigner en Louisiane, mus par leur fierté linguistique et culturelle, ouverts à toutes les expressions et à toutes les couleurs du fait français en Amérique et véhiculant des idées politiques neuves (comprendre ici « radicales »), se sont trouvés face à une situation qu'ils n'avaient pas prévue. Ils se sont rapidement heurtés à une culture cadjun profondément conservatrice, animée du désir profond, du moins dans l'esprit de l'architecte du mouvement officiel de renouveau culturel CODOFIL[6], Jimmy Domengeaux, d'inventer le *Great White Hope* afin de juguler l'essor du « pouvoir noir » dans la région. En conséquence, les autorités québécoises et louisianaises ont dû regrouper les jeunes enseignants dans la région de Lafayette pour mieux les surveiller !

L'équipe de chercheurs du Projet Louisiane[7], dont je faisais partie, a vite compris que ses « informateurs » les plus intéressés étaient, sans exception, des Américains d'abord, et ensuite, des Cadjuns ; alors que c'était évidemment l'inverse qui prévalait en tout ce qui concernait les rapports identitaires entre le Québec et l'État central canadien. Plus grave encore peut-être, le fait de se faire dire, à maintes reprises, par nos collaborateurs cadjuns, que ces derniers ne partageaient pas notre obsession pour la langue (française) ; celle-ci, d'ailleurs, ne jouant nullement le rôle primordial qu'ils accordaient à la nourriture et à la famille dans la configuration de leur propre identité collective. Qu'on en juge par ces propos :

> Louisiane Madame, Louisiane maison,
> Suis parti depuis cinq ans déjà,
> Cinq ans c'est trop long.
> Louisiane Madame, Louisiane maison,
> Suis r'venu pour élever une famille,
> Dans l'endroit où qu'j'appartiens.
> […]
> Ça m'a manqué l'tapage d'mon père
> La douce odeur du pays,
> Le gumbo pis l'jambalaya
> Cuisinés par les mains de la mère
> La Louisiane[8]…

Nos voyages avec des étudiants de l'Université Laval, notamment dans l'Ouest canadien, nous ont révélé qu'être francophone hors Québec voulait dire parler *deux* langues. Et ici encore, j'ai le souvenir traumatisant de l'accueil à l'aéroport de Winnipeg par nos hôtes du Collège universitaire Saint-Boniface. Quand deux de ceux-ci se sont mis à parler l'« autre » langue entre eux, un de nos jeunes Québécois a lancé tout naturellement : « Quoi, deux Franco-Manitobains qui se parlent en anglais entre eux ! » J'aurais voulu que le plancher s'ouvre sous mes pieds. Et pourtant, ce même étudiant est allé par la suite étudier et travailler en Saskatchewan, où il a œuvré au sein de la communauté fransaskoise, pour lui-même devenir, de son propre avis, fransaskois.

Au cours de ce même voyage, nous nous sommes fait sermonner royalement dans les pages du journal étudiant du même collège pour avoir prétendument voulu chercher « des Petits Québecs au Manitoba ». Et là, nous avons compris la pleine portée de l'affirmation suivante, à savoir que les Franco-Manitobains ont une autre identité régionale aussi bien qu'une autre identité linguistique : ils sont des *Westerners* de langue française.

Les chocs de la scission linguistique ont même été ressentis à l'intérieur des grandes salles de concert du Québec. À l'occasion d'un concert au théâtre Saint-Denis, vers la fin des années soixante-dix, le groupe CANO, originaire du nord de l'Ontario, s'est mis à chanter en anglais. Ce faisant, ces francophones ontariens ont trahi le rêve d'un bon nombre de Québécois et brisé la solidarité tant recherchée. Et pourtant, ils l'ont fait sans arrière-pensée, pour se révéler tels qu'ils étaient. Ils se sont fait huer par l'assistance et, en conséquence, ils ont pris la route de Toronto et ne sont plus jamais revenus chanter au Québec.

Chez les Métis, le choc fut plus grave encore. Quelle illusion de vouloir s'approprier, voire partager, Louis Riel ! Il y avait déjà l'histoire de la Vierge noire dans la cathédrale de Saint-Boniface qui avait fait sauter en mille morceaux la prétendue solidarité entre Franco-Manitobains et Métis[9]. Mais, à travers leurs luttes contre le gouvernement fédéral, les Québécois pouvaient encore se permettre de rêver jusqu'à ce qu'Antoine Lussier affirme, dans le film d'André Gladu intitulé *Des gens libres* et portant sur les Métis manitobains : « Parfois les Québécois nous prennent pour des Canadiens français, mais quand un Métis perd sa langue, il ne perd pas son identité pour autant ! » La flèche allait droit au cœur. J'ai ressenti la portée réelle de cette phrase quand j'ai mis les pieds à l'Île-à-la-Crosse en compagnie de mes étudiants. Notre réaction viscérale et collective en débarquant dans cette réserve du nord de la Saskatchewan fut sans appel : « Qu'est-ce qu'on fout ici (dans le cadre d'un cours sur le Québec et l'Amérique française) ? »

L'exil et l'amour

Nombreux sont les francophones de la diaspora qui ont cheminé en sens contraire, à la recherche d'une patrie et animés par ce que Gabrielle Roy aura appelé « cette maladie de me sentir quelque part désirée, aimée, attendue, chez moi enfin » :

> À quoi est-ce que je m'attendais ? Que d'un coup tout soit changé ? Que la langue que l'on m'avait dite la plus belle et la plus douce coule de source de toutes les bouches ? Que l'amitié brille dans tous les regards ? Que je serais instantanément

reconnue, acceptée. « Ah ! dirait-on, c'est une des nôtres de retour ! » Et il y aurait joie à cause de l'enfant retrouvée[10] !

Le Québec était bien sûr la seule patrie possible en Amérique, pour les Francos, et beaucoup y ont séjourné plus ou moins longtemps. Gabrielle Roy a passé une quarantaine d'années sur les rives du Saint-Laurent et elle est décédée à Québec. Pour en nommer quelques autres : Zachary Richard, de Scott, en Louisiane ; Patrice Desbiens, de Sudbury, en Ontario, et Daniel Marchildon, aussi de l'Ontario, à Pénétanguishene, Michel Marchildon, de Zénon Park, en Saskatchewan, Kent Beaulne, de La Vieille-Mine au Missouri, tous, ils ont foulé la Terre-Québec à des moments critiques de leur vie. L'expérience les a certes enrichis, mais au lieu de retrouver la patrie, ils auront connu (ou connaissent toujours), pour la plupart, l'exil. Un exil qui les a souvent rapprochés de leur milieu d'origine et à tel point que, après un séjour de quelques mois ou de quelques années au Québec, ils auront repris le chemin du retour, comme l'indique Zachary Richard :

> La Louisiane est si loin
> De ce pays
> Que mon cœur
> Est distant de l'amour[11].

Et pour Gabrielle Roy :

> Pour personne, je n'étais l'enfant retrouvée. Je restais tout de même quelque peu une étrangère. « Sympathique, parlant comme nous autres, mais pas tout à fait de la famille. » C'est alors que j'ai compris que nous, Canadiens français, n'avons peut-être pas le sentiment du sang. Celui de la nationalité, oui, mais pas du cœur, comme les Juifs, comme d'autres dispersés. Nos gens, dès qu'ils sont éloignés, ne sont plus tout à fait nos gens. J'ai beaucoup souffert de cette distance que les Québécois mettaient alors et mettent encore entre eux et leurs frères du Canada français[12].

Les francophones de la diaspora se sont, pour la plupart, apaisés. Plutôt que de parler révolution, de chercher à modifier l'ordre des choses – les tragiques leçons de l'histoire et de la géographie –, ils ont voulu s'enraciner davantage dans leur véritable milieu d'appartenance. « La chose la plus révolutionnaire que j'ai faite, dira Zachary Richard, c'est de planter des chênes. Ils seront là dans cent ans. C'est mon engagement dans une continuité, à une terre meilleure[13]. »

La quête du dénominateur commun

Des frères, des cousins, des exilés peut-être, le sentiment de partager quelque chose de très profond, d'appartenir à une seule et même famille. Mais comment décrire une telle appartenance ? Quelle importance y accorder ? Et si, par le hasard des circonstances, l'usure du temps, l'espace qui s'estompe, les membres de la famille n'avaient même pas, n'avaient plus un appellatif commun ?

Les *Québécois* sont ceux de la seule vallée du Saint-Laurent ; c'est un territoire précis, une réalité politique neuve. Parmi les habitants du Québec, un certain nombre restent fidèles au gentilé *Canadien français* pour exprimer, sans doute, leur attachement au système fédéral canadien actuel. Les *Franco-Américains* sont les habitants, de souches franco-canadienne et acadienne, des seuls États de la Nouvelle-Angleterre. *Canadien* fait référence à la citoyenneté au sein d'un pays majoritairement anglophone. *Français d'Amérique* constitue une aberration formulée par une certaine élite religieuse du XIXe siècle et reprise mille fois depuis, faute de mieux. Depuis quelques années, on parle parfois de *Franco-Canadiens* pour désigner l'autre versant de la réalité francophone du Canada : les minoritaires vivant hors Québec.

Convaincus d'une certaine unité et cherchant le mot pour le dire, quelques autres intellectuels proposent le terme plutôt difficile de *Franco* pour décrire autant une expérience qu'une population ignorant tout de cette étiquette.

Une expérience, soit, mais quelle expérience, au juste ?

« On a peut-être du sang d'errants dans les veines à force d'errer [...] un regret infini pour la patrie tant de fois cherchée, tant de fois perdue. »

C'est encore Gabrielle Roy qui raconte, dans son entêtement, la volonté du vent qui traverse le coin réservé aux Landry dans un cimetière du lointain Manitoba : « On l'eût dit occupé à retracer la pauvre histoire tout embrouillée de vies humaines égarées dans l'histoire et dans l'espace [qui] me faisaient penser à des rescapés d'un long naufrage[14]. »

De toute évidence, il y a une filiation, une trame commune traversant la francophonie nord-américaine et qui agit dans les deux sens : à la fois vers le Québec et vers les profondeurs de ce continent. Mais comment décrire cette filiation ? De quoi est-elle faite ? Pour tenter de trouver la réponse, on m'autorisera à me reporter, une fois encore, à ma propre expérience, selon trois volets : tout d'abord, les confidences de collègues du département de géographie de l'Université Laval, puis l'expérience vécue du choc des voyages et, enfin, la rencontre clé avec les Métis.

Confidences de collègues

Que pourrait-il y avoir de plus profondément québécois que le département de géographie de l'Université Laval ? Et pourtant, si je fais le tour des professeurs « pure laine », j'en trouve un dont le frère est religieux en Louisiane depuis une trentaine d'années ; un autre qui est originaire du Manitoba ; un troisième dont la tante est installée depuis des années en Californie, où elle préside d'ailleurs l'Association Québec-Californie ; un quatrième dont la grand-mère est née à Boston ; un cinquième dont le frère a « sacré son camp » depuis belle lurette pour aller vivre au New Hampshire, et ainsi de suite. Et cela n'est que la surface des choses.

Pourtant, cette mouvance continentale reste toujours voilée, relevant du domaine de l'inconscient ou, à la limite, de l'action jugée purement individuelle, mais presque jamais du comportement et de l'analyse savante. C'est sans doute pour cette raison qu'un collègue et ami, originaire de Québec, qui fait figure d'exception par ses écrits, me confiait un jour ce qui suit :

T'ai-je déjà dit que mon arrière-grand-mère maternelle avait une sœur qui vivait en Californie, et qui visitait Québec de temps à autre au cours des années trente et quarante ; que les membres de ma famille se rendaient en voiture (du côté de ma mère toujours) à New York chaque année dès les années vingt et que nous avons grandi sur le chemin Saint-Louis dans une matrice géographique carrément continentale. Peut-être que ma quête vient de là, dans un désir profond de retrouver ces significations de ma petite enfance et qui m'ont toujours habité par la suite de façon onirique. (Pierre Anctil, communication personnelle, 1991.)

Le choc des voyages

Les voyages en compagnie des étudiants de l'Université Laval ont, sans exception, eu pour effet de secouer la mémoire trop endormie, de nous éveiller, mes compagnons de route et moi, à quelque chose d'inattendu. Arriver à Pénétanguishene, près de la baie Géorgienne, et voir se dresser de chaque côté de la route, à l'entrée de la petite ville, des colonnes marquées « Québec » et « Ontario ». Longer la rivière Rouge pour traverser la frontière à Pembina et être reçus par une petite dame canado-américaine qui avait vécu des années dans une communauté religieuse de la Rive-Sud. Poursuivre notre route jusqu'à Chutes-du-Lac-Rouge (Red Lake Falls, Minnesota), pour être accueillis dans de petites communautés canadiennes-françaises perdues dans le Midwest américain, mais où l'ambiance ressemblait étrangement aux villages québécois des années cinquante, à la maison des grands-parents – intimité, accent, mœurs. Combien d'étudiants m'ont avoué qu'ils se sentaient, contre toute attente, en famille ?

La rencontre avec les Métis

Mon expérience avec les Métis a commencé au début des années quatre-vingt d'abord avec le Manitobain Antoine Lussier, rencontré à Chicago, ensuite avec Dennis de

Montigny à Michillimakinac, l'un qui parlait tout naturellement français, l'autre qui voulait bien le réapprendre. Le premier, véritable « bois-brûlé » en apparence, qui racontait des blagues et chantait des chansons québécoises (?) tard dans la soirée, et le deuxième, tout indien vêtu et coiffé qu'il était, mais portant à la taille une ceinture fléchée. Par la suite, nous avons reçu des Métis au Québec, dans le cadre de nos échanges entre étudiants. Parmi eux, il y avait un grand bonhomme, sorti droit d'un village loin au nord de l'Île-à-la-Crosse et chaussé d'une magnifique paire de mukluks artisanaux. À son premier voyage au Québec, et à vrai dire en dehors de sa province natale, il se rappelait ce mot de sa grand-mère, à la veille de son départ : « Une partie de notre histoire s'est déroulée là-bas ! » J'ai accompagné ce même groupe de Métis à Kahnawake, pour qu'ils puissent rencontrer des frères autochtones. Nous avons écouté des discours en mohawk et dansé toute la soirée dans la maison-longue. Des danses iroquoises, bien sûr. Et les Mohawks ont insisté à plusieurs reprises pour connaître la musique traditionnelle de leurs visiteurs – des Mohawks presque « blancs » et des visiteurs presque « indiens ». À la sortie de la salle, un Métis a lancé tout simplement : « Vous savez, notre musique à nous, c'est des reels et des gigues », laissant ainsi ses interlocuteurs indiens stupéfaits.

C'est la mémoire enfouie qui surgit de ces expériences multiples. Des lieux et des gens totalement inconnus mais tellement familiers, suspendus dans l'infini américain. Des gens et des lieux qui dérangent profondément par leur simple présence, parce qu'ils viennent fracasser les murs de la seule histoire accréditée et de la politique officielle.

Comment conceptualiser l'expérience ?

S'il y a trame commune, il y a forcément ce phénomène indiscutable de « mouvance » : «la *terre* en Saskatchewan » du père de Gabrielle Roy ; sa sœur Adèle, qui s'enfonçait « de plus en plus profondément dans le nord de l'Alberta ». Ce désir d'aller toujours plus loin, mais aussi le besoin pressant de revenir sur ses pas : « là où nous avons été heureux, nous ferions tout pour y retourner, serait-ce au prix des derniers battements de notre cœur. » C'est donc l'Amérique familière et attirante de Jack Kérouac, où « les clôtures n'ont pas d'espoir ». Mais c'est une Amérique qui impose un enracinement précaire et, pour nombre de ces francophones, carrément mortel : « Tant de fois on les avait fait venir au bout du monde, pour y disparaître sans bruit et presque sans laisser de trace[15]. »

Cette mouvance, qui remonte aux origines mêmes de la présence francophone en Amérique, donne lieu à une certaine structure permettant d'expliquer, en partie du moins, la complexité du portrait géographique actuel.

La diversité des désignations

La diversité des noms que les francophones de ce continent se donnent, ou se sont vu donner, est étourdissante. Et pourtant, ces noms évoquent, de façon souvent très explicite, l'époque des départs du foyer initial et l'ampleur de l'enracinement ailleurs. Ce sont des témoins linguistiques du fait que chaque collectivité de la diaspora est suspendue dans une sorte d'espace-temps qui lui est propre, creusant ainsi l'écart entre foyer de départ et région d'accueil. Une fois le passage accompli d'un territoire à l'autre, l'identité se transforme en fonction de forces et de circonstances particulières à chaque partie du continent et dont les changements de noms rendent compte.

Au XVIIIe siècle, la vaste majorité des francophones d'Amérique se disaient soit *Canadiens* soit *Acadiens*, appellations largement reconnues par les autres habitants du continent. Cette reconnaissance s'expliquait en fonction du pouvoir et du nombre, mais également de ce qu'on pourrait appeler l'« authenticité » – tous étaient perçus comme étant des peuples issus de la terre d'Amérique. Certains ont gardé ces noms jusqu'à aujourd'hui, notamment les Acadiens des provinces maritimes et les Canadiens (ou « Canayens » du Minnesota, ces derniers originaires du Québec, mais ayant passé par la Nouvelle-Angleterre, au milieu du XIXe siècle, avant de s'installer dans le Midwest américain, quelques décennies plus tard). Se trouvant dans une situation d'isolement quasi total, étant peu nombreux et aussi « sans danger » pour le groupe majoritaire, ils ont conservé leur nom d'origine. En Nouvelle-Angleterre, la situation est un peu plus compliquée. Le peuple est resté canadien ou canadien-français, selon l'époque du départ pour « les États ». Toutefois, formant une population nombreuse, ayant une vie intellectuelle et des aspirations collectives distinctes, puisqu'il était installé aux États-Unis, ce groupe a fait usage, par la voix de son élite, dès le début du siècle, d'un nouveau nom pour décrire sa singularité : *Franco-Américain* !

Au Canada, ces mêmes Canadiens et Acadiens ont dû composer avec des communautés d'accueil plus ou moins hostiles à leur présence. Devenus non seulement démographiquement minoritaires, mais aussi, après la Confédération, politiquement « minorisés », les francophones originaires de la vallée du Saint-Laurent se sont réfugiés derrière le gentilé de *Canadiens français* pour souligner leur identité distincte. Par la suite, assujettis à des frontières politiques et à des pouvoirs régionaux naissants qui minaient davantage leurs assises identitaires – notamment scolaires et donc linguistiques –, ces mêmes gens ont assumé des identités provinciales : *Franco-Ontarien*, *Franco-Manitobain*, *Fransaskois*, etc. Finalement, dans une tentative récente pour sortir de la condition de minoritaire et d'une illégitimité à peine voilée, l'élite franco-ontarienne, à l'instar de ses voisins devenus subitement des *Québécois*, a choisi un nouveau nom : *Ontarois*.

La structuration du territoire

Cette panoplie de noms est cause d'angoisse : celle de ne pas avoir de mot communément accepté pour nommer l'ensemble de la population francophone d'Amérique. Mais elle est aussi le fruit d'une multitude d'expériences et de conditions auxquelles il est possible de rattacher une expression géopolitique cohérente.

Pour ne pas se voir accorder que des miettes, en tant que minoritaires, les francophones d'Amérique doivent toujours marchander, composer avec un pouvoir qui leur échappe, tenter de négocier des secteurs distincts et, si possible, se détacher du jeu imposé par les forces dominantes. La quête du pouvoir la mieux réussie est celle du Québec, où elle est le fruit du nombre, bien sûr, mais également d'une certaine réalité géographique et historique. Ainsi, le fleuve Saint-Laurent a toujours servi d'axe majeur de pénétration du continent et sa vallée a accueilli les principales assises institutionnelles des Francos, en commençant par le diocèse de Québec.

En me servant de la pensée géopolitique européenne du début du siècle – et notamment des idées de Halford J. Mackinder –, j'ai cherché, dans un texte intitulé « Cartographier l'Amérique française[16] » à structurer cette réalité spatiale contemporaine. Elle est faite d'une puissante *zone pivot*, le Québec, lequel constitue le seul État massivement, et juridiquement, francophone de ce continent. Ce « foyer national » est entouré de larges *contreforts bilingues* comprenant l'Ontario et la Nouvelle-Angleterre et qui se fondent à l'est avec l'Acadie, « deuxième grand foyer francophone en Amérique ». Au-delà se trouve la *diaspora réelle*, faite d'une multitude de communautés de tailles différentes, souvent très éloignées les unes des autres, et qui se transforment (au moins partiellement) aux limites sud et ouest en *franges métisses*.

Belle idée de géographe, diront certains, mais ayant peu à voir avec la réalité. Et pourtant, le Québec ne démord pas de ses aspirations autonomistes, cherchant à la fois à se distinguer et à ne pas se distinguer de tout ce qui l'entoure. Mais c'est là une histoire qui est connue de tous ! Plus intéressant encore est le comportement des trois composantes des contreforts bilingues.

L'Ontario a pris pied à Québec, il y a deux ou trois ans, en créant un bureau pour le représenter rue d'Auteuil[17]. Sur son territoire ont été constituées des zones bilingues, et par l'entremise de la Loi sur les services en français, des commissions scolaires homogènes. Par ailleurs, les Franco-

Ontariens pensent sérieusement à la fondation d'une université francophone (et non pas bilingue). Enfin, dans les pages du journal *L'Express* de Toronto, on voit naître une certaine « modernité francophone » qui ne se distingue guère, dans sa vocation, de celle des journaux de Montréal. D'ailleurs, c'est le directeur général de ce journal qui affirmait, à Québec, que *L'Express* est à Toronto ce que *The Gazette* est à Montréal, soit un journal de lecture essentiel pour l'ensemble de la population et non pas un simple feuillet ethnique.

La Franco-Américanie représente la grande fissure dans ce mur : rien ne peut l'empêcher de mourir. Et pourtant, si je me fie au mémoire que ses représentants ont soumis à la Commission sur l'avenir politique et constitutionnel du Québec, cette Franco-Américanie semble nous comprendre, nous appuyer même, tout en précisant le rôle qu'un Québec devenu indépendant pourrait jouer auprès d'elle, si l'on s'en remet aux propos suivants :

> PAULINE MAROIS (commission Bélanger-Campeau) : Est-ce que la souveraineté du Québec vous apparaît comme un plus et n'est pas, à cet égard, menaçante pour votre avenir ?
>
> YVON LABBÉ (Action pour les Franco-Américains du Nord-Est) : Pour moi, ce n'est pas menaçant du tout, parce que à mon avis, plus la culture québécoise sera forte, plus ce sera possible pour nous de nous retremper, de nous ressourcer et aussi de connaître mieux notre histoire, aussi de pénétrer le système public américain qu'on commence juste à pénétrer [*sic*][18].

À la suite de ce dialogue, la recommandation du regroupement Action pour les Franco-Américains du Nord-Est aura été que le Québec puisse offrir la citoyenneté aux personnes d'origine québécoise vivant à l'extérieur du Québec qui en feront la demande.

L'Acadie néo-brunswickoise, plus encore que l'Ontario français, est peut-être entrée de plain-pied dans la « modernité ». Tout comme mes étudiants, j'ai été impressionné, lors d'une tournée dans la province, par le dynamisme de la population, tant sur le plan des gestes que sur le plan de la parole. Dans un tel contexte, Herménégilde

Chiasson fera la remarque très percutante que voici : « Peut-être qu'en oubliant pour un instant notre rôle assumé de victimes, nous pourrions vivre à la *mesure de notre imaginaire*[19]. » Et effectivement, il n'est plus question, dans cette province voisine, de parler de « survivance », mais plutôt de croissance, de finances, de haute technologie, de relations internationales et de culture. Une nouvelle élite culturelle a vu le jour. Ses membres revendiquent une « acadianité séculaire » qui refuse de mourir « dans [leur] accent en parlant p'tit nègre, emmurés vivants dans les Villages Acadiens de la planète » (lire la « péninsule acadienne » !) et n'ont surtout pas peur de vivre à Moncton :

> Moncton. Un lieu de naissance, une erreur monumentale sur la carte de notre désir, le nom de notre bourreau comme un graffiti sur la planète. Moncton. Un espace difficile à aimer (un espace difficile pour aimer), une ville qui nous déforme et où nous circulons dans les ramages du ghetto. Et pourtant, c'est dans cet espace que jaillit notre conscience, vécue dans les méandres de la diaspora et articulée dans un faisceau rutilant de colère et d'ironie[20].

C'est une Acadie qui s'ouvre à la communauté internationale, en sollicitant peut-être le statut de « peuple sans État », mais qui se tourne aussi de plus en plus vers le Québec, en cherchant à s'éloigner des ornières de la francophonie (canadienne) hors Québec.

S'approprier le pouvoir économique et donc mettre en valeur l'espace collectif, obtenir sa juste part du pouvoir politique et public à l'intérieur des structures et des institutions existantes, cultiver des relations extérieures tout en évitant de « mettre tous ses œufs dans le même panier », affirmer son identité propre et la reformuler constamment à mesure que le monde change, donc être parmi les premiers à l'aube du XXIᵉ siècle : voilà le défi que l'Acadie néo-brunswickoise est en train de relever.

Au-delà de ce périmètre, c'est la survie pure et simple qui préoccupe la plupart des gens. Et cette survie se transforme rapidement, dans le cas des franges métisses, en une incompréhension et une hostilité à peine voilées à l'endroit du Québec, ainsi qu'elles sont exprimées dans les paroles des leaders autochtones Ovide Mercredi, Philippe Fontaine et Georges Erasmus.

Les clivages identitaires

Une histoire commune (ou plutôt partagée), mais des destins différents. J'ai déjà écrit cette phrase quelque part. De ces expériences diverses et divergentes sont nées des identités distinctes ; encore une fois, il est possible d'établir une cartographie des identités de cet univers en faisant appel à un éventail de critères visiblement importants pour les groupes qui les épousent.

Réduite à sa plus simple expression et inspirée des considérations linguistiques et géopolitiques précédentes, la « carte mentale » qu'on peut ainsi dessiner met en relief trois espaces géo-identitaires : Canada-États-Unis, Québec-Canada et Acadie-Québec.

Au Canada, la langue française constitue un critère d'identité primordial. Jusqu'à nouvel ordre, il est impossible d'être francophone, de se dire Québécois, Canadien français, Fransaskois ou autre si l'on ne maîtrise pas cette langue. Certes, la place et l'importance accordées au français varient selon les collectivités. Ainsi doit-on être de langue française au Québec, alors qu'ailleurs il est plutôt question d'être bilingue – souvent dans le sens de vouloir maintenir le français à côté de l'anglais, un français qui, pour beaucoup, est déjà devenu une langue seconde et secondaire. Cette importance attribuée à la langue est étroitement liée à des questions de droits et reflète les aspirations politiques des communautés francophones.

Aux États-Unis, il n'est nullement question de défendre la langue et il n'est guère question non plus de formuler ni même de concevoir des revendications politiques. Puisqu'ils sont des Américains d'abord, les Francos font preuve d'une fidélité sans faille envers la langue anglaise. Dans ce contexte, être francophone veut dire admettre et assumer une origine ethnique précise, savoir qu'on « vient de quelque part » et qu'on possède une conscience sociale et historique propre. Tout cela se traduit par un certain intérêt pour l'histoire régionale, une fascination pour les généalogies et une pratique « folklorique » importante (habituellement sous la forme de fêtes populaires). Certes, en Louisiane, le passé n'est jamais loin, les habitudes alimentaires restent et les réseaux familiaux sont encore puissants. Mais même dans cette prétendue « Acadie-Sud », ces considérations, ces besoins ne servent pas à remettre en cause l'ordre établi des choses.

Au Canada, donc, il y a recherche du pouvoir par les francophones, mais le but visé est loin d'être le même partout. Dans le cas du Québec, il s'agit, bien sûr, de créer un territoire francophone au sens juridique, un territoire géré par un seul État, soit celui qui l'occupe. Ailleurs, on cherche plutôt à savoir si « la francophonie canadienne peut se créer un espace que l'on pourrait dire francophone », une question soulevée dans le programme provisoire de l'assemblée générale annuelle de la Fédération des francophones hors Québec (FFHQ) qui a eu lieu en juin 1991, sur le thème, combien révélateur, de « Projet de société – Dessein 2000 : pour un espace francophone ». Aux yeux de la Fédération, évidemment, cet espace ne peut être créé ou tissé qu'à partir d'alliances et de partenariats et il engage bien plus le milieu associatif que les gouvernements ou les grandes entreprises. C'est, en somme, un pouvoir communautaire qui est ici désiré, afin de ne pas perdre les acquis et pour assurer le maintien du groupe.

L'Acadie, en revanche, semble pleinement consciente de son identité propre, de sa capacité d'endiguer l'assimilation et de s'approprier les leviers économiques permettant d'assumer et d'assurer la gestion de son territoire. Dans cette perspective, il y a une volonté de plus en plus claire de prendre des distances par rapport aux Franco-Canadiens (encadrés par la FFHQ) et de se rapprocher du Québec sur la base d'une collaboration horizontale ; plus encore, de s'intégrer jusqu'à un certain point au Québec, tout en poursuivant simultanément une politique d'internationalisation, afin de voler de ses propres ailes et, ainsi, parler de l'avenir bien plus que du passé.

Les retrouvailles impossibles et les voyages inachevés

Où cette réflexion à double sinon à triple volet peut-elle nous mener, en fin de compte ? Tout d'abord à affirmer, pour citer une de mes étudiantes, qu'il y a « une parenté évidente entre les diverses collectivités francophones en Amérique, malgré les écarts qui existent quant au phénomène d'acculturation ». Et, malgré l'itinéraire extrêmement varié qu'aura suivi la francophonie en Nord-Amérique, on pourrait ajouter que c'est en cela que notre réflexion tire tout son fondement.

Toutefois, cette « heureuse découverte » ne débouche que trop rarement sur des retrouvailles tellement souhaitées pourtant, et si longtemps attendues. Les liens familiaux (et donc « familiers ») sont entourés de nombreux pièges et se trouvent sans cesse réfléchis par une multitude de miroirs déformants. Dans ces circonstances, il importe de bien caractériser toutes ces tensions et discordances au sein de la famille étendue avant de rassembler ou même d'interpeller qui et quoi que ce soit. Dans ce sens, l'absence inattendue de trois invités de marque, conviés à ce colloque[21], Antoine Lussier, Herménégilde Chiasson et Barry Ancelet, tous trois « francophones hors Québec » possédant des identités fortes, est lourde de significations. On pourrait convoquer à Québec la génération précédente sans crainte et presque sans préavis, mais non pas celle qui la suit. Nos « cousins » métis des lointaines Prairies, nos « frères acadiens » du Nord et du Sud ont quitté le bercail depuis belle lurette et doivent dorénavant faire bande à part sur ce continent pour mieux affronter leur propre destin. Le Québec, comme père spirituel, n'exerce guère d'attrait auprès d'eux et son discours ne semble pas très pertinent, en plus.

Au-delà de cette observation, une vérité incontestable se dégage : il y a, au sein de cette francophonie continentale, des groupes qui disparaissent, d'autres qui surnagent, d'autres encore qui prennent place dans la modernité et un seul, le Québec, qui se détache du petit peloton de tête. Dans cette tourmente francophone, chacun imagine et construit sa réalité à la mesure de ses aspirations et de ses moyens et en fonction des réalités qui l'entourent, d'où les déformations, les tensions et les divergences que nous connaissons si bien.

Et pour terminer mon voyage, je vous livrerai un dernier sentiment, coloré sans doute par mon expérience océane. Loin d'être de simples fragments d'histoire ou des isolats anachroniques et homogènes, les communautés francophones d'Amérique – y compris les confettis du Grand Continent – sont d'une diversité et d'une hétérogénéité qui suscitent l'étonnement. Hétérogénéité des origines, mais aussi, et plus important encore, hétérogénéité des expériences et des itinéraires. Entrer dans le foyer des personnes âgées à Maillardville et entendre ses pensionnaires échanger leurs impressions relativement à leurs séjours respectifs au Mexique, au Grand lac des Esclaves, en Acadie, au Québec ou dans le Midwest américain, c'est apprendre à connaître ce continent. Et c'est aussitôt admettre que ces communautés francophones situées au-delà des frontières du Québec n'ont jamais été des îles dans une mer lointaine, mais plutôt des carrefours et des points de convergence sur un continent que nous avons tous traversé, comme peuple, dans tous les sens et à toutes les époques.

É. W.
Québec, 1994

Notes

1. Paru aux Presses de l'Université Laval, en 1983.
2. Publié aux Presses de l'Université Carleton, à Ottawa, et codirigé avec Pierre Anctil, Louis Dupont et Dean Louder.
3. André Gladu, « Le son des travaillants ou la musique traditionnelle des Français d'Amérique », *Culture vivante*, n° 25, 1972, p. 41.
4. Extrait de sa chanson intitulée *Acadiana*.
5. Exploitant, dans les années soixante-dix, un répertoire de chansons qui faisaient souvent référence à la grande aventure continentale des gens

ordinaires, Garolou était un groupe qui cultivait et interprétait la musique traditionnelle et dont les membres vivaient en « commune » dans les Bois-Francs.

6. Council for the Development of French in Louisiana (Conseil pour le développement du français en Louisiane), organisme créé en 1968.

7. Il s'agit d'un projet de recherche majeur des années soixante-dix, réunissant des anthropologues et des géographes des universités Laval, McGill et York, dont Dean Louder, Cécyle Trépanier et moi-même. Ce projet visait à analyser la renaissance ethnique et linguistique en Louisiane.

8. « *Louisiana Lady, Louisiana home,/Been gone five years now,/Five years too long./Louisiana Lady, Louisiana home,/Comin'back to raise a family,/In the place where I belong./[…]/I miss my Daddy's fussin'/The sweet smell of the land,/ The gumbo and the jambalaya/Cooked by Mother's hands/La Louisiane…* » (Michael Ford, « Louisiana… », *Revue de Louisiane*, vol. 6, n° 2, 1977, p. 156 ; traduction libre.)

9. En 1980, de vifs propos racistes circulèrent dans la communauté franco-manitobaine à la suite du dévoilement d'une statue de la Vierge aux traits métis dans la cathédrale de Saint-Boniface. On pourra se rapporter ici aux lettres publiées dans le journal *La Liberté* du 26 janvier et du 21 février 1980.

10. Gabrielle Roy, *La Détresse et l'Enchantement*, Montréal, Boréal, 1984, p. 140.

11. Tiré de sa chanson *C'est dur à croire,* du disque *Bayou des mystères*, BMI, 1976.

12. Gabrielle Roy, ouvr. cité, p. 140.

13. Zachary Richard, *Voyage de nuit. Cahier de poésie, 1975-1979*, Lafayette, Éditions de la Nouvelle Acadie, 1987, p. X.

14. Gabrielle Roy, ouvr. cité, p. 63.

15. *Ibid.*, p. 127.

16. Voir « Cartographier l'Amérique française », *Neuve-France*, vol. 11, n° 3, 1986, p. 12-13.

17. Bureau qui a été fermé, au début de l'an 2000, pour des raisons alléguées de compressions budgétaires.

18. Propos rapportés dans *Francophonies* (bulletin d'information et de liaison du Secrétariat permanent des peuples francophones, Québec), numéro spécial, 1991, p. 8.

19. Herménégilde Chiasson, « Pour saluer Gérald Leblanc », dans Gérald Leblanc, *L'Extrême Frontière. Poèmes. 1972-1988*, Moncton, Éditions d'Acadie, 1988, p. 11.

20. *Ibid.*, p. 8.

21. Je rappelle que ce texte est tiré d'une communication que j'ai faite au colloque « Langue, espace et société ».

22. Clark Blaise, *Tribal Justice*, New York, Doubleday, 1974, p. 89 ; traduction libre.

La France et la nostalgie récurrente
de l'Amérique perdue*!

« Si la France avait envoyé plus de gens au Nouveau Monde, la langue française serait beaucoup plus forte aujourd'hui. » Cette assertion qu'un commentateur français du nom de Gérard Calot (?) énonçait sans plus de précision sur les ondes de Radio-Canada FM, un matin (10 mai 1989), contenait un tel flot de nostalgie endiguée qu'on se voyait tenté de poursuivre. Et le Nouveau Monde alors… Qu'en eût-il été de son destin ? pouvait-on se demander dans le jusant d'une telle affirmation.

De toute évidence, la carte géopolitique des Amériques eût été à jamais modifiée par l'émergence d'une république francophone ou deux, entre le Mexique et la Patagonie ! La question de la présence et des avatars de la langue française sur ce continent n'a cessé de hanter, si l'on peut dire, la plupart des carnets de route des voyageurs franco-européens ayant parcouru ce continent au cours des XIXᵉ et XXᵉ siècles.

Il existe au plus profond de la psyché française la nostalgie d'une Amérique perdue jumelée au sentiment d'un empire avorté quelque part dans les forêts du Nouveau Monde. Voyez tout ce qu'on a pu faire pour tenter de se dédommager de la perte de la Nouvelle-France.

Les manuels d'histoire oublient souvent de mentionner qu'en 1761, par exemple, une année seulement après

---

* Témoignage présenté dans le cadre de la VIIᵉ *Sedifrale* (*Seminário para o Ensino e Difusão do Francês, Língua Estrangeira & VII Congresso Latino-Americano de Professores e Pesquisadores de Francês*, sur le thème « L'Esprit de 1789 et l'Amérique latine »). Paru dans *Les Cahiers du Ru* (Institut Valdôtain de la culture, Val d'Aoste, Italie), nº 17, 1991, p. 19-35.

la capitulation de Montréal devant les troupes britanniques, Choiseul dépêchera à destination de la Guyane, en une seule expédition, plus de 12 000 individus, dont près de 80 % y laisseront leur peau. Il s'agit là d'une tentative de colonisation unique, aux effectifs presque incroyables pour l'époque, puisqu'ils dépasseront le nombre total des émigrants qui auront quitté l'Europe pour peupler le Canada durant toute la période coloniale française. Un tel fait vient ainsi mettre en lumière bien autre chose, à savoir que le rêve d'une Nouvelle-France tropicale, que ce soit en Caraïbe ou en Sud-Amérique, dépassera de loin toute velléité d'établissement de la France en Amérique boréale.

Voyez encore, si besoin est, l'odyssée d'un Orélie-Antoine de Tounens qui allait s'autoconsacrer souverain et chef suprême du royaume d'Araucanie et de Patagonie, au début du XIXe siècle. Monsieur de Tounens, roi déchu de la Terre de Feu, a d'ailleurs laissé, pour la postérité, une lettre ouverte se lisant comme suit : « La Nouvelle-France de Patagonie [constitue] une terre fertile regorgeant de richesses minérales qui compensait amplement la perte de la Louisiane et du Canada[1]. »

Je m'en voudrais de ne pas rappeler ici, du même élan, la vision utopique d'Henri Coudreau manifestant sa volonté de transformer en bastion français, il y a à peine un siècle, une bonne partie de l'Amazonie :

> Les Français en Amazonie appuyés sur la vieille colonie guyanaise, nous referont, j'en ai la persuasion intime, une France Équinoxiale plus magnifique que jamais on ne l'a rêvée, une France Équinoxiale que nous aurons, sans diplomatie, sans politique, sans conquête, sans prise de possession administrative, mais par la féconde infiltration de la race et du génie [...]. L'Amazone, en face du Mississippi et du Saint-Laurent au centre du bassin terrestre de l'Atlantique, puisqu'elle est à égale distance du Canada et de la Plata, de l'Europe du Centre et de l'Afrique du Sud[2].

La France aura cependant jeté un grand voile sur ces faits, afin que disparaisse, dans les limbes du précambrien et de la géomorphologie du Nouveau Monde, les traumatismes engendrés par la privation d'Amérique à laquelle elle avait été acculée. Dans un tel contexte, l'émergence sous le nom de Québec d'un pays historiquement appelé Canada est alors un événement aussi heureux qu'ambigu pour la France. Un tel événement vient en effet lui rappeler trop intensément qu'un peuple francophone aura réussi à subsister plus de deux siècles sur ce continent sans son concours, sinon malgré elle à l'occasion. Tout cela oblige en quelque sorte la France à requestionner entièrement son propre jeu dans l'histoire du Nouveau Monde ; ce qu'elle n'a pas encore vraiment fait, faut-il reconnaître. Mais peut-être est-ce à nous en réalité qu'il revient de formuler l'interprétation d'un tel jeu – nous francophones américains, Américains francophones ou *créoles franco-américains,* selon l'appellation qu'on voudra bien se donner !

Entre 1759, l'année de la conquête du Canada, et 1789, l'année de la Révolution française, trente ans se seront écoulés. Puis, entre la Révolution et les années 1820, une autre période de trente ans aura passé sous les ponts de l'Occident en pleine métamorphose. Si bien que la Révolution française se situe pratiquement à mi-chemin entre la perte de la Nouvelle-France et la proclamation des républiques dites latino-américaines. L'inférence ne saurait être plus évidente : la Révolution française vient sonner le glas de l'Empire français d'Amérique[3] qui ne fut, en réalité, jamais véritablement français, mais bien plutôt un amalgame franco-indien et métis à la perte duquel Voltaire fit joyeusement célébrer une messe à Paris et « illumina son château de Ferney et fit tirer un feu d'artifice en signe de joie, considérant la victoire des Anglais [et la conquête du Canada] comme un triomphe de la liberté sur le despotisme[4] ».

Cette réalité coloniale, procédant d'un amalgame métissé sous l'administration royale d'une France toujours en processus de formation, existera, cependant, aussi bien en Louisiane et dans la Caraïbe qu'au Canada. À cet effet, le cas d'Haïti demeure exemplaire et unique dans l'histoire des Amériques. On a mal mesuré jusqu'à ce jour l'effet de la révolte des « nègres de Saint-Domingue » sur l'idée que la France se fera d'elle-même et de la Franco-Amérique à travers le temps. Ainsi aura-t-elle beau clamer sur tous les toits du monde sa mission civilisatrice et sa mission humanitaire, elle ne reconnaîtra pas en Toussaint Louverture un précurseur de Bolivar et renoncera ainsi à la chance de tirer une immense fierté de la présence sur « son propre territoire colonial » d'un libérateur issu des principes mêmes de 1789. La France napoléonienne le déportera et l'amènera mourir, à petit feu, dans l'humidité d'un cachot du fort de Joux, s'épargnant ainsi la responsabilité historique de l'avoir plus directement exécuté.

En réalité, les colonies françaises d'Amérique véhiculeront, pratiquement partout dans le Monde-Nouveau, l'image d'une France qui aura fort peu sinon rien à voir avec la France européenne des grandes réalisations et des magnifiques déclarations. Les soi-disant Français d'Amérique seront le plus souvent des Métis, quarterons, octavons, demi-sangs ou on ne sait trop quoi, qui devront leur survie beaucoup plus aux Peaux-Rouges du « continent nouveau » qu'aux Peaux-Blanches d'Europe[5]. Et leurs plus grands héros seront des trafiquants de fourrures ou des capitaines au long cours, pirates de la toundra et corsaires de la taïga, écumeurs de la Caraïbe et aventuriers des pistes intercalaires pour le compte des autres puissances – Angleterre, Espagne et Portugal – qui se partageront, en fait, l'essentiel des Amériques.

J'ai lu quelque part dans Alejo Carpentier (qui l'avait peut-être emprunté à Chateaubriand sinon des spécimens en question eux-mêmes) à peu près ce qui suit : « Il ne restait plus de cette langue indienne qu'une douzaine de mots que seuls baragouinaient encore de rares perroquets dans les futaies de l'Amazonie. » Et, pourrait-on ajouter, en guise de paradoxe, une demi-douzaine de mélodies forestières et de rigodons « sauvagisés » transportés par les voiliers d'outardes et les oies sauvages jusqu'au Grand Nord canadien. Cette langue, aux accents zoologiques, pouvait aussi bien être, on le devine, une variation de créole *franco generis* issue du mariage jamais concélébré entre le coureur de bois et le coureur de mers, ces deux plus authentiques sous-produits de l'aventure française en Amérique[6] !

C'est donc de la France qu'il est question ici, du moins de la France dans sa relation avec une Franco-Amérique complètement dissoute dans son rêve d'Amérique.

Aucun autre pays n'aura sans doute autant rêvé d'Amérique et n'aura autant rêvé l'Amérique que la France. À bien des égards, force est de reconnaître que c'est la France qui a inventé et pensé l'Amérique, une Amérique d'autant plus fantasmée qu'elle s'est précisément vu priver de sa réelle Amérique. Cette France imaginant, depuis René de Chateaubriand jusqu'à Johnny Hallyday – je me demande si l'auteur d'*Atala* avait prévu que l'un de ses compatriotes se désignerait un jour du nom de *Johnny Hallyday,* mais enfin, passons –, cette France imaginant, dis-je, mille Nouveaux Mondes qu'elle n'aura jamais su pleinement incarner ni porter territorialement à terme.

Voilà pourquoi – et j'insiste avec force là-dessus –, la véritable Amérique ne saurait exister en français aux yeux de la France, de peur justement que son rêve d'Amérique ne devienne un cauchemar indéchiffrable parlant joual ou créole – ces langages apparus dans le sillage de sa propre Amérique perdue et qui jamais ne pourraient valoir, en ce qui la concerne, son propre discours sur l'Amérique.

L'Amérique parle yanqui, brésilien, mexicain ou quéchoua, peu importe, mais elle ne parle pas français. Et qui plus est, on n'a jamais conçu l'Amérique comme pouvant s'exprimer en français et *a fortiori* comme pouvant exprimer sa propre genèse en français. C'est pourquoi, dès que l'Amérique se met à parler français ou créole, la France lui préfère sa propre parole sur l'Amérique : elle décrète *illico* qu'il s'agit d'autre chose que de l'Amérique. Une espèce de champignon parasitaire greffé à même un Nouveau Monde grandiose et mythique, et qui finira bien par l'englober un jour. Que peut exprimer, en d'autres mots, la parole abâtardie et métissée d'un Indien francophone du Nouveau Monde à côté de la pensée pure d'un Lévi-Strauss sur le pur Indien d'Amérique ? *Nada*, ou à peu près rien !

C'est ainsi que, prenant précisément appui sur la formation du Nouveau Monde, s'est constituée peu à peu une littérature franco-européenne procédant de ce que j'appellerai le syndrome de l'Atlantide. Elle se nourrira à même un imaginaire situé quelque part entre l'Europe et l'Amérique, dont le créole Alexandre Dumas[7] ou le Guadeloupéen Saint-John Perse viendront incarner, entre autres, le génie particulier. Cela justement parce que Dumas et Saint-John Perse cessent d'être considérés comme écrivains (franco-)américains pour se voir aussitôt naturalisés et transformés en Européens du simple fait qu'ils *écrivent*. Autrement, c'est toujours le rêve de l'Amérique qui l'emporte sur toute autre considération. Ainsi, aux yeux d'André Breton, Haïti constitue-t-elle, par la seule particularité de son existence culturelle, un pays surréaliste, c'est-à-dire une peinture primitive et une écriture naïve cherchant un voyageur pour la regarder ou un observateur européen pour la transcrire dans ses carnets de route. Je ne sais pas ce qu'il en eût été du Québec vu par les surréalistes. Sans doute un pays infra-réaliste et congelé, dont la froidure et les tempêtes de neige ne pourraient arriver à composer cet hymne baroque offert à la symbolique du Nouveau Monde par la Méditerranée, soit l'Amérique latine[8].

Dans ces entrelacs où l'Amérique sert de levain onirique à une France en quête d'exotisme domestiqué, la Latino-Amérique s'est substituée en effet, et depuis fort longtemps, à toute idée et à toute forme de Franco-Amérique. Ce n'est pas pour rien que la littérature latino jouit d'une telle ferveur en France. Elle représente, à ses yeux, une partie d'elle-même, un *Extrême-Occident*, qui lui aurait été en quelque sorte dissimulée sous les sédiments de l'histoire et qui se substitue plus que jamais, répétons-le, à sa propre perte d'Amérique.

Mais la France avait-elle réellement perdu son Amérique – Canada, Louisiane, Saint-Domingue, Acadie, Micro-Antilles ou Grande Guyane – ou n'avait-elle perdu, aux yeux de certains, qu'une Amérique qui ne valait pas le coup d'être conservée ? Eh bien, qu'à cela ne tienne, elle s'inventerait une autre Amérique appelée « latine[9] », qu'elle allait considérer comme l'émanation de sa propre culture, pour ne pas dire de sa propre histoire[10]. Il suffit de lire des lignes comme celles qui suivent pour s'en convaincre : « Aussi bien par la langue, par les traditions que par le goût pour le jeu des idées, c'est de notre civilisation latine que le continent latino-américain, qui commence à la frontière sud des États-Unis, se trouve le moins éloigné. » Il est donc décrété que tout ce qui se situe au nord du Rio Grande, y compris le « French Canada », appartient d'office à l'Amérique anglo-saxonne !

C'est dans les termes suivants que s'exprimait, au début des années cinquante, Édouard Bonnefous dans un texte qu'il signait pour préfacer l'*Encyclopédie de l'Amérique latine* que la France venait d'offrir « à l'extraordinaire vitalité de la latinité qui, depuis ses plus lointaines origines, n'a pas cessé, comme Protée, de renaître sans cesse sous des aspects nouveaux ».

> Expression la plus achevée de la civilisation occidentale [...]. La France a [...] joué un rôle capital dans l'indépendance de l'Amérique latine, comme elle l'avait fait dans l'indépendance de l'Amérique du Nord. Mais, tandis que dans la lutte pour l'indépendance nord-américaine, la France a apporté le concours de ses armes avec La Fayette et Rochambeau, c'est par la seule force persuasive de ses idées et de son exemple qu'elle a facilité l'affranchissement de l'Amérique latine. Les États-Unis doivent en partie leur existence souveraine à l'aide militaire et financière de la France ; l'Amérique latine a sucé la sève de l'esprit français, s'en est nourrie, s'est élevée dans ses idées et s'est modelée à son image. Voilà pourquoi [l'Amérique latine] est notre fille spirituelle[11].

Lorsqu'on y réfléchit, il s'agit, peu s'en faut, d'une maternité que la France viendra, par ricochet, s'offrir tout autant à elle-même qu'à l'Amérique. C'est toujours cette même idée et ce même message qu'annonçait Gabriel Hanotaux en des termes encore plus précis :

> L'esprit qui souffle, c'est l'esprit de la Révolution. Par les grandes épopées qui s'enchaînent, guerre de l'Indépendance

américaine [...] puis par l'expansion révolutionnaire et napoléonienne [...], la face de l'Europe, la face du monde se trou-
vera transformée.

L'esprit de la France, l'aide de la France, l'enthousiasme de la
France ont accompli ces grandes œuvres de libération : ce
sont les croisades du dix-neuvième siècle [...]. Une fois de
plus, elle a « contre-civilisé » les peuples hostiles et les a ame-
nés à ses vues comme le meilleur préservatif contre leur hostilité, pour se garder elle-même et se prémunir [...]. La croi-
sade de la libération sera l'aboutissement normal et splendide
de toute la propagande du dix-huitième siècle, commencée
par la guerre de l'Indépendance américaine. Le point de
départ est là [...].

Le succès de la guerre de l'Indépendance et le concours de la
France apporté aux Insurgents fut comme un coup de foudre
qui réveilla les colonies espagnoles et portugaises de l'Amérique du Centre et du Sud. La propagande philosophique française avait préparé les esprits dans ces pays de culture latine où
le mélange des races n'avait donné que plus de vivacité et d'im-
pétuosité à des esprits créés, pour ainsi dire, de la main de la
civilisation moderne. Paris était, pour ces nouveaux venus, un
astre resplendissant vers lequel les regards convergeaient de
partout [...]. Toute l'élite sud-américaine, les *proceres*, était
imprégnée de la littérature française, de la morale française.

Cette histoire si passionnante ne peut être que rappelée ici.
Comment ne pas indiquer, du moins, les attaches parisiennes
de Bolivar, la carrière de Miranda, le rôle de Linières qui sauva
Buenos-Ayres de la conquête anglaise, celui du général Boyer,
habile second de San Martin à cette bataille de Maypu qui marque l'affranchissement définitif du Chili, celui du général Laba-
tut à Cartagène, la retraite et la mort de San Martin lui-même
en territoire français.

Seeley, si foncièrement britannique, ne résume-t-il pas toute
cette histoire en ces quelques lignes d'une si haute portée historique et philosophique ? « La constitution des États indépendants de l'Amérique du Sud et de l'Amérique Centrale dans les
vingt premières années du XIXe siècle est la suite du choc
imprimé à l'Espagne et au Portugal par l'invasion de Napoléon,
si bien, qu'en réalité, l'un des principaux résultats, sinon le
principal, de la carrière de Napoléon a été la chute de la *plus
grande Espagne*, du *plus grand Portugal* et l'Indépendance de
l'Amérique latine[12].

Latino-Amérique, fille spirituelle de la France ! Anglo-Amérique, fille matérielle de la France ! Bref, la France, mère putative de l'Amérique entière ! Si, cependant, toutes les tentatives de réincarnation françaises au Nouveau Monde viennent se briser les unes après les autres comme des vagues sur les récifs de la réalité, la France n'en finira pas moins par triompher de l'aventure américaine par la seule vertu de sa présence mythique. Et je me demande parfois si l'Amérique n'est pas un rêve proprement français inventé et mis en œuvre pour une Amérique essentiellement non française.

La France a en effet offert au destin et à la gloire de ce continent une statue de la Liberté et un Christ Rédempteur, qu'elle a fait déposer devant Manhattan et sur le Corcovado Rio – ces deux lieux symboles constituant, avec les Rocheuses et la cordillère des Andes, certains des éléments les plus marquants de la géographie des Amériques. Or force est de constater qu'on ne trouve aucun monument comparable à Port-au-Prince, Montréal, Cayenne, Pointe-à-Pitre ou en quelque autre endroit de la Franco-Amérique. Incidemment, la Rédemption et la Liberté ouvrent leurs bras aux plages et aux vagues de l'Atlantique tout en contemplant, au-delà des mers, la France européenne.

Ainsi, la France aura-t-elle célébré son entrée au Nouveau Monde en y déposant son propre miroir. Glace hiératique tournant en quelque sorte le dos au continent américain et à tous ceux qui, franchissant les mornes de l'hinterland, viendront mêler leurs sangs et leurs espoirs aux pistes autochtones, pendant que la langue de Molière viendra se maronner à tous les Mississipi du Nouveau Monde, sans imprimatur académique.

Créole haïtien et antillais, joual canadien, chiaque acadien, cadjun, *French-Cree* (franco-indien), jazz[13] et quoi encore ? Il est révélateur de prendre conscience que toutes ces langues, nées et compostées dans les terreaux de la Caraïbe et du Canada, sont issues de la mère patrie qui se sera dotée de la plus puissante institution (l'Académie française) pour fixer la langue et la protéger contre toute menace bâtarde et qu'elles sont toutes localisées, à une exception près (Haïti), dans les derniers territoires du Nouveau Monde à ne pas avoir réalisé leur indépendance politique. Ainsi la Franco-Amérique apparaît-elle, depuis les débuts, comme une échappée de l'histoire à demi rescapée par une géographie aspirée quelque part vers les marges frontalières d'une Amérique transculturelle avant la lettre.

Si, soit dit en passant, j'ai employé l'expression *créole franco-américain,* c'est faute d'une meilleure appellation. Car il faut bien avouer que nous n'avons pas trouvé, ni vraiment cherché à le faire d'ailleurs, de désignation identitaire susceptible de nous rassembler sous une même bannière, nous tous, ressortissants d'expression française (Antilles, Guyane, Haïti, Canada, etc.) d'une Amérique en suspens dont nous n'avons guère esquissé jusqu'ici le bilan fondateur. La Franco-Amérique se présente, en fin de compte, comme l'archipel résiduel de toutes ces autres Amériques que la France aura, de son propre aveu, si puissamment contribué à façonner.

Trop nordiques pour être considérés comme *latinos,* trop « frenchés » pour être considérés comme pleinement américains, nous appartenons à une Amérique de l'entre-deux. Nous sommes en quelque sorte l'envers de l'Amérique perdue. Bref, une Amérique qui ne s'est pas encore trouvée et qui incarne toujours une promesse à venir au large d'un horizon ignorant toujours ses limites.

«Le Brésil est un cadeau du XVIe siècle offert au XXIe siècle », ai-je entendu dire quelque part. Qu'en est-il alors de la Franco-Amérique ? Je le laisse à deviner.

Je crois que je ne saurais mieux terminer ce bref témoignage autrement que par une anecdote qui me revient tout à coup à la mémoire. Après avoir attentivement observé, semble-t-il, leur comportement à la Chambre des communes, un Britannique bien intentionné disait un jour des Canadiens (des Québécois) : « *Well, well, amazing. They think in English, but it comes out in French.* » (« Ouelle, ouelle, impressionnant. Ils pensent en anglais, mais ça sort en français. »)

À mon premier séjour au Brésil, lorsque je me suis aperçu qu'on mettait les couverts à la française et qu'on utilisait je ne sais combien d'expressions et de mots français (abat-jour, soutien, etc.), je me suis dit : « *Puxa*. Ils parlent portugais, mais serait-ce qu'ils pensent quelquefois en français ? »

Depuis, j'ai compris bien d'autres choses, notamment que le français au Brésil est du brésilien. Ce pays m'a amené à repenser entièrement le processus de formation et l'histoire de mon propre pays, aussi bien du point de vue de ses rapports avec la France, l'Angleterre et les États-Unis que du point de vue de sa relation avec lui-même et l'Amérique tout entière.

C'est ici même, au Brésil, que j'ai découvert à quel point l'Amérique dite française est sans doute l'Amérique où l'influence française a été le plus systématiquement absente. C'est ici que je me suis posé pour la première fois la question suivante : pourquoi, nous qui sommes d'Amérique et qui parlons une langue néo-latine, avons-nous été exclus d'emblée de toute la symbolique ayant présidé à la constitution de l'Amérique latine[14] ?

Enfin, et pour m'en tenir à un dernier fait révélant mieux que tout autre la vertu de ces rapports subliminaux dont j'essaie de découvrir la trame, c'est aussi ici que j'ai appris qui était véritablement Benjamin Constant.

Lorsqu'on examine la carte géographique du Brésil, il n'est pas permis d'en douter : Benjamin Constant est un républicain de langue française situé à 04° 30' de latitude sud et à 69° 50' de longitude ouest, aux confins mêmes de l'Amazonie brésilienne et des *yungas* péruano-colombiennes.

J'avoue que j'ai mis un certain temps à digérer une telle découverte. Benjamin Constant est à la fois un doctrinaire, un philosophe et un lieu géographique dont les habitants se nomment les *Benjamin-constantenses*. Il n'existe pas, que je sache, de façon plus grandiose – ou dérisoire, selon les opinions – d'immortaliser un être humain que de le transformer en nom de lieu et le faire passer d'un seul coup de patronyme à toponyme.

J'ai consulté par la suite la carte du Canada, de la Louisiane et de la Caraïbe et je n'y ai trouvé aucun Benjamin

Constantville, ni de Benjamin-Constantins, et encore moins de Saint-Benjamin-Constant, PQ !

Décidément, la France a réussi quelque chose d'unique au Nouveau Monde. Se tailler une place bien à elle dans la catégorie qu'elle aura elle-même établie de toutes pièces au Nouveau Monde, tout en se retirant de sa propre aventure américaine.

Mais si la France a participé de façon si péremptoire à la création de l'Amérique *in toto*, et de l'Amérique latine en particulier, c'est peut-être avec le désir dissimulé de nous laisser, à tous, l'espace pour un souhait et le temps pour une invocation. Que surgissent enfin, à travers les lattes de l'Amérique perdue, un autre rêve, un autre langage, une autre Amérique ! Une Amérique ayant fait à jamais sauter les catégories de tiers-monde, de sous-développement et toutes les oppositions sud-nord ou nord-sud dans lesquelles nous nous sommes trop longtemps laissé si fallacieusement enfermer et par lesquelles nous sous sommes laissé si malheureusement séparer les uns des autres.

Un autre rêve où la mémoire des méridiens puisse enfin rencontrer le désir des longitudes. Un autre rêve où l'appétence du Nord puisse retrouver un jour la mémoire du Sud, en se laissant prestement glisser, en français aussi bien qu'en portugais et qu'en espagnol[15], le long d'un espace appelé Latino-Amérique ou Amérique Baroque, peu importe, ou sinon à travers un nouveau nom et une nouvelle dimension qu'il est de notre responsabilité à tous de faire naître.

J. M.
Belo Horizonte (Brésil), juin 1989

Notes

1. Cité dans Bruce Chatwin, *En Patagonie*, Paris, Grasset, 1979, p. 33. Voir aussi Léo Magne, *L'Extraordinaire Aventure d'Orélie-Antoine de Tounens*, Paris, 1950.

2. Henri Coudreau, *Les Français en Amazonie,* Paris, Librairie d'éducation nationale, 1887, p. 71.

3. Non pas parce que révolution, bien au contraire, mais parce qu'elle refusera de s'étendre à la Franco-Amérique et de libérer Saint-Domingue du joug de l'esclavage. Si c'eût été le cas, et on peut rêver bien sûr, les esclaves libérés, en reconnaissance à la France, auraient repris le nord du continent à des Yanquees qui avaient toujours peur de s'aventurer trop loin à l'ouest des Appalaches, ce pays ne leur appartenant pas, et le Canada aurait été facilement arraché des mains de l'Angleterre, et jamais Napoléon n'aurait vendu la Louisiane. Ce qui fait que le sort de l'Amérique aurait été entièrement modifié, puisqu'une espèce de « république métisse » imprévue et inédite, une « Latino-Autochtono »-Amérique – qui existait, dans les faits – se serait développée politiquement entre le Père des Eaux – le Mississipi – et le Fils de la Mère océane – le Saint-Laurent – jusqu'à l'Athabaska-Dèh-Tcho du Grand Nord-Ouest, l'actuel bassin du Mackenzie ! Mais dire ces choses sans avoir bu un coup au fond d'une taverne, c'est s'exposer à recevoir mille coups de la part de tous les intellos au cortex blanchi et à l'imaginaire vaincu se faisant un devoir de relever l'histoire de toute apoplexie onirique potentielle !

4. Rapporté dans Jacques de Baudoncourt, *Histoire populaire du Canada d'après les documents français et américains,* Montréal, Librairie Saint-Joseph, Cadieux et Derome, 1886, p. 365.

5. Sur toute cette question, l'ouvrage de Philippe Jacquin constitue une lecture essentielle : *Les Indiens blancs. Français et Indiens en Amérique du Nord (XVIᵉ-XVIIIᵉ siècle),* Paris, Payot, 1987.

6. Voir « Entre flibuste et littérature. Notes exploratoires à travers l'Amérique inédite », *Cahiers de géopoétique,* n° 5, 1996, p. 85-92.

7. Né en France d'un père originaire de Saint-Domingue.

8. Breton a pourtant fréquenté le Canada, estivé à Percé, en Gaspésie, et résidé aussi à Sainte-Agathe, dans les Laurentides. C'est ici qu'il aurait produit, semble-t-il, ce petit chef-d'œuvre, *L'Amour fou.* Si la rencontre magique avec le pays et le continent nord-américain a eu lieu, c'est l'Alaska et le Labrador qui en seront l'incarnation première. Il n'y a pour s'en convaincre qu'à consulter la carte du monde surréaliste que le mouvement esquissera (voir là-dessus Marie Mauzé, « Premiers contacts avec les surréalistes et l'art de la côte Nord-Ouest, le tambour d'eau des castors », dans Joëlle Rostkowski et Sylvie Demers, *Destins croisés, cinq siècles de rencontres avec les Amérindiens,* Paris, Albin Michel/Unesco, 1992, p. 286). En fait, il s'agit d'un Labrador qui recouvrira, cependant, l'entièreté du Québec, dans ses fondements « sauvages » premiers. Le « réalisme merveilleux » avant la lettre, de même que l'imaginaire de la neige, ne véhicule pas, semble-t-il, les mêmes flux d'inspiration que le tropique et ne pouvait donc se nourrir, chez Breton et les autres, que de l'évocation autochtone et esquimaude !

9. Voir là-dessus un petit texte fort révélateur de Guy Martinière, « La "latinité" de l'Amérique », *Le Monde diplomatique,* juillet 1982, p. 36.

10. Sur la question très générale des rapports France-Amérique, l'ouvrage *Les Messagers de l'indépendance. Les Français en Amérique latine. De Bolivar à Castro* (Paris, Robert Laffont, 1973) de Jean Descola renferme une mine d'informations qui restent cependant à analyser.

11.   Cette citation et celles qui précèdent sont extraites de l'*Encyclopédie de l'Amérique latine*, Paris, Presses universitaires de France, 1954, p. 3, 5 et 10.

12.   Gabriel Hanotaux, *Histoire des colonies françaises et de l'expansion de la France dans le monde*, t. I, *Introduction générale. L'Amérique*, Paris, Société de l'histoire nationale et Librairie Plon, 1929, p. XLI-XLIV.

13.   J'associe ici le jazz à un langage et peut-être devrais-je ouvrir une brève parenthèse pour préciser ma pensée. Si le jazz est né à La Nouvelle-Orléans, c'est qu'il a été en gestation en Amérique *franco*, et non pas en Virginie ou dans les Carolines. En fait, le jazz prendra forme après l'arrivée des réfugiés qui, fuyant Saint-Domingue devenu indépendant, viendront se mêler aux créoles louisianais, aux déportés acadiens et aux quelques Canadiens qui y avaient déjà installé leurs *campements*. Il faut bien se rendre à l'évidence et affirmer avec fermeté que le mot « jazz » vient du créole « jaser ». Il n'y a qu'à prononcer le mot à la franco pour s'en rendre compte : *jase-jaze-jazz-jazzer*. Les Européens parlent. Nous, les Américains, nous jasons, nous *djazons*. La chose est bien connue : il n'existe pas de pensée philosophique possible sous le tropique et le trop grand froid du nord handicape la pensée réflexive, c'est pourquoi notre langue, de l'avis de nombreux voyageurs européens, devient un accent et notre pensée, une forme particulière de musique.

14.   Sous le titre de « En quête de l'Amérique américaine. L'identité américaine, l'Amérique française et l'idée d'Amérique latine », j'ai présenté sur ce thème une communication qui a paru dans les *Actes du 45ᵉ Congrès international des américanistes*, Bogota, 1986.

15.   Et en anglais, bien sûr, si ce n'était que cette langue glisse déjà jusque partout !…

Vers l'au-delà des Amériques

« Du sang dans le tanoa »
ou
l'appel du Grand Océan*

Je suis du camp des vaincus. Le vaincu est le seul qui sait vraiment ce qui s'est passé. Il a traversé une épreuve qui rend sage. Le vainqueur, c'est un aveugle qui finira à Sainte-Hélène en essayant toujours d'arranger son personnage.

ALVARO MUTIS[1]

Aussi longtemps que nous [Hawaïens] conservons les clefs des trésors de nos temples, nous sauvegarderons toute notre richesse spirituelle. Si nous donnons ces clefs à des *haoles* [étrangers blancs] indiscrets, ils s'empareront de notre connaissance pour faire de nous des pauvres. Ce que nous savons et qu'ils ignorent, voilà l'unique chose qui nous reste.

ANON (Hawaï)

Nous pensons souvent, en géopoétique, à « cette étrange maladie de la vie moderne ». À ce désir fou de vouloir maîtriser le monde et à notre incapacité chronique de mesurer la portée de nos gestes ; à cette course folle vers un avenir chimérique, et à notre inhabileté à saisir un passé qui nous interpelle.

Nous pensons à notre connaissance intime de tous les peuples et de toutes les natures de la terre et à notre refus du moindre dialogue avec des forces, des expériences et des sentiments qui menacent l'édification de cette incroyable

---

* Une première version de ce texte a paru dans les *Cahiers de géopoétique*, Trébeurden et Paris, n° 5, automne 1996.

ligne droite composée de béton armé tracée par des esprits enfermés dans des corsets de fer. Nous pensons souvent à notre savoir immense et à notre profond aveuglement.

Certes, nous nous serons arrêtés brièvement en 1992, le temps de célébrer ou de pleurer l'arrivée de Christophe Colomb en Amérique, mais nous n'avons guère réfléchi pour autant. Et puis, de toute façon, cinq siècles se seront écoulés depuis ce fatidique événement – autant dire une éternité.

Cook est au Pacifique ce que Colomb est à l'Amérique. L'irruption de l'Occident sur un vaste pan du globe terrestre, suivie de l'effondrement de tant de certitudes : perte d'autonomie (spirituelle, politique, économique), mort de tant de civilisations et disparition d'une multitude d'êtres humains. Ce sont des événements répétés à foison depuis l'arrivée du navigateur britannique à Tahiti, en 1769, évoluant par la suite d'est en ouest dans le Grand Océan – pour aboutir enfin jusqu'à l'aube de ma propre vie d'homme, dans les Hautes-Terres de Nouvelle-Guinée.

C'est là-bas, il y a une trentaine d'années à peine, dans ces montagnes de l'extrême ouest du Pacifique, que le voyage amorcé par Colomb s'est terminé, quand l'Europe a finalement rempli sa mission d'occidentaliser le monde entier. J'étais moi-même sur cette ultime ligne frontière, comme un témoin, un figurant ou un agent, mais aussi comme un être humain vibrant d'émotions, lors de la mise en place définitive de cet Ordre nouveau. C'est la raison pour laquelle je cherche, dans les pages qui suivent, à exprimer comment moi-même ainsi que d'autres chercheurs de passage et les gens du Pacifique eux-mêmes – nos hôtes, nos amis, ceux et celles avec qui nous avons partagé notre vie de tous les jours pendant tant et tant d'années –, comment nous avons vécu et continuons de vivre aujourd'hui cette bouleversante expérience. C'est en cela que réside d'ailleurs l'importance capitale de ces îles et de ceux qui les peuplent : ici, le Grand Océan est en mesure de nous livrer le message enseveli sous cinq siècles de silence, en Amérique. 1492, c'était hier en Mélanésie. La blessure est récente et la mémoire est encore vive.

La découverte… La rencontre… Le désenclavement du monde. Que de sophismes, que de représentations malveillantes, que de projections de l'histoire depuis l'avènement de l'Occident ! Et pourtant, comment considérer et vivre les choses différemment, quand, dorénavant, nous faisons tous partie de ce même et unique Ordre qui a déferlé sur la planète ? Tels ces terribles tsunamis qui traversent le Grand Océan à des vitesses sidérales et qui nous séduisent par leur puissance surnaturelle, nous attirant sur la plage pour les voir venir, et qui nous emportent dans leur maelström.

La rencontre est devenue prétexte pour célébrer le voyage :

> Christophe Colomb a fait le plus remarquable des voyages, celui qui a mis en contact à jamais les deux mondes. Depuis lors, l'aventure humaine a toujours été marquée par le rêve du passage, entre territoires différents d'abord et puis vers l'infini. L'essence de la découverte a été aussi l'essence du voyage. Jusqu'en 1492, rares furent ceux qui osèrent dépasser les frontières de l'isolement dans lequel vivait la planète. Le monde était tout petit et extrêmement fragmenté. La traversée est devenue depuis le paradigme de la connaissance. Et il en a été ainsi tout au long de ces cinq siècles. Les bateaux sont différents mais l'équipage est le même. La fin du voyage ? Elle n'existe pas : le voyage est infini[2].

Je veux m'inscrire, avec une fermeté absolue, contre cette écrasante autorité occidentale – cette dictature de la pensée. Camoufler les extraordinaires odyssées et les voyages de découvertes des peuples du Pacifique ; noyer Hiri sous les roulants du Grand Océan ; hisser Colomb à tous les mâts de l'Atlantique, c'est aussi ensevelir des milliers de voyages sous les voiles faseillantes de l'unique Traversée, c'est refuser l'Histoire de tous les autres peuples pour n'imposer que celle d'une unique civilisation.

Si cet océan osait envoyer un message définitif à l'Occident triomphaliste, il annoncerait aujourd'hui que *le voyage est maintenant terminé*. Les dernières vagues d'une civilisation devenue mondiale ont déferlé, il y a déjà une trentaine d'années, sur les paysages magiques des Hautes-Terres de la

Papouasie-Nouvelle-Guinée, écrasant tout sur leur passage et transformant cette imposante contrée en « un pays avec un potentiel infini, mais sans espoir ».

Ce qui reste à entreprendre, c'est le voyage de retour, un peu à la manière de Kérouac. Un voyage qui nous amène à laisser les experts en développement international, la classe politique de la *famiglia* des états-majors, les sociétés minières et forestières transnationales, faire seuls leur sale besogne.

Arrivant à Big Sur, sur la côte californienne, Kérouac écrivit : « Me voilà arrivé à la fin de l'Amérique – plus de terre – et maintenant je ne pouvais aller nulle part, sauf revenir sur mes pas[3]. »

Quel contraste avec Balboa qui, depuis l'isthme de Panama, quelques siècles plus tôt, voyait la *Grande Mar del Sur* pour la première fois et se disait, sans doute, que les richesses de l'Orient et de la grande *Terra Australis Incognita* étaient dorénavant à portée de la main !

Essayons, alors, de revenir aussi sur nos pas, nous les Occidentaux de la fin du XXe siècle. Un peu comme Jack Kérouac, en amorçant le voyage intérieur et surtout en jetant constamment un regard en arrière, du côté des vaincus, en direction de ceux que nous avons appelés, initialement, les « Indiens » du Pacifique.

Cette démarche est d'autant plus importante que les peuples du Pacifique, et particulièrement ceux de la Mélanésie, peuvent encore opérer des choix, le choc de la présence blanche ne remontant qu'à hier. Peut-être les Océaniens ont-ils encore la possibilité de vivre d'une autre manière, car leur histoire se construit aujourd'hui, dans une époque que nous espérons plus nuancée, plus généreuse et un peu plus lucide.

Tout cela m'interpelle depuis longtemps déjà.

J'éprouvais la tentation, depuis l'adolescence, de franchir le seuil… Le seuil de ma culture. Passer de l'autre côté. Tout laisser derrière moi. Mais je n'ai jamais réussi. Ah oui, presque ! En Papouasie-Nouvelle-Guinée, au milieu des années soixante, chez les Engas des Hautes-Terres – c'était un peuple qui commençait à peine à se familiariser avec les bienfaits de l'économie marchande et les saints plaisirs de la chrétienté, des gens qui vivaient encore à l'état « pur » – découverts dans les années cinquante et devenus, une décennie plus tard, objets de convoitise de maints groupes missionnaires. À peine pacifiés, quelques heureux élus parmi eux faisaient leurs débuts sur les bancs d'école et sur ceux de l'église. Ils faisaient connaissance également avec les joies du travail salarié et les absences prolongées dans les plantations de la côte.

J'essayais de franchir le pas de la porte, mais il ne m'était pas facile, même chez les Engas, de fausser compagnie à mon passé et d'emprunter une voie neuve. Cette difficulté ne relevait pas seulement de raisons intimes, c'est que je faisais personnellement partie intégrante des rouages de cet Occident que je rêvais tellement de fuir. J'étais, par ma présence chez les Engas, un des précurseurs d'un monde à venir. Et ainsi de tant d'événements et de faits tragiques : l'alcool, la violence conjugale, la honte, la tradition ridiculisée, la misère. J'œuvrais, inconsciemment, à provoquer l'éclatement en mille miettes de tout un système de pensée, au nom même de la sacro-sainte « civilisation » et du « progrès » prônés et colportés par l'Occident à travers le monde entier[4].

J'ai presque oublié ce désir d'émancipation. Un ami de l'époque, Lyle, anthropologue, est cependant allé plus loin que moi. Au-delà de la « dernière frontière » (comme disaient les administrateurs coloniaux australiens). Lui est passé, pour un temps, de l'autre côté et a pénétré le dernier cercle, le « dernier inconnu ». À la recherche de la matière première pour réaliser une thèse de doctorat.

Lyle a été plus loin que moi, en effet. Toutefois, l'expérience a été éprouvante, douloureuse, et il est revenu déçu. C'est que Lyle était fou d'ethnoscience – champ intellectuel très à la mode à l'époque. Il désirait connaître, ardemment, les systèmes de classification, les taxonomies, bref la façon de structurer l'univers chez des gens qui ne connaissaient strictement rien de l'Occident. À deux jours de marche du dernier poste de l'administration coloniale australienne, il a fini par se retrouver au milieu d'une peuplade vivant en altitude, au cœur de la forêt tropicale. Ces hommes, ces femmes et leurs enfants habitaient des maisons juchées dans les arbres, et qui se situaient à une ou deux heures de marche l'une de l'autre.

Quelle découverte ! Sauf que ces gens ne voulaient rien savoir de lui, refusant de coopérer et manifestant une indifférence totale à ses avances. Ils ignorèrent même ces précieuses boîtes d'allumettes (pourtant la meilleure garantie de séduction) qu'il avait apportées avec lui et qu'il leur tendait avec espoir. D'ailleurs, elles devenaient vite inutilisables à cause de l'humidité des lieux, et ses efforts pour élucider ce qui n'était qu'évidence, son obsession de toujours vouloir tout questionner ainsi que son besoin de prendre sans cesse des notes aboutissaient au même échec. Le pauvre ! chaque fois qu'il sortait son carnet et son stylo, ses « informateurs » s'égaillaient et disparaissaient dans la nature.

Pour relever le défi qu'il s'était lancé, Lyle se faisait insistant. Il s'obstinait, poursuivait les gens, revenant constamment à la charge en dissimulant au creux de sa main le minuscule calepin sur lequel il griffonnait fiévreusement des notes à l'aveuglette, évitant de regarder ce qu'il écrivait pour ne pas dévoiler son stratagème. Une fois ses notes prises, il faisait disparaître le tout subrepticement dans sa manche.

Pauvre bougre ! Malgré tous ses efforts, Lyle repartit bredouille, emportant quelques petits carnets de notes aux pages maculées par l'eau des pluies et complètement illisibles. Il finit par rédiger une maigre thèse insignifiante, précédée de trop nombreuses excuses en guise d'explications, et qui est vite tombée dans l'oubli anthropologique le plus total.

Mais à vrai dire, il avait été incroyablement chanceux. Personne ne peut plus vivre une telle expérience aujourd'hui. L'attraction occidentale est trop puissante, la technique, trop dominante, tandis que le développement économique « universel » emporte tout[5]. Si au moins Lyle avait su, s'il avait pu saisir l'occasion de vivre une expérience initiatique parmi les hommes de la forêt ! Mais non, il tenta plutôt de faire la navette entre la civilisation et la brousse et, pour tromper son ennui, de jouer les grands explorateurs, désorienté et perdu qu'il était au milieu de ces Papous « dépourvus de tout » !

Comme disait si bien un anthropologue qui participa lui aussi à ce même type de ruée vers l'Homme Primitif : « De quoi voulez-vous discuter avec eux ? On ne peut quand même pas parler de la dernière émission de musique classique à Radio-Australie ! »

Dans un autre lieu et à une autre époque, j'aurais peut-être pu vivre moi-même ma petite lune de miel chez mes hôtes du clan Aruni, installés dans un paysage magnifique sur les pentes de la vallée de la rivière Lai. Ils me sollicitaient sans cesse par leur simple présence : femme, terre, arbres, maison… Perspective d'intégration totale et sans douleur au sein de la communauté, quoi ! Ils insistaient pour que je prolonge mon séjour parmi eux. Pourquoi tenaient-ils tant à ce que je reste ? Peut-être pour aider à élucider l'énigme de ma présence et trouver réponse à la question qu'un vieux chasseur de têtes ne cessait de me poser depuis mon intrusion dans leur univers, tant il était intrigué. Il arrivait régulièrement à ma case, s'installait tranquillement à terre, pour savourer le silence et attiser le feu qui ne devait jamais s'éteindre. Et puis, tout en encerclant de la main un des pieds de l'unique chaise comme pour en sortir quelque vérité insoupçonnée, il me posait inlassablement la même question lancinante : « Dites-moi, pourquoi vous, les Blancs [à vrai dire les *Rouges*, parce que c'est ainsi qu'on nous décrivait et nommait], pourquoi êtes-vous venus parmi nous ? Qu'est-ce que vous cherchez ici, que voulez-vous, au juste ? »

J'étais jeune et naïf, je n'avais pas de réponse à lui offrir. Seulement des émotions, seulement des sentiments. Et la certitude d'être en train de vivre quelque chose de beau, de magique, mais de terriblement fragile. J'étais de passage et vivais provisoirement au sein d'un peuple fier et à l'âme encore relativement intacte. Un peuple qui habitait le centre du monde. Son monde. De surcroît, ces premières années qu'on a convenu d'appeler « de contact » apportaient, sans doute, une nouvelle dimension à la vie de mes hôtes et à leur compréhension « des choses ». Eux-mêmes ne vivaient déjà plus dans cet état de crainte perpétuelle qui composait leur ordinaire – crainte d'être assaillis à tout moment par un ennemi qui les guettait de partout, crainte d'être attaqués et de courir constamment le risque de subir une mort atroce. Et inutile.

Avec le recul, j'arrive à penser parfois que nous vivions tous, sans nous en douter, de magnifiques années, une sorte d'âge d'or de la Papouasie. Ce furent, dans leur fragile légèreté, quelques années bénies, suspendues entre les parenthèses de la fin du « primitivisme intégral » et le début du « capitalisme sauvage ». C'était une sorte d'état de grâce, ressemblant à l'éclosion d'une fleur éblouissante, délicate, et pourtant déjà violemment empoisonnée !

Certes il m'arrivait de ressentir l'étroitesse de leur univers. Et je frémissais d'un émoi silencieux devant le rouleau compresseur de la conformité qui nivelait leur vie, au moment du passage à l'âge adulte. Devant leur impuissance aussi face aux nombreuses maladies qui les menaçaient. Mais c'était peu de chose à côté de l'activité des missionnaires qui rôdaient aux alentours et se disputaient vicieusement entre eux la conquête des âmes. Peu de chose, en effet, à côté des transformations économiques et sociales qui bouleversaient définitivement leur environnement : production de café, de pyrèthre et de produits maraîchers destinés à des marchés lointains, instables et hors de contrôle ; intégration obligatoire au sein de l'appareil d'État – ces nouvelles structures de pouvoir, les recensements et les rapports réguliers rédigés par ces jeunes *patrol officers* australiens, petits cow-boys ignares et passablement machistes qui exerçaient un pouvoir inouï à l'intérieur de cette frontière mouvante où se déroulait leur vie. Et surtout le travail obligatoire (et non rémunéré, bien sûr) sur les routes ou les pistes d'atterrissage, voies de pénétration par excellence de l'Ordre nouveau.

Je commençais à comprendre.

Quelque temps après, et plus loin dans les montagnes, à l'extrême limite de la présence blanche, un autre vieil homme allait encore me donner à réfléchir. Il devait m'expliquer qu'il trouvait regrettable qu'on ne soit pas venu directement chez lui de Port Moresby, la capitale papoue, plutôt que de passer au préalable par des centres secondaires comme Mount Hagen, Wapenamanda, Wabag ou Laiagam. Il était bon géographe celui-là, il manifestait une compréhension claire des notions de « centre » et de « périphérie », pointant, sans équivoque, du doigt les méandres erratiques des changements planifiés de haut, dans un sentiment critique de révolte mêlée d'impuissance, toutes choses qui allaient m'être précisées davantage dans la petite île Buka, au large de la Grande Terre :

> Un jour, il y a de cela longtemps, un homme était en train de pêcher au récif quand il aperçut quelque chose au large. Cela avait l'air d'une île, mais bougeait. Il courut tout de suite vers la plage en criant « une île s'en vient ». Le peuple s'est vite rassemblé sur la plage pour voir un bateau à voiles s'approcher et jeter l'ancre près du récif. Les habitants de cette île sont venus à terre, et notre île-univers a cessé d'exister. Le monde a éclaté et notre île est devenue un poste outre-frontière très isolé du territoire de la Papouasie-Nouvelle-Guinée, [...] le tout dernier lieu dans ce pays se retrouvant sans trop de centre et beaucoup d'éloignement[6].

Mais je brûle les étapes. Avant de m'égarer trop loin, revenons à mon vieil interlocuteur perplexe.

Dans toute l'innocence qui était la mienne alors, je croyais moi-même qu'à la différence des autres Blancs je ne demandais rien aux Engas. Ni leur âme, ni leur terre, ni leurs forces productrices. Je me croyais pur de toute convoitise, dans l'ombre exemplaire, entre autres, d'Albert Camus, pour lequel j'éprouvais une admiration sans bornes. Ne suis-je pas allé jusqu'à écrire, dans l'introduction de ma thèse de doctorat, que, par rapport aux autres Occidentaux œuvrant dans les Hautes-Terres, j'étais le seul à ne rien exiger d'eux – sauf de les comprendre, d'essayer de saisir leur façon d'être et de maîtriser leur univers. Cette conviction m'amena à écrire cette dédicace figurant au début de ma thèse : « À tous ceux parmi nous qui vivent en harmonie avec la nature ».

En quinze mois, grâce à leur généreuse collaboration et à la transparence de leur existence, j'avais, je n'en doutais pas, tout compris. Et je suis reparti, répondant au « rappel scientifique » de mon université australienne, inscrire ce nouveau savoir sur papier. Mon travail fut publié et diffusé largement, à la très grande satisfaction de la communauté scientifique internationale.

À vrai dire, je suis parti du pays des Engas le cœur léger. J'avais aimé intensément mon séjour parmi eux et je suis resté profondément marqué par cette expérience. C'est de celle-ci que me vient, pour une grande part, ce respect profond que m'inspirent la différence, les autres manières de vivre des hommes sur cette terre. Mais je les respectais, pour ainsi dire, « à distance », mon passage parmi eux s'inscrivant dans ma mémoire et ma sensibilité, sans possible retour. Je demeurais cependant convaincu de la pureté de cette expérience au sein d'un monde qui, j'en avais pourtant conscience, basculait, tragiquement, dans le désordre du choc des cultures et la désintégration collective du « chacun pour soi ».

Après un certain temps, j'ai fini par me dire, comme tant d'autres « chercheurs de terrain », que j'étais en réalité différent d'eux : il y avait, indéniablement, tout un monde qui nous séparait. Ce constat établi, il ne me restait qu'à rentrer chez les miens, pour discuter de la philosophie de Marcuse, aller voir les films du répertoire, savourer un cappuccino et partager mon expérience de la vie chez les Engas des Hautes-Terres.

Pourtant, je me décidai à retourner parmi eux, six ans plus tard. J'étais terriblement inquiet, je ne savais à quoi m'attendre. Mais leur accueil fut inoubliable. Quelle expérience bouleversante ! La surprise initiale passée, nous nous sommes sautés dans les bras, en riant, vibrant, humant et en pleurant de joie. Et ensuite, nous nous sommes mis à parler. Il fallait se donner des nouvelles, toutes les nouvelles, celles des naissances, des départs, des mariages et des morts. Et c'est là que j'ai compris aussi que nous faisions tous partie d'une seule et même grande famille, avec les mêmes joies et les mêmes peines et, au fond de nous-mêmes, les mêmes besoins essentiels et fondamentaux.

Mais peut-être ne comprenais-je qu'à moitié, puisque, tout en laissant libre cours à mon émotion, j'agissais, en même temps, dans le droit fil de la raison calculée. Ainsi, pour les remercier de leur gentillesse du passé et sensible à l'idée de faciliter leur intégration au monde moderne, je leur avais apporté en cadeau une machine à décortiquer les fèves de café. Croyant bien faire et soucieux de leur bien-être, je voyais dans ce geste une façon efficace de les aider à mieux tirer profit du marché, à mieux exploiter le système de production capitaliste qui s'étendait, d'ailleurs, vigoureusement au fond de la vallée, sous l'impulsion dévouée de missionnaires luthériens, qui travaillaient eux-mêmes avec ferveur à la promotion du paradis terrestre.

Ce second et ultime séjour chez les Engas (je n'ai pas trouvé en moi le courage d'y retourner depuis) m'amena à constater le paradoxe lamentable des ravages entraînés par le progrès. Carcasses de voitures abandonnées le long des routes de montagne, prolifération de petits magasins avec les bouteilles d'alcool qui commençaient à orner leurs quelques rayons. Mais surtout, j'observais la naissance du cycle infernal de la *pay week* et de la *rubbish week*, qui traumatisait, de plus en plus, les multiples petits postes gouvernementaux. Une semaine « avec », une semaine « sans ». Deux expressions banales qui dissimulaient mal les blessures résultant d'un malaise profond. Une fin de semaine, les salariés se soûlaient à mort, vidant leur âme et leurs poches dans de terribles beuveries avant de regagner leur demeure, l'esprit habité par la violence, battant brutalement femmes et enfants – expression ultime de cette affreuse impuissance nouvellement installée. L'autre fin de semaine, désœuvrés, ces mêmes guerriers sans armes et sans boussole rentraient à la maison au garde-manger dégarni les poches vides, la mine basse et le cœur par terre.

J'avais, à cette même époque, un autre ami anthropologue, lui aussi doctorant. Sauf que Clive, à la fin de son « terrain » obligatoire dans les Hautes-Terres, choisit de ne pas rentrer en Australie tellement il s'était intégré à la vie et aux mœurs du nouveau peuple qu'il s'était trouvé. Ce peuple avait cessé d'être l'objet de son intérêt scientifique pour se fondre à la trame même de sa vie. Clive avait assimilé ses valeurs, partageait la grande maison des hommes et voyageaient avec eux à travers les vallées et les montagnes, pour participer aux grands échanges rituels qui les regroupaient fréquemment. Il avait abandonné son journal de route et ses notes de terrain. L'attitude de l'observateur, la manie de tout transcrire lui étaient devenues étrangères. Il avait attrapé ce que nous, Occidentaux, appelons la « folie de la brousse ».

Quelqu'un de l'université a dû aller le chercher et le ramener de force – les dents brisées, les vêtements en loques, l'âme secouée de tremblements. On lui imposait ainsi – pour son bien, je veux croire – un retour à la civilisation, à cette civilisation qui réagissait par le mépris à l'endroit de toute assimilation trop poussée de l'un des siens à la culture de l'« autre », considérée comme inférieure. Clive avait fait faux bond au devoir de l'Occidental et transgressé le code universitaire. Réinstallé par la suite dans la société australienne, il ne put jamais effacer le souvenir de sa vie parmi les « Papous » – ces gens pourvus de remarquables richesses sociales et humaines et qui vibraient d'une si exceptionnelle intensité. Quel contraste avec la pétillante frivolité des « cocktails parties » et l'intelligence abstraite et réductionniste des séminaires universitaires de Canberra !

Désorienté, Clive a tourné en rond sur le campus de l'université, histoire de faire les visites convenues à son directeur de thèse. Il avait choisi de vivre au cœur de Sydney, à King's Cross, dans la turbulence interlope des centres-villes, seuls lieux, seuls battants-versants de l'Occident où toutes les différences sont admises. Toujours incapable de dire (ou plutôt d'écrire) ce qu'il avait vécu, il ne pouvait se résoudre à violer, à travers les pages d'une thèse dénaturée, ce qu'il avait perçu des secrets d'un peuple cependant voué à l'échec et désormais condamné. En guise de punition, Clive, tout comme Lyle jadis, quoique pour des raisons profondément différentes, a été condamné à l'oubli anthropologique.

Plus personne ou presque, dorénavant, ne peut franchir le seuil et passer chez l'autre. Parce que l'autre n'a simplement plus le pouvoir ou la capacité de résister à l'Occident, de se montrer meilleur, d'avoir le droit d'exister dans l'autonomie de sa propre réalité. Et même si l'on pouvait franchir ce seuil, ce serait pour devenir un élément cancérigène, menaçant, s'installant dans un corps sain. Peut-être même qu'en ramenant Clive en Australie, contre son gré, on a accordé un petit sursis à sa famille Chimbu, qui sait ?

J'ai longtemps idéalisé les « écumeurs de grèves » d'un Pacifique révolu, cousins lointains des Métis américains. Dès les premières arrivées des explorateurs européens dans la région, un certain nombre de matelots abandonnaient leurs bateaux et étaient accueillis par les insulaires. Ils le faisaient très allégrement, comme ces membres de l'équipage des navigateurs hollandais Lemaire et Schouten qui choisirent de rester dans les îles Tuamotu. Ils prièrent seulement les partants de saluer pour eux, à leur arrivée à destination, leurs amis et leurs familles d'Amsterdam. Adieu !

Mais rares, il faut dire, parmi ces « décrocheurs » d'un autre siècle, sont ceux qui réussirent à se métamorphoser en « hommes nus », qui se dévêtirent volontiers de leur bagage culturel pour s'assimiler totalement à la vie de l'« autre ». Menuisiers, armuriers, forgerons furent convoités particulièrement par les nobles polynésiens assoiffés de pouvoir et d'empire, et beaucoup de nos écumeurs mythiques se sont recyclés ainsi dans le rôle de mercenaires ou d'agents provocateurs avides œuvrant dans le maquis et préparant, en pleine conscience ou inconscience, le terrain pour l'Occident. Nous, chercheurs et écumeurs de grèves, nous nous ressemblons tous : nous sommes arrivés, à travers nos temps respectifs, en éclaireurs d'une civilisation qui ne fait jamais de quartier.

Cette digression océanienne, qui peut sembler incohérente – mais comment rester cohérent lorsqu'on se retrouve au centre d'un véritable tourbillon –, m'amène à réfléchir sur les chocs du XXe siècle, sur un de ces chocs en particulier, dont j'ai été, bon gré mal gré, le figurant obligé.

Mes étudiants à l'Université du Pacifique-Sud[7] ignorent tout de Christophe Colomb et de la « découverte » du Nouveau Monde. Pour eux, c'est toujours le capitaine Cook qui a ouvert la plaie, cette plaie béante jamais cicatrisée. À vrai dire, le premier Européen à avoir vu le Pacifique est Vasco

Núñez de Balboa. Pendant quatre siècles, ceux qui auront suivi sa route visitèrent, peu à peu, les îles de cet océan, explorant cet univers immense, mais avec une différence qui les distinguait radicalement des navigateurs austronésiens qui les avaient précédés, allant depuis toujours d'une île à l'autre : ces nouveaux explorateurs venaient de l'autre côté de la terre et arrivaient en émissaires d'un autre monde, délégués par de tout-puissants États-nations d'Europe.

> Ils [les premiers habitants] étaient devenus partie intégrante de stratégies globales et ne seraient plus jamais isolés ou laissés libres de cartographier leurs propres destinées. Des dieux avaient peut-être incité des montagnes à s'élever du fond des mers, et des pêcheurs mythiques avaient peut-être halé plus encore de terres, mais les marins espagnols, hollandais, britanniques et français, « au bout de longues lignes barbelées à travers la carte », les avaient tirés jusqu'en Europe[8].

Autrement dit, Colomb n'aura marqué, en somme, qu'un début. Le début d'un drame dont on n'a pas encore vu, jusqu'à aujourd'hui, le dénouement ; nous savons toutefois que nous évoluons, et à une vitesse folle, vers une seule vision et un seul avenir : celui de l'Occident, de la science et des institutions de haut savoir. Avenir déjà emmagasiné dans les bibliothèques d'une poignée de pays ; et savoir qui se transmet exclusivement par les textes dans les salles de cours du système d'enseignement unique de l'Occident.

Cet avenir n'est peut-être pas le bon. Tout autour de moi, j'ai conscience des langues qui meurent, des lumières qui s'estompent et des cultures qui déclinent et s'épuisent. On parle quelque chose comme 700 langues en Papouasie-Nouvelle-Guinée, une centaine au Vanuatu. Mais pour combien de temps encore ? Autour de moi, dans chaque pays, sur chaque atoll, sur chaque colline, je vois des bibliothèques d'Alexandrie qui s'embrasent, mais personne pour éteindre les feux, ni parmi les vainqueurs ni parmi les vaincus. Pourquoi une telle désinvolture (pour ne pas parler de la dérision d'une telle situation) face à un enchaînement et un enchevêtrement d'événements qui risquent d'emporter la planète dans un destin imprévisible ?

Certes, il est trop facile d'idéaliser l'homme d'avant la conquête du monde. Les « naturels » furent, indéniablement, aussi violents et cruels que s'affichent ceux qui se proclament « civilisés ». Cependant, leurs moyens étaient limités et, dans l'ensemble, ils étaient incapables de nourrir le moindre rêve d'empire. Mais plus significatif encore est le fait que ces gens, au moment de leur rencontre première avec l'Occident, sont apparus fiers, indépendants et maîtres de leur univers, autant dans l'espace que dans le temps. Tous ceux parmi eux que j'ai approchés étaient profondément accueillants. Et cette dignité humaine combien impressionnante dont ils faisaient montre sera la toute première et la plus importante qualité à leur être arrachée par l'Occident. La facilité avec laquelle on a perpétré ce rapt spirituel mérite qu'on s'y arrête. L'Occident est en possession d'un incroyable pouvoir de séduction. Moins pour les biens matériels qu'il propose que par la capacité qu'il démontre à promouvoir la liberté des individus, dans la façon de se vêtir, les manières de consommer, de s'exprimer et de se comporter.

Dès les années soixante, dans les Hautes-Terres de la Papouasie, j'ai vu des jeunes gens épris de cette liberté qui semblait offrir la possibilité de rompre spontanément les liens étroits les attachant à leur société, ses cadres, sa géographie et le milieu naturel venant s'y inscrire. J'ai pu constater de mes yeux la force de cette influence, je peux témoigner des raisons profondes de cette quête chez les Arunis. J'ai connu ces nuits où de jeunes hommes, au seuil de la vie adulte, l'esprit égaré, se ruaient dans une folie épouvantable (*run amok*), cassant tout ce qui leur tombait sous la main, agressant parents et amis, et menaçant tous ceux qu'ils croisaient sur leur chemin, pour s'effondrer ensuite dans l'incohérence et l'épuisement – avant de se relever quelques jours plus tard et de réintégrer la société des adultes. C'est en des moments comme ceux-là que je ressentais le fardeau de la tradition et le caractère véritablement hermétique des « peuples exigus » et que j'ai eu vraiment peur. Mais ce que je puis dire, à la réflexion, c'est que j'aurais peut-être fait exactement la même chose à leur place.

Mais pour tous les jeunes insulaires du Pacifique en quête de liberté vite vient le jour où ils se rendent compte que les portes leur sont fermées, leurs terres aliénées à jamais et leur environnement souillé de façon quasi irréversible. C'est alors qu'ils prennent les armes, comme à Bougainville (îles Salomon) ; qu'ils brûlent les magasins, comme à Nouméa (Nouvelle-Calédonie) ; et qu'ils cherchent à se réapproprier le pays, comme à l'île Océan (îles Gilbert et Ellice) ou en Irian Jaya (Nouvelle-Guinée de l'Ouest).

Ceux et celles qui, parmi eux, fréquentent les salles de cours de l'Université du Pacifique-Sud peuvent estimer qu'ils ont de la chance. Ils sont en train de franchir la ligne au-delà de laquelle ils seront dans le camp des vainqueurs, dans cette transformation inéluctable de notre univers. Ils deviendront les fonctionnaires, les dirigeants politiques, les commis voyageurs et les entrepreneurs de demain. Ils sont, matériellement, les gagnants de la modernité. Ils exerceront le pouvoir. Pourtant, je les sens troublés, perplexes et vulnérables. Tous ces jeunes des îles Salomon, du Vanuatu, des Samoa occidentales, qui traversent le campus en traînant les vestiges du passé et investis de cette identité profonde inscrite dans leur corps et dans leurs gestes : leurs tatouages aux cuisses, leurs colliers de nacre au cou, cette auguste façon qu'ils ont de s'asseoir au pied des arbres pour s'entretenir de tout et de rien et le fait d'aller pieds nus aussitôt que l'occasion le permet, révèlent tout de la géographie dont ils procèdent[9]. Et puis, autour de leurs résidences, ces petites plantations de canne à sucre, de *dalo,* de *kumala* et bien d'autres espèces traditionnelles qu'ils soignent et cultivent, sans oublier ces réunions où ils se livrent, de temps en temps, à un *umu* collectif.

J'aime ces étudiants, surtout ceux de la Mélanésie. Peut-être que leur physionomie et leur regard me rappellent mon séjour néo-guinéen. Les dieux ancestraux se devinent au fond de leurs yeux. La présence des parents ne s'estompe jamais, ni le village ni les plantations vivrières – enfin, tout ce qui a donné forme, contenu et sens à leur enfance. C'est sans doute aussi parce qu'ils me laissent l'impression de vouloir et de pouvoir faire des choix. Choix qui leur permettront de naviguer plus aisément entre le passé et l'avenir – ce passé qui leur appartient en propre et cet avenir qui leur est, en quelque sorte, imposé.

Je rêve peut-être moi-même. Déjà, au cours des années soixante, courait dans les Hautes-Terres la rumeur que les missionnaires avaient arraché la dernière page de la Bible, celle qui fournissait la clé du pouvoir et de la richesse matérielle des Occidentaux. Les Engas n'avaient sans doute pas tort. Peu importent la misère et la violence, l'amertume et le désespoir qui se propageraient dans leur pays, trente ans plus tard.

> Les organismes internationaux et pays donateurs d'aide à la Papouasie-Nouvelle-Guinée (Banque mondiale, Fonds monétaire international, Programme des Nations unies pour le développement, Communauté économique européenne, Banque asiatique de développement ; États-Unis, Australie, Nouvelle-Zélande, Japon, Corée du Sud, Allemagne) ont rendu hommage aux performances de l'économie papoue, grâce notamment au développement de son secteur minier.

> Le ministre papou des Finances, Paul Pora, a affirmé aux participants à cette conférence [qui a eu lieu à Singapour] que les problèmes de Bougainville, provoqués par un « petit groupe de rebelles », ne compromettraient pas la politique ou les projets économiques du pays[10].

«Hommage international à la politique économique de Port Moresby », tel était le titre de cette information, de nature en apparence très banale, parue dans un journal de Nouméa. Et pourtant, Bougainville, Porgera (justement en pays enga), Ok Tedi, Lac Kutubu, et tant d'autres exploitations, représentent justement des cicatrices ineffaçables au cœur d'un pays tourmenté, n'ayant jamais connu pourtant la Grande Crise des années trente et qui vivait, jusque dans les années soixante-dix, un état « d'abondance primitive », selon les dires de certains économistes australiens.

Bougainville, tout particulièrement, est en état de guerre depuis de nombreuses années et la majeure partie de l'île demeure coupée du reste du monde. La mine a fermé en mai 1989 et ne sera probablement jamais rouverte. C'était la plus grande, et certainement la plus profitable, mine de cuivre à ciel ouvert au monde. Un trou d'une envergure d'un kilomètre de large, duquel la compagnie CRA a extrait, dans l'année 1988 uniquement, environ 90 millions de tonnes de roche, pour en tirer quelque 960 tonnes de cuivre, d'or et d'argent, soit 0,18 % de la masse initiale. Le reste, qui s'est envolé, pourrait être inscrit, dans la colonne des débits, au registre de la volatilisation des droits ancestraux, de la perte de terres cultivables, de la pollution des rivières et de la misère généralisée. Une terre et un peuple désespérés, maintenant condamnés pour un temps indéfini.

Bougainville représente une révolte contre l'État et l'Entreprise, c'est-à-dire contre deux univers qui ont en commun d'ignorer le passé tout en hypothéquant sérieusement l'avenir. Et, pris entre les deux, le peuple – un peuple qui a déjà pensé et agi différemment – se retrouve seul et démuni. Je repense à tous ces vieux qui plantent encore un arbre à la naissance d'un enfant et je revois ces femmes de l'île Océan, enlacées à leurs cocotiers pour empêcher qu'ils ne soient arrachés par le bulldozer de la Compagnie des phosphates qui n'a d'autre intérêt que d'accaparer les richesses du sous-sol et, ainsi, appauvrir pour toujours le fragile écosystème insulaire.

Le geste et la parole ! Les gestes d'autodéfense sont viscéraux et spontanés. Ils participent de l'instant même pour s'inscrire aussitôt dans le déroulement de la chronologie ; parfois comme des points tournants de l'histoire d'un peuple, parfois pour être ensevelis sous les décombres des civilisations antérieures. La parole, par contre, demeure, elle est éternelle. Elle transcende la temporalité événementielle. Cette parole est celle des poètes, des chantres anonymes, plutôt que celle des politiciens. Elle évoque la rupture avec le passé, le basculement dans une pauvreté spirituelle imprévue, pour bientôt révéler la déchirure des peuples qui, n'étant plus libres et ne possédant plus leur passé, doivent faire face à un avenir déjà hypothéqué.

Nos pères pliaient le vent et marchaient sur les vagues
afin de faire venir le Kula et les Mères des rois d'Upolu,
de magnifiques nattes de Manu'a et des étalons royaux de
    Lakemba
pour les filles interdites.
Et Mauis Kisikis n'a-t-il pas percé l'horizon de sa lance ?
Ou le Supprimeur des Vagues
n'a-t-il pas fait glisser des dalles d'Ouvéa
pour les tombes terrassées des Rois-Dieux ?

Mais les sables de Sopu ne sont plus.
Des bouteilles de bière cassées jonchent le Rivage sacré.
Le court de tennis de Salt Lake City indique le tombeau
de la pelouse de Salote
et la défunte nation de donneurs,
mâchoires redoutées de l'océan,
quémande des miettes auprès de l'Aigle et du Lion.

Hier Tangaloa faisait des hommes,
mais le dieu de l'Amour n'engendre que des enfants[11].

« Hier Tangaloa faisait des hommes, mais le dieu de l'Amour n'engendre que des enfants. » Ainsi en va-t-il à Tonga, tandis qu'à Tahiti des confrères affirment que « nous sommes un peuple déchu », en se posant la question énigmatique : « Comment devient-on pauvre ? » Ailleurs, à Hawaï, une nationaliste militante ne peut s'empêcher de cacher ce qu'elle ressent dans la maison de son père, la nuit :

Moi, je lutte
pour la terre mais
notre sentiment est
qu'il n'y a pas d'espoir

seulement des bruits
diminuant
à l'aube

dorénavant, votre fille
porte votre vieillesse
telle une cape
des tortues disparaissent
à midi, un soleil dévorant
balaie la terre

cette nuit, dans le tombeau
du soleil, j'apporterai
des feuilles du *luau* et du sel

nous attendrons
le vent sombre
de Ko'olau

puis mettrons notre pirogue à la mer
avec la lune
qui s'éteint[12].

Ce que les gens vivent dans le Pacifique aujourd'hui est peut-être peu de chose en comparaison de ce que l'Amérique a connu, il y a cinq siècles. L'oppression du XXe siècle est douce, affirmeront certains. Je crois plutôt qu'elle est dure mais sournoise, parce qu'elle agit de l'intérieur, s'appropriant progressivement le cœur, l'âme, la sagesse et le savoir des gens des îles. L'église chrétienne a bien fait son œuvre, et l'école occidentale aussi :

J'avais six ans quand
Maman par étourderie
m'envoya à l'école
seul
cinq jours par semaine

un jour je fus kidnappé par une poignée
de philosophes occidentaux

Je fus détenu
dans une classe
gardée par Churchill et Garibaldi
épinglés sur un mur
ainsi que par Hitler et Mao
sur un autre mur
donnant leurs ordres

Guevara brandissait une révolution
de son « Art de la guérilla »
en direction de mon cerveau
Chaque trimestre
ils envoyaient des menaces
à Maman et Papa

Maman et Papa aimaient
leur fils

et payaient la rançon : les frais de scolarité
chaque fois
Maman et Papa devinrent
de plus en plus pauvres
et mes ravisseurs devinrent
de plus en plus riches
Je devins de plus en plus blanc

À ma libération
quinze ans plus tard
on me remit
(au milieu des bruyants applaudissements
de mes amis d'infortune)
un morceau de papier
pour mettre au mur
certifiant ma libération[13].

De ce côté-ci du Grand Océan, la colère est aussi forte qu'en Amérique ; la mémoire et l'appel du passé, plus vifs et plus exigeants encore :

Pendant dix bonnes années j'ai
pensé
écouté
raisonné

Je suis toujours en train de penser
écouter
raisonner
et griffonner

Mais bientôt viendra le temps
où je ne penserai plus
n'écouterai plus
ne griffonnerai plus
ne raisonnerai plus.

Bientôt je serai
un homme de la brousse
dans les Hautes-Terres[14].

Un homme de la brousse ! Qu'est-ce que les simples *bush kanakas* peuvent proposer comme voie de l'avenir ? Un ami géographe, Joël, a vécu la réponse. Un peu comme Clive, sauf que lui, en revenant, a pu livrer le message.

Joël a passé une vingtaine d'années en Mélanésie, surtout au Vanuatu. Ce sont ses séjours parmi les gens de l'île Tanna qui ont le plus marqué sa trajectoire.

> Pauvres, face au monde extérieur, ils s'efforcent de rester généreux entre eux. Mais ce n'est pas tout : les gens de Tanna s'affirment les maîtres du pouvoir sacré de la « Coutume » et comme un peuple de « seigneur ». Peuple élu, dans une île magique dont le territoire est enchanté. La formidable fierté des gens de Tanna se lit dans la parole et dans la longue mémoire de l'île soigneusement entretenue par tout un complexe de chants, de danses, de métaphores et de mythes[15].

À force de « vivre avec les gens, partager leur quotidien, marcher des heures sur leurs sentiers, boire chaque soir le Kava, cette plante euphorisante dont les racines mâchées plongent dans l'ivresse, reconnaître chacun et vivre cette société chaleureuse comme l'un de ses membres », Joël découvrait ce qu'il appellera la connivence :

> J'ai poussé jusqu'au bout la connivence ; j'arrivais alors peu à peu à un état où, mesurer, compter, enquêter, poser des questions, me paraissait sans cesse plus dérisoire et, même, me mettait mal à l'aise[16].

C'est ainsi que les gens de Tanna lui ont livré, au fur et à mesure, leurs secrets, c'est-à-dire leur façon de vivre sur cette terre, leur vision du monde, leur vision d'eux-mêmes et des autres – et aussi la raison de leur refus d'emprunter à leur tour « la route des Blancs ». Joël s'efforça de comprendre l'univers de la Coutume, qui s'opposait à celui de l'École : *Kastom* par rapport à *Skul* ; Tradition par rapport à Modernité et Nation par rapport à État.

Il a appris le sens véritable du mot enracinement – évoqué par l'arbre – et la nécessaire ouverture au voyage – représenté par la pirogue :

> De ces terres brisées, hors du temps, et à l'espace rare, ils firent un destin. Leur territoire devint alors la seule vraie valeur. La vérité des îles mélanésiennes plonge dans la terre et vers les entrailles souterraines du monde. L'arbre est la métaphore de

l'homme ; il ne s'élance vers l'infini du ciel que parce qu'il chemine dans la terre. Et l'homme qui se tient droit dans son lieu s'enracine avec lui dans l'univers de la profondeur. La terre est un ventre dont les hommes sont les fils. L'espace est une mer, une valeur « flottante », sans profondeur, sans durée, dérisoire au fond. Seule compte pour l'homme la qualité de ses racines ; autant de fondations dans l'espace, autant de points fixes dans la mouvance des flots. Mais si l'homme est un lieu, individuel et autonome, la société est un trajet, un réseau qui se découvre et se structure par ses routes[17].

Tant de révélations ont amené Joël non seulement à aimer, mais surtout à respecter les gens de Tanna. J'en suis certain, même s'il n'osera pas aller jusqu'à l'avouer. Cinq ans après son départ, départ qui coïncida avec la naissance, dans le feu et dans le sang, du nouvel État du Vanuatu, Joël est retourné dans son île, un peu comme moi j'étais retourné dans mes montagnes. Il y a retrouvé des gens tristes, désemparés et devenus silencieux, qui avaient vécu l'échec, l'avortement du projet de naissance d'une grande nation coutumière :

> Les gens des groupes coutumiers qui avaient été le fer de lance de la révolte se taisaient, gênés de me revoir, gênés surtout d'avoir été vaincus. Dans le village où je revins, les gens se sentirent obligés d'aller prévenir les représentants du gouvernement de ma présence. Je compris en parlant avec eux qu'ils préféraient oublier les événements de la révolte. La Coutume, comme ils me le dirent, était toujours dans leur cœur, mais le mot semblait hésiter sur leurs lèvres[18].

Or, et c'est bien là le pathétique, ils ont connu ce cinglant échec non pas aux mains des Blancs, mais à celles de leurs frères ni-vanuatuais, aidés de militaires néo-guinéens et engagés dans la construction d'un État moderne, organisé à l'image de l'Occident. Les gens d'en face étaient devenus les leurs...

Jean-Marie Tjibaou, grand leader politique et spirituel kanak de la Nouvelle-Calédonie, a été tué par un des siens, parce qu'il essayait justement de naviguer entre le passé et l'avenir, tentant de faire converger ce double espace-temps, afin de mieux asseoir le destin de son peuple, un peuple qui ressemblait, pour lui, aux grands pins colonnaires, avec des racines bien ancrées dans le sol néo-calédonien et des cimes lointaines, très élevées, allant percer le ciel, symboles majestueux du séjour paisible et de longue durée en terre mélanésienne.

Jean-Marie qui refusait qu'il y ait « rupture entre hier et aujourd'hui » ; Jean-Marie qui annonçait : « Hommes blancs, c'est à vous que je parle puisque c'est entre vos mains que s'est brisé notre passé comme une coquille qu'on écrase » ; Jean-Marie qui voulait tellement sortir son peuple de l'anonymat et l'extirper des marges d'une histoire et d'une géographie imposées par les explorations de Cook et de ses congénères ; Jean-Marie qui espérait plus que tout que « les eaux s'apaisent autour de nous, pour permettre à mon peuple de recevoir les Blancs comme des frères qu'on invite » ; Jean-Marie Tjibaou, bref, qui parlait de partage, de dialogue et de fraternité, tout en voyant l'avenir avec une troublante lucidité :

> Nous sommes bien placés en Mélanésie pour comprendre qu'on va à un casse-cou mondial. L'Occident est comme une machine folle, ils en sont à freiner avec leurs pieds. Nous ne voulons pas revenir en arrière, nous voulons trouver une nouvelle orientation. Il faut reconsidérer l'organisation même de la vie, alors que la seule alternative proposée par l'Occident est l'industrialisation[19].

Il voulait, selon les paroles d'Aimé Césaire, être responsable :

> Responsable de l'avenir. Responsable du présent et du devenir. Responsable de la vie à maintenir, à renforcer, à transmettre[20].

Quelle tragédie ! Après plus de cinq siècles d'enfer, nous en sommes encore, en Amérique, à vouloir sauver les restes en protégeant les quelques survivants des civilisations précolombiennes et en créant des réserves toujours plus grandes et plus sûres pour les parquer. Comme ça, on pourra mieux protéger du Grand Hiver les Yanomamis et autres « derniers Sauvages ». Et, faute de les protéger, on conservera leurs chromosomes en éprouvette pour immortaliser leurs cellules et les étudier tout à loisir dans les laboratoires de l'Occident et ses salons de la science[21].

Or les gens du Pacifique veulent vivre au présent et travailler à l'édification d'un avenir partagé, « sans tomber dans l'universel ou [...] perdre le fait [qu'ils sont] les habitants de quelque part sur la planète Terre[22] ».

C'est bien le message que Déwé Gorodey nous souffle à l'oreille :

> L'eau du creek soupirait à leur premier rendez-vous
> l'eau murmurait les mots d'amour qui vogueront très loin
> La vieille tant inquiète de leur absence appela
> Le merle lui répondit
> Tu as vécu et le temps a passé
> La buse ajouta
> N'appelle pas le vent qui t'emportera
> La mouette conseilla
> Ne parle pas à la pluie qui te noiera
> Et la tourterelle de conclure
> Ne retiens pas dans la case ceux qui habitent le monde[23].

C'est également le sens profond du poème d'Epeli Hau'ofa, *Du sang dans le tanoa*, dont j'ai emprunté les mots pour former le titre de cet article.

Certes, beaucoup de sang a coulé depuis l'irruption de l'Occident dans le Grand Océan. Mais le sang qui coule dans le tanoa, ce grand bassin évasé en bois poli soutenu par quatre pattes qui sert à la préparation et à la distribution cérémoniale du Kava, est également celui des ancêtres. Ainsi, les racines de *Piper methysticum*, desquelles la boisson est extraite, sont d'abord mâchées par des jeunes et ensuite crachées dans le bol, mêlées de la salive et du sang de leur bouche. Cette pratique, tout en évoquant la filiation ininterrompue des générations, facilite le processus de fermentation du Kava :

> Le Kava est monté mon frère,
> bois cette coupe de l'âme et de la sueur de notre peuple,
> et donne-moi trois autres champignons
> qui ont poussé à Murouroa

sur la bouse des vaches amenées par le capitaine Cook
au nom des rois d'Angleterre et de France[24] !

Je disais au début de ce texte que j'avais longtemps espéré passer de l'autre côté, mais cet autre côté n'existe plus. Seulement quelques rares et glorieuses peuplades, ici et là sur la planète, dont les racines trempent dans l'Ailleurs, persistent à toujours exister. Tout ce qu'il reste à espérer, c'est qu'on les reconnaisse et qu'on se mette à leur écoute. La sagesse qui nous serait transmise nous permettrait peut-être de concevoir l'avenir autrement, et cela au plus grand bénéfice de tous. Si nous nous décidions à le faire, nous pourrions annoncer, aujourd'hui, que c'est non seulement le voyage qui est terminé, mais aussi le temps des ruptures.

É. W.
Port-Vila, Suva et Montréal, 1992 ;
remanié à Québec, 1995

Notes

1. Cité dans Max Gallo, « 1492-1992 : l'histoire par le glaive », *Le Monde diplomatique*, avril 1992, p. 28.

2. Lluis Bassets, « La cavalcade du progrès », *Le Monde*, supplément, (*Leonardo : l'ère des découvertes*), avril 1992, p. 20-24.

3. « *Here I was at the end of America – no more land – and now there was nowhere to go but back.* » (Jack Kérouac, *On the Road*, New York, Viking, 1957 ; traduction libre.)

4. Au moment où j'écris ces lignes, à l'hôtel Rossi de Port-Vila (Vanuatu), je vois de ma fenêtre une rangée de dieux, arrachés de la terre et parqués contre le mur extérieur du centre culturel de Vanuatu, chacun saignant comme Jésus-Christ sur la croix, avec une étiquette « *Black Palm VT15000* » clouée ridiculement sous le menton.

5. Je crois que le souvenir de cet autre temps est en train de disparaître, aussi rapidement qu'un coucher de soleil à l'horizon du ciel tropical. Ici, au club Naitasi dans l'île Malolo, au large de Viti Levu (Fidji), il n'y a pas l'ombre d'une pirogue océanienne. La culture fidjienne semble se réduire à ces pauvres *Bula !* – « bonjour » – proférés stupidement (et évidemment sans réponse possible) dès qu'un employé insulaire croise un touriste néo-zélandais.

6. Caspar Luana, « Buka ! A Retrospect », *New Guinea*, vol. 4, n° 1, 1969, p. 15 ; traduction libre.

7. À Suva, où j'ai enseigné de 1991 à 1994 et où je me trouvais au moment même où j'écrivais ces lignes.

8. K. R. Howe, *Where the Waves Fall*, Honolulu, University of Hawaii Press, 1984, p. 69 ; traduction libre.

9. En rédigeant ces lignes, je ne peux m'empêcher de rappeler ici le titre magique de l'édition française du petit recueil de citations amérindiennes rassemblées par Teri C. McLuhan, *Pieds nus sur la terre sacrée.*

10. *Les Nouvelles Calédoniennes*, 6 mai 1992.

11. Epeli Hau'ofa, « Our Fathers Bent the Winds », *Mana Review*, vol. 1, n° 2, 1976, p. 23 ; traduction libre.

12. Haunani-Kay Trask, « Makua Kana », *Hawaii Review*, vol. 20, p. 32 ; traduction libre.

13. Ruperake Petaia, « Kidnappé », dans *Poètes du Pacifique en colère,* Port-Vila, Société des arts créatifs du Pacifique-Sud et Centre annexe de l'Université du Pacifique-Sud, 1983, p. 26-27.

14. Baoro Koraua, « Dix bonnes années », dans *Poètes du Pacifique en colère,* ouvr. cité, p. 21.

15. Joël Bonnemaison, *La Dernière Île*, Paris, Arléa/Orstom, 1986, p. 158.

16. *Ibid.*, p. 11, 12.

17. *Ibid.*, p. 197.

18. *Ibid.*, p. 384.

19. Jean-Marie Tjibaou cité dans : Jean Chesnaux, *Transpacifiques*, Paris, La Découverte, 1987, p. 187.

20. Tiré du poème *Pour Jean-Marie Tjibaou*, janvier 1990.

21. Voir « Les derniers sauvages. Sur les sentiers de la terre », *L'Express*, 14-20 mai 1992, p. 66.

22. Jean-Marie Tjibaou cité dans : Alban Bensa, *Nouvelle-Calédonie : un paradis dans la tourmente*, Paris, Gallimard, 1990, p. 179.

23. Déné Gorodey, « Ne retiens pas dans la case », *Flamboyant imaginaire* Nouméa (Nouvelle-Calédonie), n° 2, 1990, p. 47.

24. Extrait tiré du poème *Blood in the Kava Bowl* d'Epeli Hau'ofa, *Mana Review*, vol. 1, n° 2, 1976, p. 21-22 ; traduction libre.

Entre le baobab et l'érable :
l'arbre francophone*

Dès qu'on s'aventure dans les débats entourant la francophonie, on se rend vite compte que le premier problème vient du mot *francophone* lui-même – « un mot laid et chargé de connotations dangereuses » –, auquel il faudrait préférer le terme *francisant*, selon les uns, et même *francoglotte*, selon les autres. Ou alors, de façon toute concise, dans la grande tradition de la clarté française qui nous menace tous, pourquoi ne pas remplacer *francophone*, pour suivre une dernière suggestion, par *ressortissant d'un pays où le français est la langue officielle, de culture ou d'usage* – bref, pour sigler la chose : un *refralanocus*.

Décidément, si Montesquieu avait su qu'il était « francoglotte de culture » et « francisant d'usage », je me demande s'il n'aurait pas dû faire appel à un psychanalyste persan – lacanien avant la lettre de préférence – pour lui enseigner comment être lui-même.

Ontologie et géopolitique

De toute évidence, la question ontologique qui se pose est la suivante : la France et les Français peuvent-ils être à la fois « français » et « francophones » ? Il semble bien que

* Texte élaboré dans la foulée de la parution du collectif sous la direction de Michel Tétu, *L'Arbre à palabre des francophones* (Montréal, Guérin éditeur, 1987) et publié dans *Nuit blanche*, n° 30, décembre 1987-janvier 1988, p. 50-51.

non. On peut même estimer qu'il existe une espèce d'incompatibilité métaphysique entre l'état de Français et l'état de francophone. Certains francophones peuvent bien sûr devenir français par osmose phonétique ou par quelque *lifting* moléculaire ; et certains Québécois ne sont pas dépourvus de talent à cet égard, mais il faut bien reconnaître que jamais ou presque jamais on ne réussira à transformer un Français en francophone.

Quant à la question de savoir jusqu'à quel point la francophonie doit éviter de devenir française pour demeurer vivante, la réponse apparaît des plus ambiguës. Puisque les francophones du monde entier commencent à peine à établir des contacts directs entre eux – l'axe Dakar-Port-au-Prince-Montréal ou Abidjan-Antananarivo-Nouméa relève pour le moment d'une géopolitique un peu futuriste –, c'est forcément par la France ou l'idée de France que nous devons tous passer pour nous rencontrer. Mais comment tisser des liens « francophonisants » à travers une France trop française pour être francophone ? Voilà le dilemme.

L'Angleterre du XIXᵉ siècle a appris de l'Australie, de la British America (nom de sa colonie au nord des États-Unis avant qu'on ne la laisse usurper le nom de Canada) et même de l'Afrique du Sud qu'elle devrait approfondir, tôt ou tard, la leçon inaugurale des États-Unis du XVIIIᵉ siècle, à savoir qu'elle deviendrait, peu à peu, l'héritière culturelle de ses propres colonies. Et ainsi en serait-il de l'Espagne et du Portugal. Quant à la France, « fille aînée de l'Église, berceau de la Révolution et giron de la Culture », en l'absence d'une colonie capable de devenir, à ses yeux aussi bien qu'aux yeux des autres nations, aussi puissante qu'elle-même, elle allait s'inventer des domaines compensatoires, notamment l'Amérique latine, susceptibles de lui procurer l'érotique culturelle qu'elle avait refusé dans ses colonies d'aujourd'hui et de naguère : Algérie, Haïti ou Canada.

Lorsque Tocqueville composa, en hommage aux États-Unis d'Amérique, cet hymne nommé *De la démocratie en Amérique*, il avait la nette impression d'une sorte de nouvelle incarnation de la France post-aristocratique au Nouveau Monde, mais en anglais seulement. Tout cela illustre donc, corollairement, l'échec de la France à produire une pensée française plus-que-française dans ses colonies et, en conséquence, le constat implicite de la lente « minorisation » à laquelle la France elle-même se verra inéluctablement acculée, à l'égard de ces Mondes Nouveaux, qui la dépasseront en une autre langue que la sienne. Elle ne s'en est pas encore remise jusqu'à ce jour, d'ailleurs.

Ainsi ne faudrait-il pas se surprendre si la France est devenue, au cours des années et sans trop en avoir conscience, une minorité parmi les autres à l'intérieur de la francophonie. Une minorité qui s'ignore comme telle, mais dont personne n'est vraiment dupe. Et je me demande maintenant si le célèbre *Portrait du colonisé* d'Albert Memmi ne s'appliquera pas de plus en plus à la France elle-même et à ses comportements de minoritaire complexé face à la langue anglaise et à la culture rock plutôt qu'aux anciennes colonies de l'Hexagone. Justement, la contribution d'Albert Memmi dans *L'Arbre à palabre* s'intitule précisément « Francophonie, nouvelle chance pour la France » ; que ce type de réflexion vienne d'un francophone et non pas d'un Français est révélateur.

La palabre des minoritaires

En fait, francophones ou français, nous sommes tous devenus, depuis un demi-siècle, des minoritaires attendant un événement – je ne sais trop lequel, notre propre rencontre avec nous-mêmes, peut-être ! Nous sommes tous tant que nous sommes des « minorisés » attendant, inconsciemment ou pas, l'Événement qui nous rendra un jour enfin majoritaires. Mais encore faudrait-il savoir – au-delà de cette congruence molle de nations disparates n'ayant pas encore ressenti le besoin de s'inventer un rêve commun qui les transcende toutes –, encore faudrait-il savoir ce qu'est, et ce que pourrait être, la francophonie intégrale.

Pour peu qu'on prête l'oreille aux rumeurs crépusculaires circulant autour de *L'Arbre à palabre*, on prend aussitôt conscience de l'existence d'une ligne de démarcation révélatrice. En effet, les Français tendent à se montrer des gestionnaires de la langue, tandis que les non-Français conviés également à exprimer leur point de vue sont souvent des créateurs, des artistes et des écrivains (comme Hector Bianciotti, Édouard Glissant, Nabile Farès, René Depestre, Tahar Ben Jelloun). Il y a, bien sûr, des exceptions, et certains se retrouvent dans les deux camps. Mais ce qui émerge et qui est fondamental, c'est que la parole francophone questionnant l'espace francophone est, elle-même, essentiellement biculturelle, pour ne pas dire bilingue, et plus souvent qu'on ne pense, trilingue : créole-français, arabe-français, québécois-français, à quoi s'ajoutent l'espagnol, l'anglais, si ce n'est un tiers parler vernaculaire ou autochtone, etc. En contrepartie, la parole hexagonale, la parole française de France s'avère à la fois institutionnelle et monoculturelle. Rares sont en vérité les Hexagonaux qui ont été forcés par le destin à camper sur un espace intermédiaire, métissé, situé quelque part entre la France et la francophonie. Or est-il possible pour le « Franco-Européen » de devenir francophone sans se « déshexagoner » le cortex ?

Sans doute l'un des problèmes inhérents à la francophonie est-il qu'il n'y a pas *a priori* d'identité francophone, sinon par opposition à la France. À moins, bien entendu, d'imaginer quelque phénomène précurseur de notre devenir commun et de se permettre de rêver librement. « Les écrivains, affirme Glissant, savent que la langue dont on rêve, la langue qu'on rêve est toujours plus accomplie que la langue qu'on utilise, la langue qu'on parle. » À défaut de parler francophone, rêvons donc francophone.

Toutes les langues de la francophonie sont nées d'une séparation de ce français normatif auquel nous sommes cependant forcés de revenir, ne serait-ce que pour en marquer symboliquement notre dissociation. Ainsi, c'est à travers des paroles d'une éclatante beauté que René Depestre viendra exprimer cette échappée géographique qui donna naissance au créole :

Pour se donner une identité d'homme dans les Caraïbes, les Haïtiens se firent voleurs de feu. Ils volèrent à la France le

314

temps de ses verbes, la flamme de ses signifiants et de ses signifiés. À partir des héritages propres aux dialectes africains, l'imaginaire haïtien se constitua hardiment en « métier à métisser » le vocabulaire français. Tout en ayant l'air de vouer son âme aux séductions, aux charmes du français, Haïti changea ses lois cartésiennes en « loas », [ses locuteurs ne cessant jamais] de demander à la langue française de rafraîchir les rives de leurs rêves[1].

Évidemment, c'est toujours la périphérie qui métisse. Rimbaud a eu beau fuir jusqu'en Éthiopie le *terrorisme éclairé* de l'Académie, pris dans son propre étau, il a préféré ne plus écrire plutôt que d'*abyssiniser* l'Académie. Or existe-t-il vraiment un autre choix ?

Voilà à mon avis le défi principal de la francophonie. Les francophones sont, en immense majorité, des locuteurs bilingues, à cheval sur deux ou trois cultures. Ils sont forcés de se normaliser à travers une langue – le français – qui leur est simultanément facteur de coercition et instrument de libération. C'est cette ambiguïté qui fait leur force ; et, réciproquement, c'est leur assimilation à la France qui sonne le glas. Ce que tous les francophones ont en commun, c'est leur différence fondamentale par rapport à une France sans laquelle ils n'ont rien en commun.

« Nous les francophones de la planète, s'écrie finalement René Depestre, nous devons jeter notre vitalité, notre imagination, notre force de création dans le métissage du monde. » Oui, oui. Mais tout en métissant les franges déjà transculturelles de la planète, il ne faudrait certes pas oublier de métisser la France au passage. Et surtout, de l'informer de notre présence définitive dans cette langue dont elle n'aura jamais plus l'exclusivité. Dans une telle perspective, et au-delà même du traumatisme colonial qui lui a donné naissance, il apparaît alors que c'est la francophonie qui sauvera la France avec elle ou malgré elle. Car c'est bien ce que révèle, en dernière instance, tout le non-dit de *L'Arbre à palabre*, fût-il baobab, manguier ou érable !

J. M.
Côte-des-Neiges (Montréal), 1987

Note

1. René Depestre, « La parole française en Haïti », dans Michel Tétu (dir.), *L'Arbre à palabre des francophones,* Montréal, Guérin éditeur, 1987, p. 48.

La francophonie océane :
le souffle des isles lointaines*

> Isles
> Isles
> Isles où l'on ne prendra jamais terre
> Isles où l'on ne descendra jamais
> Isles couvertes de végétation
> Isles tapies comme des jaguars
> Isles muettes
> Isles immobiles
> Isles inoubliables et sans nom
> Je lance mes chaussures par-dessus bord
> car je voudrais bien aller jusqu'à vous.
>
> BLAISE CENDRARS

> Enfin, des isles sur lesquelles on n'écrit pas,
> mais qui s'écrivent elles-mêmes.
>
> DÉREK WALCOTT

« Les identités ne sont pas éternelles ». Coiffant un texte sur la musique brésilienne au moment de son immense popularité en France, cette proposition interpellait le lecteur dans les pages musicales du quotidien parisien *Le Monde*[1], voix officieuse, s'il en est une, de la présence française et de son influence culturelle sur la planète.

Qu'est-ce qui n'était pas « éternel » au juste ? La musique du Brésil ou l'urgence pour la France d'aller chercher hors d'elle-même un nouveau souffle identitaire ? À moins qu'une telle assertion n'ait été que prétexte à revendiquer le droit à la spontanéité et à la différence. L'extrême nécessité

---

* Une première version de ce texte, légèrement remanié ici, a paru dans *Géographie et cultures*, Paris, n° 15, 1995, p. 85-103.

317

de la différence pour dépasser, par la force libératrice du métissage, les « liturgies » déjà accréditées, alors que, pour reprendre les mots de l'auteur de l'article précité, « de nouvelles différences surgissent chaque jour sans avoir besoin de les faire pousser sous des serres culturelles ».

À bien y repenser, on dirait presque un énoncé sur la francophonie !

À première vue, en effet, la francophonie se joue à l'échelle intercontinentale – Europe, Afrique, Amérique et quelques fragments venus d'Asie –, s'accordant à un univers politique du même ordre éparpillé – Mitterrand, Diouf, Chrétien... Mais si les continents dérivent, qu'en est-il des institutions qu'ont voulu créer, pour mieux conserver leur mémoire, des hommes politiques dont la trajectoire risque de dériver elle aussi rapidement ?

On prétend même, dans certains cercles, que la francophonie institutionnelle risque de se voir jeter assez vite aux oubliettes avec, d'une part, le repli de la France sur l'Europe et, d'autre part, une politique canadienne chevauchant le Commonwealth (cet anachronisme utile) et la francophonie (cet espace indéfini), mais galopant allégrement vers le libre-échange avec les États-Unis et le Mexique.

Pour pallier les technocraties officielles et la froideur des États, heureusement qu'il existe, aux marges des vieux continents, des mondes insulaires qui continuent de résister, avec toute la force d'une invocation et le souffle des alizés. Isles situées aux croisements de l'histoire et de la géographie ; isles peuplées de résistances farouches et mêlant les accents d'un temps ouvert aux désirs du Grand Océan ; isles d'où émergent, enfin, langues inédites et parole d'un nouvel espace : la francophonie océane. Patrick Chamoiseau, Dérek Walcott, René Depestre, Jean-Marie Le Clézio, Jean-Marie Tjibaou, Maryse Condé, Déwé Gorodey..., leurs noms mêmes constituent une nouvelle écriture et marquent le rythme d'un monde appelé francophone, mais qui parle quelle langue, au juste ?

« *Bannzil kreol* ! Indépendance kanak ! *Ayti* libérée ! »

Entre Porto Rico et la Trinité (Trinidad), à mi-chemin le long du chapelet des Petites Antilles, se trouve Sainte-Lucie, lieu de naissance de Dérek Walcott, Prix Nobel de littérature[2]. La Dominique, les Grenadines, La Désirade, Marie-Galante, Arube, que viennent évoquer pour nous tous, lecteurs de cartes géographiques, ces noms qui ne cessent de naviguer à travers la poésie de Walcott ?

> Anguille, Adine,
> Antigue, Cannelles,
> Andreuille et tous les *l*,
> Voyelles des Antilles liquides,
> Noms qui tremblent comme les aiguilles
> des frégates à l'ancre,
> [...]
> La quille des Odyssées,
> les volcans des Cyclopes,
> faisant craquer leurs histoires
> dans la paix des verts mouillages
> [...]
> Lettres liquides de la mer,
> *Repos donnez à cils*[3].

Souffle des isles lointaines. Tendresse et diversité de terres flottantes ayant conservé dans leur cale les bouquets et les parfums depuis longtemps évaporés dans les distilleries des empires retournés, avec la « fin » des colonialismes, à leurs vieux ports d'attache européens. Misères aussi du monde insulaire. Splendeur et abandon. Et création insoupçonnée.

Dans l'ensemble du monde francophone, il se passe actuellement un phénomène nouveau dont on mesure mal l'ampleur et la profondeur. Le centre de la littérature de langue française n'est plus en France, mais en périphérie créole.

Si, depuis la fin de la Seconde Guerre mondiale, Paris n'est plus – l'a-t-on assez souvent fait remarquer – le centre de l'Occident, ce n'est guère plus la Ville lumière qui est le centre de la créativité francophone. Une guirlande d'isles à travers le monde est en train d'apporter à la langue française et à l'imaginaire hexagonal le renouveau que ses propres provinces géographiques ou spirituelles n'arrivent plus à lui donner.

Poussières sur l'océan et confettis de l'Empire

Issue de tous les océans de la planète, la Francophonie océane incarne les échappées non seulement de la Vieille Europe, mais aussi de la Nouvelle Amérique, d'une certaine façon. Car ce n'est pas du rêve américain qu'il est question ici et ce n'est pas non plus l'exotique insulaire. À vrai dire, un autre « vaisseau ivre » est en train d'émerger, vaisseau cherchant toujours, à l'aube de l'an 2000, sa jauge et son nom.

Peut-être s'agit-il, en fait, d'une nouvelle Renaissance succédant à la Modernité. Paradoxal tout de même que les siècles de la grande expansion coloniale qu'on s'est tellement efforcé de faire oublier sous le masque, justement, de ce qu'on nommera l'« âge de la modernité », soient en train de se voir remplacer, à leur tour, par l'« âge de la créolité[4] ». Ainsi une guirlande d'isles, disposées autour de l'équateur et ceinturant le monde comme les anciennes sphères armillaires des géographes de la Renaissance, est-elle en train de redéfinir la carte d'un Nouveau Monde millénaire.

Dans la *mer des Caraïbes* se trouvent la Martinique, la Guadeloupe, puis Saint-Martin, Sainte-Lucie, la Grenade, la Dominique et ce lieu créole par excellence, Haïti ; au *Pacifique*, Nouvelle-Calédonie, Vanuatu, Wallis-et-Futuna et Polynésie française ; et dans l'*Océan Indien*, Réunion, Seychelles, Maurice, Madagascar, Comores et Mayotte.

Et cette liste est loin d'être exhaustive. Il y a des « dépendances », telles Saint-Barthélémy, La Désirade, Marie-Galante, près de Guadeloupe ; Rodrigues qui « appartient » à l'isle Maurice et les isles Loyauté, au large de la Nouvelle-Calédonie. Il y a, de plus, les territoires constitués de plusieurs grands archipels, telles la Polynésie française avec ses Isles de la Société, les Australes, les Tuamotu-Gambiers et les Marquises. Et aussi, ces isles excentriques voguant sur des mers froides : Saint-Pierre-et-Miquelon, au flanc de Terre-Neuve, les terres Australes (Kerguelen, Crozet, Nouvelle-Amsterdam et Saint-Paul) qui frôlent l'Antarctique.

Dans le contexte aussi multinational et transculturel que la francophonie océane, l'unilinguisme apparaît alors exceptionnel. Voilà pourquoi un univers comme celui de la « France australe », par exemple, fait coexister bien d'autres langues à côté du français : chinois, javanais, vietnamien, arabe, une multitude de langues qualifiées de « tribales », et aussi le tahitien, le marquisien, le wallisien, le bislama ou bêche-de-mer, etc.

On s'en voudrait de ne pas mentionner l'une des langues « insulaires » que le français a sans doute contribué à influencer le plus à travers l'histoire, soit l'anglais. Si l'on a parlé français durant quelques siècles, à la cour d'Angleterre, au point d'avoir des expressions consacrées typiquement britanniques telles que « Dieu est mon droit » ou « Honni soit qui mal y pense », etc., nous éprouvons quelque hésitation à faire de l'anglais l'une des langues constitutives de la francophonie, mais il n'en demeure pas moins qu'il y a plus de locuteurs francophones à Londres que dans bien des villes d'expression française.

Si certaines isles, enfin, ne semblent résonner qu'aux cris des oiseaux migratoires, tel Clipperton (atoll du Pacifique), force est de constater, une fois établie cette énumération, qu'il y a surtout des isles où l'on parle créole (*kreol*). Fruit direct de l'expansion coloniale française depuis le XVIᵉ siècle, c'est avant tout une langue neuve et un esprit métissé que la francophonie océane apporte dans son sillage.

Un univers en mal de définition

Née sur tous les océans de la planète, la francophonie océane porte donc en son sein un morceau de tous les peuples océaniques de la planète. S'il est relativement facile de localiser ces isles sur la carte – la francophonie apparaissant, pour certains, un excellent prétexte pour deviser avec la carte du monde –, vouloir accorder à leur ensemble une quelconque unité semble, de prime abord, aboutir directement à l'impossible. Et pourtant, la langue, c'est-à-dire les sons communs auxquels se rattache une culture, de même qu'une indicible communauté d'esprit – et donc, cette façon dont une langue commune laisse appréhender le monde –, permet de rejoindre dans un même désir culturel ce que l'espace a séparé. Ainsi est-ce surtout dans ses différences que le français-créole devient langue commune de la francophonie ! Paradoxe des plus prometteurs et des plus productifs, faut-il convenir.

En conséquence, sous le vocable « aire créole », on pourrait englober l'ensemble des isles de la Caraïbe et de l'océan Indien, là où tous les *français-créoles* servent de ciment vernaculaire à des peuples flottants sur de multiples identités. Apparaît alors une *bannzil kreol* (bande d'isles créoles) qui, de rhizomes en mangroves ou de haute mer en fosses océaniques, naviguent sur leurs racines, retrouvant ainsi un substratum politique et culturel qui se déploie depuis les Seychelles jusqu'à Haïti, en chevauchant l'Afrique entière[5].

Ce n'est pas pour rien que l'œuvre d'un Frantz Fanon aura rejailli sur l'ensemble du monde francophone et lui aura insufflé une unité dont il ne se savait guère porteur. Ayant toutes connu l'économie de plantation, les isles ont souvent changé d'allégeance, passant allégrement de la France à l'Angleterre, et vice versa, et quelquefois à l'Espagne. Dans un tel contexte, les territoires d'outre-mer (TOM) strictement français constituent l'exception. Il ne faut donc pas se surprendre si les isles sont souvent aujourd'hui des États indépendants multilingues où le français, le créole et l'anglais sont langues officielles.

Quelquefois, c'est la langue elle-même qui, telle le « franco-américain », devient une isle aux contours incertains voyageant sur un océan territorial venant la menacer de toutes parts. La francophonie océane « territoriale » forme cependant une autre réalité du fait francophone, aussi révélatrice que complémentaire que celle des isles, mais à laquelle nous ne pouvons faire ici qu'une brève allusion[6].

Ce qui découle de cette situation composite, c'est qu'on ne peut surtout pas réduire la Francophonie océane au seul critère linguistique, quelle que soit l'originalité de la langue. Devrait-on, dans un proche avenir, parler un créole tahitien-français à Papeete, ou alors souligner l'existence, depuis au moins un siècle, d'un français-créole dans quelque bourg obscur de la Nouvelle-Calédonie, le « Franco » du Pacifique n'y trouvant jamais entièrement sa place. Au Vanuatu, c'est le bislama (dérivé principalement de l'anglais et non pas du français) qui constitue la langue nationale. Les mers du Sud se distinguent d'ailleurs de l'océan Indien et de la Caraïbe du fait qu'elles n'ont jamais, pour leur part, connu de migrations forcées en provenance de l'Afrique.

Certes, les isles du Pacifique ont vécu l'empire colonial français, mais une telle présence s'est fait sentir sur le tard et souvent à contrecœur. Ainsi, l'administration conjointe franco-britannique des Nouvelles-Hébrides (ex-condominium devenu aujourd'hui le Vanuatu) ne remonte qu'à 1906, et la France et l'Angleterre se sont retirées de façon définitive du pays en 1980 seulement.

Certes, RFO ou RFI, Radio France outre-mer ou internationale se font entendre tous les jours, et les livres, journaux, revues métropolitains et toute la gamme des périodiques français se rendent dans les chefs-lieux, pendant que les écoles françaises foisonnent d'étudiants. Mais peut-on en inférer pour autant que toutes ces isles ne conservent que la France hexagonale comme point de repère ?

Affirmer qu'il n'y a que la France seule et l'idée de France derrière la francophonie océane ne constitue qu'une déclaration d'unité minimale. Force est de regarder immédiatement ailleurs si l'on veut un tant soit peu appréhender et tenter de circonscrire un tel univers.

Une parole retrouvée

Pour désigner ou évoquer les isles, les écrivains, navigateurs et géographes ont toujours eu, dans leurs valises, des noms et des images symboliques pris en dehors des isles, souvent puisés, d'ailleurs, dans la mythologie gréco-romaine.

Qu'elles soient lointaines, exotiques, isolées ou paradisiaques, parfois désertes ou infernales, les isles n'en continuent pas moins d'exercer un pouvoir mythique sur les habitants des *vieux pays*. Confettis dans l'histoire de l'Occident, « isles sirènes qui entraînent les Robinsons impénitents à l'autre bout du monde[7] », les terres insulaires n'en finissent pas de se démultiplier en un nombre infini de Sainte-Hélène pour devenir le lieu d'exil par excellence.

Mais la parole qui aborde les isles comme des objets de rêve, de convoitise ou même de méditation est une parole d'empire qui perçoit les isles tels des navires ancrés à perpétuité sur l'océan du désir. Isles-rivages vêtues de la nudité première où déposer la demande d'amour refluée de l'Occident, le temps de rentrer chez soi se revêtir pour retrouver le véritable centre de l'univers chrétien, bien couvert de rites habillés.

Si les isles sont situées aux confins mêmes de l'espace francophone, ce n'est que pour mieux les contempler en les oubliant dans une périphérie sans conséquence aux yeux des chargés de décision de la grande francophonie universelle. Or voilà soudain que ces «microcosmes à la dérive de l'histoire» sont en train d'imposer leurs voix, mettant le cap au-delà de la navigation qui leur a été assignée depuis toujours :

> Que suis-je ? Rien, pas encore, demain peut-être. Non, l'état-civil ne me suffit pas. J'ai besoin d'une autre dimension. Mon nom s'écrit avec l'alphabet latin, mais ma vie s'écrira avec mon souffle, et le souffle de ceux qui souffrent du manque d'être. Nous ne sommes assurément pas encore. On me dit Tahitien, mais je le refuse. Tahiti, c'est un produit exotique, fabriqué par des Occidentaux, pour la consommation de leurs compatriotes[8].

Mais quel est ce souffle qui renvoie l'exotisme chez lui au nom même de l'altérité, altérité refusée par le grand baptême d'un Occident qui aura prescrit aux isles leur nom, leur imposant, par le fait même et sans consultation, ses rêves et sa religion ? Quel est donc ce souffle qui échappe toujours à la consommation ? La réponse se trouve d'abord du côté des métaphores venant proposer, à leur tour, une poésie oubliée, un vocabulaire enfoui dans le sable ou flottant sur les cocoteraies. Retournement de l'exil, mais aussi errance, vagabondage, mouvance, voyagements... Bref, créolité et métissage.

Larguées un jour à la dérive de l'histoire, voilà que ces isles deviennent des lieux de convergence où se récrit précisément l'histoire de l'humanité entière. Au-delà des terribles cicatrices incrustées dans la peau de l'âme par les déportations, les prévarications, l'esclavage et le système de plantation, de nouveaux peuples sont apparus et voilà qu'un nouveau langage a suivi leurs ébats. Désormais le « franco-black » et le « natif-natal » ont investi Paris, sa mode et sa musique. Et surtout, une nouvelle écriture est en train de naître.

« Nous sommes condamnés à la créativité. Nous sommes condamnés à faire éclater tous les genres, de la musique-peinture à l'écriture qui danse. La richesse culturelle de la Caraïbe est si grande que nous en sommes ébranlés. » Tel est le message répété d'un Dérek Walcott[9].

Tels sont aussi les messages que véhicule la génération de l'aller-retour Europe-Amérique ou Nord-Amérique-Caraïbe – essayistes, poètes ou philosophes : Patrick Chamoiseau, Édouard Glissant, René Depestre, Raphaël Confiant, Maryse Condé. Édifiant leur monde, ces écrivains reconstruisent le monde. Transcrivant sur papier la parole perdue de l'alizé communautaire, ils arrachent ainsi à l'obscurité et au soupir de l'Histoire une magie et un message que nul ne peut plus désormais ignorer :

> Brisez un vase et l'amour qui en rassemblera les fragments sera plus fort que celui pour qui sa symétrie allait de soi quand il était entier. La colle qui ajuste ces fragments en scelle la forme originelle. C'est un amour analogue qui rassemble nos fragments africains et asiatiques, héritage brisé dont la restauration laisse voir les blanches cicatrices. Rassembler les morceaux est le douloureux souci des Antilles, et, s'ils sont disparates, s'ils s'ajustent mal, ils recèlent plus de douleur que leur forme originale, ces icônes et ces vases sacrés qui dans leurs lieux ancestraux sont une évidence. L'art antillais est cette restauration de nos histoires en miettes, de nos fragments de vocabulaire, notre archipel devenant synonyme des fragments détachés du continent originel[10].

L'expatriation obligée chez les ressortissants des « isles fortunées » de la mythologie devient, aux yeux de l'Européen en quête d'incarnation exotique, joyeux exil ou errance volontaire pour le plaisir des lettres. Alors que, ni analphabète ni européen, le vagabond de l'entre-deux « n'est plus ni le voyageur, ni le découvreur, ni le conquérant, [mais un être] qui cherche à connaître la totalité du monde et sait déjà qu'il ne l'accomplira jamais, et qu'en cela réside la beauté menacée du monde[11] ».

Écrivains « anté-illais » (on sait que le vocable Antille vient de la contraction de Ante-Isle, c'est-à-dire la barre de la découverte aperçu juste avant les isles, à la naissance même de l'Amérique), écrivains des Isles, comme on disait « parfums des Isles » ! Que non et que oui à la fois ! Témoins plongeant dans la mémoire enfouie depuis des siècles et qui reprennent possession de leur géographie, chantent leur histoire et écrivent l'épopée qui redessinera enfin la trame du pays.

Il n'est, pour s'en convaincre, que d'écouter le chant-complainte de Marie-Sophie Laborieux, à propos de son amant vagabond Arcadius le Driveur, celui qui ne tient pas en place, aspiré dans une errance perpétuelle et égaré sur les chemins obscurs du désir et de la folie[12] :

J'allais avec Arcadius, mais le ramenais doucement à ma case ; et là, je lui offrais les contentements du monde, livrée sans mesurage, faisant ce qu'il aimait et que je découvrais en explorant son corps. Afin de lui ôter les charmes de la drive, je lui ouvrais des cantiques dans les graines, je semais des douceurs dans chacune de ses pores, je suçais son âme, je léchais sa vie. Je m'efforçais de nous fondre l'un à l'autre et de lui offrir un ancre. Ma coucoune se fit chatrou pour l'aspirer et le tenir. Elle se fit pomme et poire et petite cage dorée, elle se fit poule-et-riz, elle se fit liqueur-sucre à laquelle suçoter, elle se fit tafia à 65 degrés temple des ivresses fixes, elle se fit madou-blanc à cueillir goutte par goutte d'une langue arrêtée, elle se fit dangereuse comme la fleur-datura qui pétrifie les jambes, elle se fit grande blessure impossible à soigner sans s'y greffer à vie, elle se fit pince-coupante le serrant juste assez pour napper le plaisir, elle se fit chouval-bois qu'il pouvait chevaucher autour d'un point central, elle se fit petit-gibier-tombé à lover dans sa main pour s'endormir cent ans, et elle s'écartela pour devenir béante, chemin-grand-vent sans murs ni horizon où il pouvait aller tout en restant en moi. Mais à chaque fois, il me quittait[13].

Quelle langue pulpeuse, quels phonèmes savoureux qu'on se prend à vouloir déguster à tout moment ! Quelle émotion et quel souffle ! Exil devenu errance, errance se transformant tout doucement, par la seule force de la caresse géographique, en enracinement portatif. Bref, de l'amour-amarre à l'amour-enracinement.

« À chaque fois, il me quittait ! »

À chaque fois, il devait ainsi revenir s'il lui fallait la quitter, son isle ! Pulsion entre enracinement et départ, entre l'aller-détour et le détour-retour, pour paraphraser Glissant. Succion en fleur évoquant la tension, la pluralité qui a toujours marqué l'univers antillais.

Créer un monde, pétrir une langue : métis-créole, langue-coucoune. Reconstituer le morne vicinal ou l'univers entier à partir de cultures fragmentées, de tous les fragments de peuples venus s'échouer et s'ébrouer sur ces rives aux faciès multiples, telle est la condition caraïbe et le défi antillais. Et son rayonnement, aussi. Ce n'est sûrement pas un hasard si un ouvrage récent sur l'émigration Antilles-métropole porte comme sous-titre « la troisième isle[14] ». Juste revanche de l'histoire !

C'est encore Dérek Walcott, cette espèce de Jack Kérouac tropical, qui évoque mieux que quiconque, à nos yeux, cet homme nouveau de la Caraïbe, né à l'extrême frontière francophone. Prix Nobel de littérature, originaire de l'isle au « créole-french-patois » de Sainte-Lucie, enseignant la littérature à Boston, il semble on ne peut plus anglophone et noir américain. Mais dès qu'on se prend à l'écouter parler, dès qu'on se met à parcourir ses textes, on découvre un univers sous-jacent qu'aucun écran continental ne réussit à masquer. Voilà pourquoi il avouera, le sourcil en misaine, « assiste[r] au petit matin d'une culture qui se définit, branche après branche, feuille après feuille[15] », lui, le chabin (sang-mêlé) qui avait déjà remis ses lettres de créance en ces mots :

Je connais ces isles de Monos à Nassau,
matelot à tête rouillée et aux yeux vert-de-mer
qu'ils ont appelé Chabin, le surnom, en patois,

de tous les nègres rouges, et moi, le Chabin,
j'ai vu quand c'était le paradis ces *slums* de l'empire.
Je suis rien qu'un nègre rouge qui adore la mer,
J'ai reçu une éducation coloniale classique,
J'ai du nègre, du Hollandais et de l'Anglais en moi,
Ou bien je suis personne, ou je suis une nation[16].

Ce mulâtre de la Franco-Caraïbe anglophone terminera son discours en ces termes, au Grand Auditorium de la Salle des concerts, à Stockholm :

Je suis ici au nom de tous ces gens, sinon à leur image, mais aussi au nom du dialecte dans lequel ils communiquent comme frémissent les feuilles des arbres. Ces arbres qui portent des noms plus flexibles, plus verts qu'en anglais – laurier-cannelle, bois-flot, bois-canot – ou les vallées que ces arbres annoncent – Fond Saint-Jacques, Mabonya, Forestière, Roseau, Mahaut – ou les plages désertes – l'Anse Ivrogne, Case en Bas, Paradis – toutes choses qui sont en soi chansons et histoires, dites non pas en français, mais en créole[17].

Les frontières de la Francophonie océane sont profondément perméables ; les mornes pénètrent la mer et la mer se fait océan. Les micronésies ont peut-être, pour certains, une superficie insignifiante, mais c'est de cette insignifiance territoriale que sont nées l'originalité et la force des isles. Elles ne connaissent généralement pas de frontières politiques intérieures, elles font fi des obligations raciales et grammaticales, et les diktats de l'histoire reçue ne les atteignent souvent que par ricochet.

Que ce soit aux Antilles ou dans le Pacifique, la francophonie océane exige dorénavant pleine reconnaissance dans l'attente d'un monde qui refusera un jour, pour sa propre richesse, d'emporter toutes les îles dans sa folie assimilatrice.

Et la géographie, se demandera-t-on, où se retrouve-t-elle à travers le dédale du discours insulaire et l'affirmation de cette nouvelle identité composite en train de renvoyer à l'Occident une image qui le séduit et le dépasse à la fois ?

Le paysage insulaire ou la géographie créole

Caractérisé par des espèces végétales venues, tout comme le vocabulaire créole, des quatre coins de l'univers, et qui se sont ajoutées aux espèces indigènes, le paysage des isles revêt un air qui, à force de paraître emprunté, lui est devenu propre. Et c'est pourquoi la physionomie des paysages révèle le caractère unitaire des isles, comme s'il y avait effectivement une géographie créole.

Microcosmes où se joue et se dessine l'avenir du monde, les isles sont devenues des lieux de renaissance parce qu'elles ont toujours été des lieux de rupture. Rupture par rapport aux continents et au continuum de l'espace, rupture par rapport au passé et à l'histoire écrite, la francophonie océane, fracture tectonique et culturelle dans l'histoire de l'humanité.

La douleur de la traversée – rupture originelle – est inscrite dans la mer, le rivage évoquant le point d'ancrage et de non-retour. Désormais, et à l'inverse de l'Eurafrique, le soleil de l'Amérique caraïbe se lèvera sur la mer, alors que, derrière le couchant, se profile la terre entière. C'est pourquoi, comme le pressent encore Walcott, la mer est le passé, la mer est histoire... l'Histoire :

> Où sont vos monuments, vos combats et vos martyrs ?
> Où se trouve votre mémoire tribale ? Messieurs,
> Dans ce caveau gris. La mer. La mer
> les a enfermés. La mer est l'Histoire[18].

Par contre, dès qu'on se trouve sur la terre ferme des isles, « le soupir de l'Histoire se dissout ». Pas de ruines ici à commémorer ou dont il faut déplorer l'absence. Seul se déploie un paysage magique dans lequel une végétation luxuriante cache des sanctuaires à demi clos, lieux intimes où sont venus s'échouer des fragments de tous les peuples de l'univers. Des toponymes à la poitrine affleurante comme les brisants ou au ventre ourlé dans les coulées racontent l'origine, la peine ou le rêve des habitants. Alors que, dans les villes, parmi les membrures de la tribu en cours de fabrication, apparaît « un

Babel d'enseignes, de boutiques et de rues, hybride, polyglotte, un ferment sans histoire, comme le paradis[19] ».

C'est, en effet, dans la ville aux quartiers foisonnants que bouillonne la parole et se tisse la culture : Texaco, Fort-de-France ; Faaa et Mahina, Papeete ; Chaudron, Saint-Denis de la Réunion. Des villes qui ne sont souvent que des « bourgs agrandis », des quartiers désordonnés faits « d'ouvrages baroques en bois » et de hautes galeries surplombant des rues grouillantes et des échoppes mystérieuses. Villes aux multiples senteurs où parviennent encore des effluves de campagne, l'odeur des champs et le jacassement des basses-cours entières permettant de nourrir quotidiennement des êtres dont les appétits ne connaissent aucune frontière. Villes qui sont, pour citer de nouveau Walcott :

> [...] d'une telle diversité raciale que les cultures du monde, asiatique, méditerranéen, africain, y seraient représentées, avec une variété humaine plus passionnante que celle du Dublin de Joyce. [Leurs] citoyens se marieraient entre eux comme ils le voudraient, par instinct, non par tradition, jusqu'à ce que leurs enfants jugent de plus en plus inutile de retracer leur généalogie[20].

Marcher dans les rues de Nouméa, c'est côtoyer ce monde ouvertement interlope, fait de Kanaks et de Caldoches, de Métropolitains et de Pieds-Noirs, de Wallisiens et de Tahitiens, de Ni-Vanuatuais, d'Arabes et d'Antillais, de Vietnamiens et d'Indonésiens. Et qui d'autre encore, sinon un missionnaire franco-canadien ayant troqué son passé continental pour sa destinée insulaire afin de livrer au monde son message ! Déambuler sur le *quai des longs courriers* à Papeete au crépuscule et croiser tous les restaurants-fourgonnettes alignés, c'est se faire proposer la cuisine du monde entier.

Joël Bonnemaison, géographe français ayant travaillé au Vanuatu plus de vingt ans, décrit la réalité insulaire en ces termes :

> Les gens des isles cherchent à intensifier leurs liens internes et multiplier leurs relations avec l'extérieur. Le but est de dépasser le confinement de l'espace. Vivre dans l'isle, du coup, n'est pas s'isoler, mais bien au contraire vivre dans un espace de communication privilégié où l'autre est intensément proche.

Coupés du monde, les gens des isles doivent en effet réinventer leur monde ; ils sont obligés d'être particulièrement créatifs. Confinés dans un espace miniature, ils doivent, pour échapper à la déraison, animer chaque lieu d'un surcroît de sens. Non seulement ils arrivent ainsi à intensifier leurs liens, mais ils parviennent à donner à leur espace une dimension culturelle particulièrement forte[21].

Est-ce là ce que réalisent, à leur façon, les écrivains – un Walcott à travers sa poésie ou un Chamoiseau dans sa prose ? Échapper à l'histoire par l'espace et revenir à l'histoire par tous les pores de la mer et de la géographie !

Isles à double battant

Habiter l'extrême marge de l'espace francophone, c'est vivre en contact permanent avec un monde autre que francophone. Et donc se retrouver en état de métissage constamment renouvelé : se lever dans une langue, manger dans une autre et assister à la fin du jour sous un silence pluriel.

C'est aussi changer de langage à travers l'espace d'une vie, porter en soi la mémoire de plusieurs peuples et servir ainsi, dans son propre corps, à la réconciliation d'esprits qui, autrement, n'auraient peut-être jamais pu se rencontrer !

Pluriethniques, multilingues et transculturelles, telles sont les marges d'un espace francophone qui reçoit, sur son propre fonds, d'autres langues déjà plurielles dans leur apport. Si bien que, venant s'ajouter au français, l'anglais, l'espagnol, le tahitien, l'arabe, le comorien, l'hindoustani, le chinois, le bislama, etc. participent déjà au « métier à métisser » de l'univers franco-créole. Monde composite d'un avenir en cours d'édition où l'Hindou côtoie le Musulman, le Chinois, le Créole, l'Autochtone, le Caldoche, l'« Étranger » (comme ethnie, pourrait-on dire) et le « Zoreille » (le Blanc).

Au sein de l'espace francophone immédiat, composé des départements et territoires d'outre-mer (les DOM-TOM), se retrouvent donc des pays-isles pleinement indépendants mais tout à fait apparentés : Haïti, cousin germain géographique de la Martinique et de la Guadeloupe ; Comores et Mayotte, aux passés confondus ; Vanuatu, s'appuyant sur l'épaule nord de la Nouvelle-Calédonie, et l'île Maurice côtoyant la Réunion. La filiation entre ces isles à destins politiques si différents est profonde et inébranlable. Elle est inscrite dans la « coutume », la mémoire des gens, les grands mythes, les cicatrices du passé et les langues parlées : le « fer de lance » mélanésien, l'univers maori, le monde arabe et la *bannzil kreol*.

Au-delà de ces isles toutes réunies se profilent d'autres métropoles aux antipodes de Paris-Versailles : Miami et Caracas pour la Caraïbe, voire New York, Montréal ; Le Cap, Durban et Dar Es-Salaam pour l'océan Indien ; Sydney, Auckland et Honolulu – cette ville insulaire tellement équivoque, mi-Amérique et mi-océane –, sans oublier San Francisco-Los Angeles, pour le Pacifique. Chacune d'elles constitue une nouvelle ville-phare dotée d'une puissance insoupçonnée et attirant tous ces insulaires en quête de travail, de complément d'éducation, de partenaires commerciaux, de soins médicaux, d'idées neuves ou de destinations vacances. Bref, à la recherche de tout ce qu'une isle n'arrive jamais à offrir pleinement en raison de sa taille, de ses moyens limités et de son éloignement.

Grande ironie du sort, Londres, ce grand frère-ennemi impérial, se retrouve souvent dans l'arrière-chambre francophone, comme en filigrane. Si nombreuses sont les isles à avoir été ballottées pendant des décennies entre la France et l'Angleterre et leur soif d'un empire océanique absolu. C'est au Vanuatu (ex-Condominium des Nouvelles-Hébrides) que ces deux puissances ont finalement terminé leur course en arrivant, presque d'un commun accord, *ex æquo* dans la volonté de possession de ces terres oubliées de la Mélanésie. Nombreuses également sont les isles ayant vu débarquer la London Missionary Society avant la venue des maristes ou autre dénomination catholique, ce qui oblige donc le président d'une France républicaine en visite à partager, dignement jusqu'à ce jour, une prière bien protestante dès son arrivée dans un TOM lointain.

Ainsi les voies du Commonwealth altier et de la francophonie naissante s'entrecroisent-elles sur trois océans, Londres demeurant, pour bon nombre des ressortissants insulaires « francos », une incontournable référence.

C'est que les isles ne sont jamais tout à fait que des isles…

Elles ont beau donner lieu, dans leur sphère océanique, à un espace culturel élargi, il se crée simultanément, dans leur mouvance, un espace international échappant aux prévisions géopolitiques des vieilles *Annales* et que nous avons cru bon désigner sous le vocable de *francophonie océane*.

C'est alors qu'apparaît pleinement le véritable sens de cette grande porte « franco » à double battant sur le monde. D'un côté, Paris, et, de l'autre côté, ces métropoles nouvelles – Montréal, Miami, Caracas, Sydney – venant constituer autant de repères culturels inédits et marquer de nouveaux axes. De part et d'autre, de vastes univers d'appartenance procédant aussi bien d'origines proprement autochtones que du vécu colonial et de nouvelles invitations. Ainsi l'exemple d'un Port-au-Prince (Haïti) qui se retrouve effectivement entre Paris-Miami et New York-Montréal apparaît-il des plus éclairants !

En ce sens, les isles francophones constituent de véritables nœuds de convergence : nœuds maritimes et nœuds coulants laissant filtrer sables et courants au gré des marées transculturelles et des alizés géopolitiques. Lieux où déjà se dessine tout l'avenir de la francophonie, y compris, sans qu'elle le sache encore très bien, celui de la France et des « vieux continents ».

Quand Dérek Walcott présente, depuis la barre de la Caraïbe, ses papiers d'identité et ses passeports bien accrédités – « Je suis rien qu'un nègre rouge qui adore la mer,/[…] Ou bien je suis personne, ou je suis une nation » –, son affirmation rejoint directement celle de Duro Raapoto qui, depuis le Pacifique, lui fait déjà parvenir un élément de réponse – « Que suis-je ? Rien, pas encore, demain peut-être. »

C'est alors que la francophonie océane fait entendre sa voix jusqu'aux portes de cette nouvelle et troisième isle que devient la France hexagonale elle-même, pendant que la voix qui s'est emparée de Dérek Walcott nous interpelle une dernière fois :

> Il y a toujours [...] une force d'exultation, une célébration de la chance dans cette aube qui se précise, et c'est pourquoi surtout au bord de la mer, il est bon de faire du lever du soleil un rituel. Et puis le nom Antilles clapote comme l'eau graduellement illuminée ; le bruit des feuilles et des palmes et les cris des oiseaux sont les sonorités d'un dialecte neuf, la langue indigène. Avec un peu de chance, le vocabulaire intime et la mélodie individuelle au vers autobiographique se mêlent à ces bruits et le corps avance comme une isle qui s'éveille et marche[22].

Nul ne pourra plus jamais refuser d'accréditer une telle déclaration créole-océane. C'est en prenant directement appui sur ces lointaines franges métisses que la francophonie se transforme et se renouvelle de façon inéluctable. Depuis les isles franco-créoles des trois grands océans de la planète, nous assistons présentement à l'émergence de carrefours interculturels à partir desquels tout devient possible. Et c'est ainsi que monte le vibrant appel d'un René Depestre devant lequel nul ne peut rester indifférent : « Nous, les francophones de la planète, nous devons jeter notre vitalité, notre imagination, notre force de création dans le métissage du monde[23]. »

Ironie du sort

Au moment où les villes et les régions enclavées, exclavées ou périclavées, des vieux continents s'embrasent de nouveau et où leurs peuples s'entre-déchirent, voilà que perdure le rêve de Senghor d'établir une Francophonie sur les rives du dialogue entre isles et cultures.

Qu'en inférer, en dernière instance, sinon l'espoir que naisse un jour cette civilisation de la différence dans l'uni-

versel qui, jamais, n'a été aussi plausible que sur la trajectoire d'une francophonie devenue océane.

É. W. et J. M.
Suva (Fidji) et Belo Horizonte (Brésil), 1992

Notes

1. Hermano Viana, « Les identités ne sont pas éternelles », *Le Monde*, 15 août 1991, p. 10.

2. Sur Dérek Walcott, voir Jean Morisset, « Les isles ne peuvent exister que si nous avons aimé chez elles », *Le Devoir*, 13 octobre 1992.

3. *Anguilla, Adina,/Antigua, Cannelles,/Andreuille, all the l's,/Voyelles, of the liquid Antilles,/The names tremble like needles/Of anchored frigates,/ [...] /Shaft of Odysseus,/Cyclopic volcanoes,/Creak their own histories,/in the peace of green anchorage ;/ [...] /The sea's liquid letters,/Repos donnez à cils.* » (Extraits de « A Sea-Chantey », dans *In a Green Night. Poems 1948-1960*, Londres, Jonathan Cape, 1962, p. 64 ; traduction libre.)

4. Pour prolonger ici l'expression d'un groupe d'écrivains martiniquais (Jean Bernabé, Patrick Chamoiseau et Raphaël Confiant, *Éloge de la créolité*, Paris, Gallimard/Presses universitaires créoles, 1989).

5. Voir à ce sujet le texte de Robert Chaudenson, « Les langues créoles », *La Recherche*, n° 23, 1992, p. 248-256.

6. Nous en avons d'ailleurs traité amplement dans un ouvrage qu'il suffira de mentionner ici. Voir Dean R. Louder et Éric Waddell (dir.), *French America : Mobility, Identity and Minority Experience Across the Continent*, Bâton Rouge, Presses de l'Université du Sud-Ouest de la Louisiane, 1992.

7. Comme le proclame le texte de la page de garde du catalogue *Isles* consacré à l'exposition qui a eu lieu au Centre Georges Pompidou, Paris, Bibliothèque publique d'information et Librairie Gallimard, 1987. Voir aussi, sur la mythique insulaire, l'introduction de Frank Lestringant, « Isles », dans l'ouvrage de Monique Pelletier, *Géographie du monde au Moyen Âge et à la Renaissance*, Paris, Éditions du Comité des travaux historiques et scientifiques, ministère de l'Éducation nationale, de la Jeunesse et des Sports, 1989, p. 165-167.

8. Duro Raapoto, cité dans Bruno Saura, « Culture et renouveau culturel », dans François Ravault (dir.), *Encyclopédie de la Polynésie*, vol. 9, *Vivre en Polynésie 2*, Papeete, Christian Gleizal/Multipress, 1988, p. 61.

9. C'est à peu près en ces termes que s'était exprimé le peintre, poète et dramaturge, lors d'une apparition au Festival des arts de la Guadeloupe (Festag), en 1991.

10. Dérek Walcott, « Discours à Stockholm », *Lettre internationale*, Paris, n° 36, 1993, p. 38.

11. Édouard Glissant, *Poétique de la relation,* Paris, Gallimard, 1990.

12. Selon l'analyse de Gilles Anquetil, « L'utopie créole de Patrick Chamoiseau », *Le Nouvel Observateur,* 27 août-2 septembre 1992, p. 70-71.

13. Patrick Chamoiseau, *Texaco,* Paris, Gallimard, 1992, p. 391-392.

14. Alain Anselin, *L'émigration antillaise en France : la troisième isle,* Paris, Éditions Karthala, 1990.

15. Dérek Walcott, art. cité, p. 43.

16. «*I know these islands from Monos to Nassau,/a rusty head sailor with sea-green eyes/that they nickname Shabine, the patois for/any red nigger, and I, Shabine, saw/when these slums of empire was paradise./ I'm just a red nigger who love the sea,/ I had a sound colonial education, I have Dutch, nigger, and English in me,/ and either I'm nobody, or I'm a nation.* » (Extrait du poème « Adios, Carénage » publié dans *Le Royaume du fruit-étoile,* Saulxures-sur-Moselotte, Éditions Circé, 1992, p. 10 ; traduction libre. Le recueil original, *The Star-Apple Kingdom,* a paru à New York, en 1977, chez Farrar, Straus and Giroux.) L'expression « *slums of empire* » est de l'homme d'État britannique Lloyd George.

17. Dérek Walcott, art. cité, p. 44.

18. Dérek Walcott, extrait du poème « La mer est (l')Histoire » («*Sea is History* »), dans *Le Royaume du fruit-étoile,* ouvr. cité, p. 48.

19. Dérek Walcott, art. cité, p. 39.

20. *Ibid.,* p. 40.

21. Joël Bonnemaison, « Vivre dans l'isle : une approche de l'îléité océanienne », *L'Espace géographique,* n° 2, 1990-1991, p. 124.

22. Dérek Walcott, art. cité, p. 43.

23. René Depestre, «La parole française en Haïti», dans Michel Tétu (dir.), *L'Arbre à palabre des francophones,* Montréal, Guérin éditeur, 1987, p. 51.

Notes biographiques

JEAN MORISSET

Professeur au département de géographie, à l'Université du Québec à Montréal, Jean Morisset s'apprête à quitter son poste. Non pas, comme tant d'autres, pour prendre sa retraite, mais pour attraper de nouveau le vent qui passe. Parce que chez lui, la géographie coule dans les veines, et les veines sont d'abord ouvertes sur le fleuve. Le fleuve qui débouche aussi bien sur la Grande Prairie, le Haut-Arctique, le Brésil que sur la Mer Océane.

Né à Bellechasse, les pieds dans l'eau, et, fils de pilote « pour le havre et en aval », Jean Morisset a toujours navigué. Il a connu, tout jeune, le bouillonnement d'un univers profondément enraciné dans ses terres et totalement ouvert sur le monde.

Ce n'est donc pas un hasard s'il voyage sans cesse. Il est à la recherche de la mémoire du peuple « franco » d'Amérique, mémoire ensevelie quelque part sous les affleurements autochtones du monde : au Grand Nord, le long de la rivière Rouge, en Haïti, au Brésil, en Orégon, et même quelque part dans les isles lointaines de l'Atlantique au Pacifique.

Rêveur, poète, conteur, un peu, beaucoup nomade, revenant sans cesse au bercail, Jean Morisset a l'âme métisse, profondément.

ÉRIC WADDELL

Actuellement professeur à l'Université de Sydney, en Australie, où il occupe le poste de directeur de l'École des géosciences, Éric Waddell appartient à cette espèce de

géographes en voie de disparition, incapables de se dissocier du terrain... et de ce regard jusqu'à l'infini qui est le
propre de la grande prairie américaine et des isles de la Mer
Océane. Et aussi de tous les peuples et mélanges de cultures
qui les habitent et qui les parcourent ! Homme d'explora-
tion et de rencontre, Éric Waddell n'a jamais voulu perdre
de vue cette zone incertaine et marginale qui pétrit et fait
naître le monde entre les lignes de crête et le Grand Océan,
entre la terre nue et les mélanges en mouvance.

Débarquant en Amérique au tout début des années
soixante, dans la jeune vingtaine, en provenance de la vieille
Angleterre, pour s'inscrire en géographie à l'Université
McGill, il prendra aussitôt racine dans ce pays en pleine
effervescence en train de se donner un nouveau nom, une
liberté nouvelle... et appelé Québec. Mais, bientôt, il gagnera
les Hautes-Terres de la Papouasie-Nouvelle-Guinée, pour y
faire un terrain de recherche certes, mais surtout pour vivre
provisoirement chez des gens encore libres de l'emprise de
l'Occident. Et, avec son doctorat australien en poche, Éric
Waddell rentrera au bercail pour poursuivre ce qui deviendra la grande passion de sa vie : découvrir et célébrer des
peuples qui résistent, témoigner des cultures fortes et ostra-
cisées. Que ce soit en cette Amérique francophone qui s'étend
de la Caraïbe au Grand Nord ou bien en cette Océanie aux
profondes racines flottantes et aux grands voyages à balan-
cier, sans fin et sans frontières.

C'est à ces deux univers géographiques – la Franco-
Amérique et le Sud-Pacifique – qu'il consacrera sa vie,
depuis Québec, son lieu d'ancrage auquel sans cesse il
revient parce que c'est sa patrie et son unique fenêtre sur le
monde.

Bibliographie

Ouvrages de Jean Morisset

Les chiens s'entre-dévorent. Indiens, Blancs et Métis dans le Grand Nord canadien, avec des dessins de Girerd, Montréal, Nouvelle Optique, 1977.

Canada : indianité et luttes d'espace, département de géographie, Université du Québec à Montréal, études et recherches, numéro inaugural, mars 1983.

L'Identité usurpée. 1. L'Amérique écartée, Montréal, Nouvelle Optique, 1985.

Ted Trindell : Métis Witness to the North (en collaboration avec Rose-Marie Pelletier), Vancouver, Pulp Press Publishers, 1986.

L'Homme de Glace. Navigations & autres géographies, poésie, avec une préface de Kenneth White et des œuvres de René Derouin, Montréal, Éditions du Cidihca, coll. « Voix du Sud, Voix du Nord » 1995.

Louis Riel. Poèmes américains, Éditions Trois-Pistoles, 1997.

Récits de la Terre première, Montréal, Leméac, 2000.

Ouvrages d'Éric Waddell

The Mound Builders : Agricultural Practices, Environment and Society in the Central Highlands of New Guinea, Seattle, University of Washington Press, 1972.

Les Anglophones du Québec : de majoritaires à minoritaires (en collaboration avec Gary Caldwell), Québec, Institut québécois de recherche sur la culture, 1982.

Un homme grand : Jack Kérouac à la confluence des cultures (dirigé en collaboration avec Pierre Anctil, Louis Dupont et Dean R. Louder), Ottawa, Presses de l'Université de Carleton, 1990.

French America : Identity, Mobility and Minority Experience Across the Continent (dirigé en collaboration avec Dean R. Louder), Bâton Rouge, Presses de l'Université du Sud-Ouest de la Louisiane, 1992 (original paru sous le titre *Du continent perdu à l'archipel retrouvé : le Québec et l'Amérique française*, Québec, Presses de l'Université Laval, 1983).

A New Oceania. Rediscovering our Sea of Islands (en collaboration avec V. Naidu et Epeli Hau'ofa), Suva, Université du Pacifique-Sud et Beake House, 1993.

The Margin Fades : Geographical Itineraries in a World of Islands (sous la direction d'Éric Waddell et Patrick D. Dunn), Suva, Institut des Études du Pacifique, 1994.

Le Dialogue avec les cultures minoritaires (sous la direction de), Québec, Presses de l'Université Laval, 1999.

Visages et visions de la Franco-Amérique (en collaboration avec Dean Louder), Québec, Presses de l'Université Laval, 2000.

Table

VERS L'AU-DELÀ DES AMÉRIQUES

Cet ouvrage composé en Berkeley 11,5 points
a été achevé d'imprimer
le deux novembre deux mille
sur les presses de Transcontinental
Division Imprimerie Gagné
à Louiseville
pour le compte des
Éditions de l'Hexagone.

Imprimé au Québec (Canada)